수능에 꼭 나오는 기출 유형 체계적 공략

[3·4점 유형]

미적분

참 중요한 3·4점 수학

특징

이 책은 빈출 유형의 중요한 문제로 기본기를 탄탄하게 다지고, 문제 해결 능력과 실전 능력을 강화하여 고득점을 할 수 있도록 구성했습니다.

중요한 기출 유형과 개념 이해로 **탄탄한 기본기 강화**

- 교과서 핵심 개념 및 기본 공식, 이전에 배운 내용, 핵심 첨삭 등의 부가 설명으로 기초가 부족해도 쉽게 유형을 정복할 수 있습니다.
- 중요한 기출 유형과 맞춤 해법으로 개념을 확실하게 익힐 수 있습니다.

단계별 Action 전략으로 **문제 해결의 원리와 스킬 터득**

- 기출 유형 체계적 정복을 위한 단계적 Action 전략 제시로 3, 4점짜리 문제를 완벽하게 공략합니다.
- 문제 해결의 원리 터득으로 기본기를 강화합니다.

최신 출제 경향에 딱 맞춘 적중 예상 문제로 **실전 능력 강화**

- 최신 출제 경향에 따른 빈출 문제, 신유형 문제에 대한 적응력을 키울 수 있습니다.
- 중요한 3, 4점 문항들에 대한 해결 능력과 실전 적응 능력을 강화합니다.

참 중요한 3·4점 수학 구성

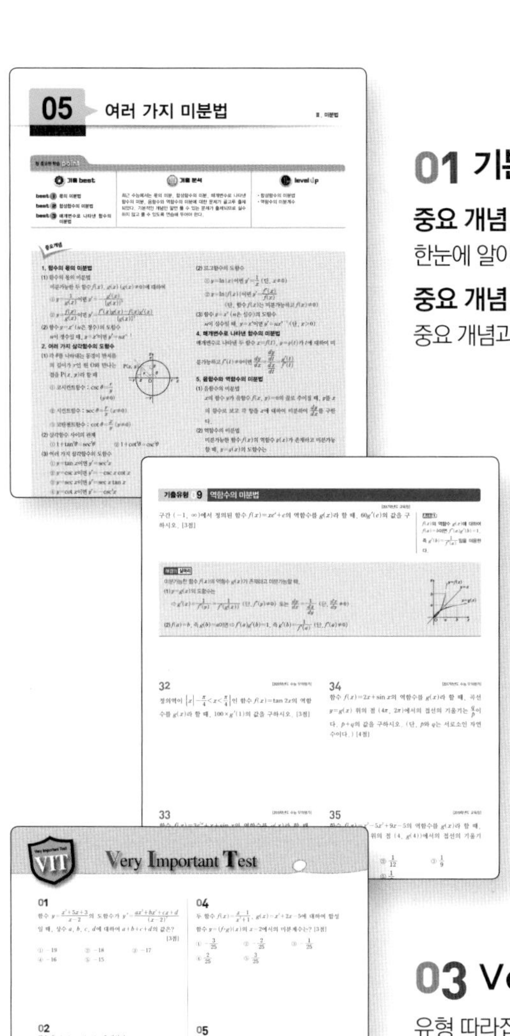

01 기본 학습

중요 개념 빈출 주제와 기출 분석에 따른 학습 대비책, 문제 해결에 필요한 중요 개념을 한눈에 알아볼 수 있도록 정리하였습니다.

중요 개념 문제 출제의도를 쉽게 파악할 수 있는 3, 4점짜리 우수 기출문제를 다루어 중요 개념과 출제의 맥락을 확실하게 이해할 수 있도록 하였습니다.

02 유형 따라잡기

수능 및 학력평가에 출제되었던 3, 4점짜리 문제의 핵심 유형을 선정하고, 해당 유형 해결책을 알려 주는 '해결의 실마리'를 제시하였습니다. 또한, 문제 해결 과정에서 적용해야 할 Action 전략을 제시하여, 문제 풀이의 맥락을 쉽게 알 수 있도록 하였습니다.

03 Very Important Test

유형 따라잡기에서 다루었던 기출문제를 토대로,
최신 출제 경향에 맞추어 출제가 예상되는 문제를 중심으로 출제하였습니다.
또한, 수능 고득점을 위한 1등급 level up 문제를 수록하였습니다.

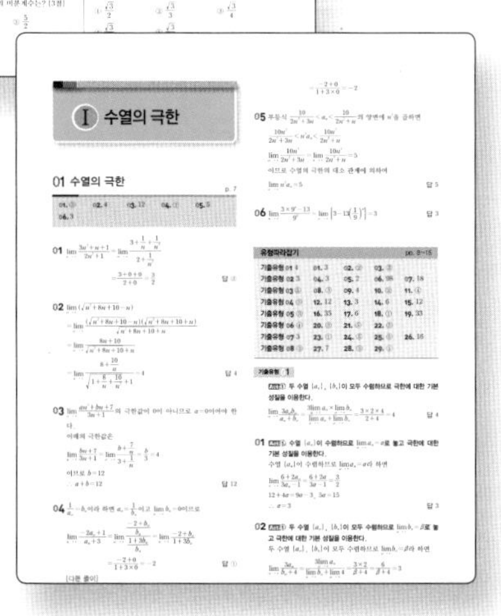

04 정답과 해설

풀이를 보고도 이해를 하지 못하는 경우가 없도록 자세히 풀이하였습니다.
알찬 해설이 되도록 문제 해결 과정에서 풀이의 맥락을 알려주는 Action 전략, 특별히 보충해야 할 공식과 설명, 수식 계산의 팁 등으로 구성하였습니다.

참 중요한 3·4점 수학

이 책은 중요한 유형의 문제로 기본기를 탄탄하게 다지고
문제해결 능력을 강화하여 수능 및 학교시험의
중요한 문제를 완벽하게 해결할 수 있습니다.

학습방법

중요 개념 익히기

중요 개념, 이전에 배운 내용, 첨삭의 내용을 이해하고 3, 4점짜리 기출 중요 문제를 풀어
개념을 확실히 익힙니다.

기출 유형별 Action 전략 마스터하기

기출 유형으로 제시된 3, 4점짜리 기출 문제와 함께 '해결의 실마리'를 보고 어떻게 문제를 풀 것인지
생각한 후, 단계별 Action 전략을 따라서 풉니다. 동일한 유형의 문제를 통해 앞서 익힌 풀이 전략을
집중 연습하여 문제 해결의 원리를 확실하게 마스터합니다.

최신 출제 경향 문제로 실력 다지기

실전과 같이 해답을 보지 말고 앞에서 익힌 문제 해결의 원리를 적용하여 풀어 봅니다.
틀린 부분이 있다면 유형 따라잡기의 '해결의 실마리'부분을 다시 한 번 복습합니다.

c o n t e n t s

차 례

Ⅰ 수열의 극한

01 수열의 극한 06

02 급수 18

Ⅱ 여러 가지 함수의 미분

03 지수함수와 로그함수의 미분 28

04 삼각함수의 미분 38

Ⅲ 미분법

05 여러 가지 미분법 46

06 도함수의 활용 (1) 60

07 도함수의 활용 (2) 70

Ⅳ 적분법

08 여러 가지 적분법 80

09 정적분 92

10 정적분의 활용 102

01 수열의 극한

참 중요한 학습 point

best 1 $\frac{\infty}{\infty}$ 꼴의 극한
best 2 수열의 극한의 대소 관계
best 3 등비수열의 극한

기본적인 개념만 알면 풀 수 있는 $\frac{\infty}{\infty}$ 꼴의 극한, 등비수열의 극한은 매년 빠지지 않고 출제되며, 일반항 a_n을 포함한 식의 극한, 수열의 극한의 대소를 이용한 극한 문제도 출제된다. 출제 패턴이 정해져 있으므로 실수하지 않고 풀 수 있어야 한다.

level up

- 일반항 a_n을 포함한 식의 극한
- 등비수열의 극한

중요개념

1. 수열의 수렴과 발산

(1) 수열의 수렴

수열 $\{a_n\}$에서 n의 값이 한없이 커질 때, 일반항 a_n의 값이 어떤 실수 α에 한없이 가까워지면 수열 $\{a_n\}$은 α에 수렴한다고 한다. 이때 α를 수열 $\{a_n\}$의 극한값 또는 극한이라고 하며, 이것을 기호로

$$\lim_{n\to\infty} a_n=\alpha \text{ 또는 } n\to\infty \text{일 때 } a_n\to\alpha$$

와 같이 나타낸다.

수열 $\{a_n\}$에서 모든 자연수 에 대하여 $a_n=c$ (c는 상수)인 경우, 수열 $\{a_n\}$은 c에 수렴한다고 하며,

$$\lim_{n\to\infty} a_n=\lim_{n\to\infty} c=c$$

와 같이 나타낸다.

(2) 수열의 발산

수열 $\{a_n\}$이 수렴하지 않을 때, 수열 $\{a_n\}$은 발산한다고 한다.

① 양의 무한대로 발산 : $\lim_{n\to\infty} a_n=\infty$ 또는 $n\to\infty$일 때 $a_n\to\infty$

② 음의 무한대로 발산 : $\lim_{n\to\infty} a_n=-\infty$ 또는 $n\to\infty$일 때 $a_n\to-\infty$

③ 진동 : 수열이 수렴하지도 않고, 양의 무한대 또는 음의 무한대로 발산하지도 않는 경우

2. 수열의 극한에 대한 기본 성질

두 수열 $\{a_n\}$, $\{b_n\}$이 각각 수렴하고 $\lim_{n\to\infty} a_n=\alpha$, $\lim_{n\to\infty} b_n=\beta$일 때,

(1) $\lim_{n\to\infty} ca_n=c\lim_{n\to\infty} a_n=c\alpha$ (단, c는 상수)

(2) $\lim_{n\to\infty}(a_n+b_n)=\lim_{n\to\infty} a_n+\lim_{n\to\infty} b_n=\alpha+\beta$

(3) $\lim_{n\to\infty}(a_n-b_n)=\lim_{n\to\infty} a_n-\lim_{n\to\infty} b_n=\alpha-\beta$

(4) $\lim_{n\to\infty} a_nb_n=\lim_{n\to\infty} a_n\times\lim_{n\to\infty} b_n=\alpha\beta$

(5) $\lim_{n\to\infty}\frac{a_n}{b_n}=\frac{\lim_{n\to\infty} a_n}{\lim_{n\to\infty} b_n}=\frac{\alpha}{\beta}$ (단, $b_n\neq0$, $\beta\neq0$)

3. 수열의 극한값의 계산

(1) $\frac{\infty}{\infty}$ 꼴의 극한

분모의 최고차항으로 분모, 분자를 각각 나눈다.

① (분자의 차수)>(분모의 차수)일 때 ⇨ ∞로 발산한다.

② (분자의 차수)=(분모의 차수)일 때 ⇨ 최고차항의 계수의 비에 수렴한다.

③ (분자의 차수)<(분모의 차수)일 때 ⇨ 0에 수렴한다.

(2) $\infty-\infty$ 꼴의 극한

① 무리식이면 분모 또는 분자를 유리화한다.

② 다항식이면 최고차항으로 묶는다.

4. 수열의 극한의 대소 관계

두 수열 $\{a_n\}$, $\{b_n\}$이 각각 수렴하고 $\lim_{n\to\infty} a_n=\alpha$, $\lim_{n\to\infty} b_n=\beta$일 때,

(1) 모든 자연수 n에 대하여 $a_n\le b_n$이면 $\alpha\le\beta$이다.

(2) 수열 $\{c_n\}$이 모든 자연수 n에 대하여 $a_n\le c_n\le b_n$이고 $\alpha=\beta$이면 $\lim_{n\to\infty} c_n=\alpha$이다.

5. 등비수열의 수렴과 발산

(1) $r>1$일 때, $\lim_{n\to\infty} r^n=\infty$ (발산)

(2) $r=1$일 때, $\lim_{n\to\infty} r^n=1$ (수렴)

(3) $-1<r<1$일 때, $\lim_{n\to\infty} r^n=0$ (수렴)

(4) $r\le-1$일 때, 수열 $\{r^n\}$은 진동한다. (발산)

등비수열 $\{r^n\}$이 수렴할 필요충분조건은 $-1<r\le1$이다.

중요개념문제

01
[2019학년도 수능 모의평가]

$\lim_{n\to\infty}\frac{3n^2+n+1}{2n^2+1}$의 값은? [2점]

① $\frac{1}{2}$　② 1　③ $\frac{3}{2}$　④ 2　⑤ $\frac{5}{2}$

02
[2017학년도 교육청]

$\lim_{n\to\infty}(\sqrt{n^2+8n+10}-n)$의 값을 구하시오. [3점]

03
[2013학년도 수능 모의평가]

두 상수 a, b에 대하여 $\lim_{n\to\infty}\frac{an^2+bn+7}{3n+1}=4$일 때, $a+b$의 값을 구하시오. [3점]

04
[2018학년도 교육청]

모든 항이 양수인 수열 $\{a_n\}$에 대하여 $\lim_{n\to\infty}\frac{1}{a_n}=0$일 때, $\lim_{n\to\infty}\frac{-2a_n+1}{a_n+3}$의 값은? [3점]

① -2　② -1　③ 0　④ 1　⑤ 2

05
[2018학년도 교육청]

수열 $\{a_n\}$이 모든 자연수 n에 대하여 부등식

$$\frac{10}{2n^2+3n}<a_n<\frac{10}{2n^2+n}$$

을 만족시킬 때, $\lim_{n\to\infty}n^2a_n$의 값을 구하시오. [3점]

06
[2016학년도 수능]

$\lim_{n\to\infty}\frac{3\times 9^n-13}{9^n}$의 값을 구하시오. [3점]

유형따라잡기

기출유형 01 수열의 극한에 대한 기본 성질

두 수열 $\{a_n\}$, $\{b_n\}$에 대하여 $\lim_{n\to\infty}a_n=2$, $\lim_{n\to\infty}b_n=4$일 때, $\lim_{n\to\infty}\frac{3a_nb_n}{a_n+b_n}$의 값을 구하시오. [3점]

Act ①
두 수열 $\{a_n\}$, $\{b_n\}$이 모두 수렴하므로 극한에 대한 기본 성질을 이용한다.

해결의 실마리

두 수열 $\{a_n\}$, $\{b_n\}$이 각각 수렴하고 $\lim_{n\to\infty}a_n=\alpha$, $\lim_{n\to\infty}b_n=\beta$일 때,

(1) $\lim_{n\to\infty}ca_n=c\lim_{n\to\infty}a_n=c\alpha$ (단, c는 상수)

(2) $\lim_{n\to\infty}(a_n+b_n)=\lim_{n\to\infty}a_n+\lim_{n\to\infty}b_n=\alpha+\beta$

(3) $\lim_{n\to\infty}(a_n-b_n)=\lim_{n\to\infty}a_n-\lim_{n\to\infty}b_n=\alpha-\beta$

(4) $\lim_{n\to\infty}a_nb_n=\lim_{n\to\infty}a_n\times\lim_{n\to\infty}b_n=\alpha\beta$

(5) $\lim_{n\to\infty}\frac{a_n}{b_n}=\frac{\lim_{n\to\infty}a_n}{\lim_{n\to\infty}b_n}=\frac{\alpha}{\beta}$ (단, $b_n\neq0$, $\beta\neq0$)

01

수렴하는 수열 $\{a_n\}$에 대하여 $\lim_{n\to\infty}\frac{6+2a_n}{3a_n-1}=\frac{3}{2}$일 때, $\lim_{n\to\infty}a_n$의 값을 구하시오. [3점]

02

수렴하는 두 수열 $\{a_n\}$, $\{b_n\}$에 대하여
$\lim_{n\to\infty}a_n=2$, $\lim_{n\to\infty}\frac{3a_n}{b_n+4}=3$일 때, $\lim_{n\to\infty}b_n$의 값은? [3점]

① -1　② -2　③ -3
④ -4　⑤ -5

03

[2011학년도 교육청]

수열 $\{a_n\}$, $\{b_n\}$에 대하여 [보기]에서 항상 옳은 것만을 있는 대로 고른 것은? [4점]

보기

ㄱ. 수열 $\{a_n^2\}$이 발산하면 수열 $\{a_n\}$은 발산한다.
ㄴ. 수열 $\{a_n+b_n\}$, $\{a_n-b_n\}$이 모두 수렴하면 수열 $\{a_n^2\}$, $\{b_n^2\}$도 모두 수렴한다.
ㄷ. 수열 $\{a_n+b_n\}$, $\{a_nb_n\}$이 모두 수렴하면 수열 $\{a_n\}$, $\{b_n\}$ 중 적어도 하나는 수렴한다.

① ㄱ　② ㄷ　③ ㄱ, ㄴ
④ ㄴ, ㄷ　⑤ ㄱ, ㄴ, ㄷ

기출유형 02 $\frac{\infty}{\infty}$ 꼴의 극한

$\lim_{n\to\infty}\frac{6n^2-3}{2n^2+5n}$의 값을 구하시오. [3점]

Act 1

$\frac{\infty}{\infty}$ 꼴의 극한은 분모의 최고차항으로 분모, 분자를 나누어 그 극한값을 구한다.

해결의 실마리

$\frac{\infty}{\infty}$ 꼴의 극한 ⇨ 분모의 최고차항으로 분모, 분자를 각각 나눈다.

① (분자의 차수) > (분모의 차수)일 때 ⇨ ∞로 발산한다.

② (분자의 차수) = (분모의 차수)일 때 ⇨ 최고차항의 계수의 비에 수렴한다.

③ (분자의 차수) < (분모의 차수)일 때 ⇨ 0에 수렴한다.

04

[2015학년도 수능 모의평가]

$\lim_{n\to\infty}\frac{3n^2+5}{n^2+2n}$의 값을 구하시오. [3점]

05

[2010학년도 교육청]

$\lim_{n\to\infty}\frac{3+\sqrt{4n^2+1}}{n-2}$의 값을 구하시오. [3점]

06

[2013학년도 교육청]

자연수 n에 대하여 x에 대한 이차방정식 $x^2-10nx+n^2+1=0$의 두 근을 α_n, β_n이라 할 때, $\lim_{n\to\infty}\left(\frac{\beta_n}{\alpha_n}+\frac{\alpha_n}{\beta_n}\right)$의 값을 구하시오. [3점]

07

[2012학년도 교육청]

수열 $\{a_n\}$이 $a_1=1$, $a_2=4$이고, 모든 자연수 n에 대하여 $a_{n+2}-a_{n+1}=a_{n+1}-a_n$을 만족시킬 때, $\lim_{n\to\infty}\frac{a_n a_{n+1}}{1+2+3+\cdots+n}$의 값을 구하시오. [3점]

기출유형 03 $\infty-\infty$ 꼴의 극한

$\lim_{n\to\infty}(\sqrt{n^2+8n+15}-n)$의 값은? [3점]

① $\frac{1}{2}$　② $\frac{\sqrt{2}}{2}$　③ 2　④ $2\sqrt{2}$　⑤ 4

Act ①
$\infty-\infty$ 꼴의 극한은 무리식이면 분모 또는 분자를 유리화한다.

해결의 실마리

$\infty-\infty$ 꼴의 극한

(1) 무리식이면 ⇨ 분모 또는 분자를 유리화한다.

(2) 다항식이면 ⇨ 최고차항으로 묶는다.

08

[2016학년도 교육청]

$\lim_{n\to\infty}(\sqrt{n^2+2n}-n)$의 값은? [3점]

① $\frac{1}{4}$　② $\frac{1}{2}$　③ 1

④ 2　⑤ 4

09

$\lim_{n\to\infty}\frac{4}{\sqrt{n^2+2n+3}-n}$의 값을 구하시오. [3점]

10

[2017학년도 교육청]

등차수열 $\{a_n\}$이 $a_3=5$, $a_6=11$일 때,
$\lim_{n\to\infty}\sqrt{n}(\sqrt{a_{n+1}}-\sqrt{a_n})$의 값은? [3점]

① $\frac{1}{2}$　② $\frac{\sqrt{2}}{2}$　③ 1

④ $\sqrt{2}$　⑤ 2

11

[2018학년도 교육청]

자연수 n에 대하여 원 $x^2+y^2=4n^2$과 직선 $y=\sqrt{n}$이 제1사분면에서 만나는 점의 x좌표를 a_n이라 할 때,
$\lim_{n\to\infty}(2n-a_n)$의 값은? [4점]

① $\frac{1}{16}$　② $\frac{1}{8}$　③ $\frac{3}{16}$

④ $\frac{1}{4}$　⑤ $\frac{5}{16}$

기출유형 04 $\frac{\infty}{\infty}$, $\infty-\infty$ 꼴의 미정계수의 결정

두 상수 a, b에 대하여 $\lim_{n\to\infty}\frac{an^2+bn-2}{5n+1}=\frac{3}{10}$일 때, $a+b$의 값은? [3점]

① $\frac{1}{2}$ ② 1 ③ $\frac{3}{2}$ ④ 2 ⑤ $\frac{5}{2}$

Act ①

$\frac{\infty}{\infty}$ 꼴의 극한값이 0이 아닌 실수이면 분자, 분모의 차수가 같음을 이용한다.

해결의 실마리

$\lim_{n\to\infty}a_n=\infty$, $\lim_{n\to\infty}b_n=\infty$일 때

(1) $\lim_{n\to\infty}\frac{a_n}{b_n}=\alpha$ ($\alpha\neq0$인 실수)이면 ⇨ (a_n의 차수)$=$(b_n의 차수)이고 최고차항의 계수의 비가 α이다.

(2) $\lim_{n\to\infty}\{\sqrt{a_n}-\sqrt{b_n}\}=\alpha$ ($\alpha\neq0$인 실수)이면 ⇨ 무리식을 유리화한다.

참고 (1)에서 $\lim_{n\to\infty}\frac{a_n}{b_n}=0$이면 ⇨ ($a_n$의 차수)$<$($b_n$의 차수), $\lim_{n\to\infty}\frac{a_n}{b_n}=\infty$이면 ⇨ ($a_n$의 차수)$>$($b_n$의 차수)

12

두 상수 a, b에 대하여 $\lim_{n\to\infty}\frac{an^2+bn+7}{3n+1}=4$일 때, $a+b$의 값을 구하시오. [3점]

13

두 상수 a, b에 대하여 $\lim_{n\to\infty}\frac{an^3+bn^2+5}{(n-2)^2}=3$일 때, $a+b$의 값을 구하시오. [3점]

14

실수 a에 대하여 $\lim_{n\to\infty}(\sqrt{n^2+an}-n+a)=9$일 때, a의 값을 구하시오. [3점]

15

양수 a와 실수 b에 대하여 $\lim_{n\to\infty}(\sqrt{an^2+2n}-bn)=\frac{1}{3}$일 때, $a+b$의 값을 구하시오. [4점]

기출유형 05 일반항 a_n을 포함한 식의 극한값

수열 $\{a_n\}$에 대하여 $\lim_{n\to\infty}(2n+1)a_n=12$일 때, $\lim_{n\to\infty}na_n$의 값은? [3점]

① 0 ② 2 ③ 6 ④ 24 ⑤ 32

Act ①
수렴하는 수열의 극한의 기본 성질을 이용할 수 있도록 식을 변형한다.

해결의 실마리

수렴 여부를 알 수 없는 일반항 a_n을 포함한 식 $a_nf(n)$의 극한값을 구하는 문제는 먼저 극한의 기본 성질을 적용할 수 있도록 식을 변형한다.

예를 들어 $\lim_{n\to\infty}\frac{2a_n+1}{3a_n+2}=\alpha$ (α는 실수)일 때, $\frac{2a_n+1}{3a_n+2}=b_n$으로 놓고 극한을 구하고자 하는 식 $a_nf(n)$의 a_n을 b_n으로 나타내어 $\lim_{n\to\infty}b_n=\alpha$임을 이용한다

16

[2012학년도 수능 모의평가]

수열 $\{a_n\}$과 $\{b_n\}$이 $\lim_{n\to\infty}(n+1)a_n=2$, $\lim_{n\to\infty}(n^2+1)b_n=7$을 만족시킬 때, $\lim_{n\to\infty}\frac{(10n+1)b_n}{a_n}$의 값을 구하시오. (단, $a_n\neq0$) [3점]

17

[2014학년도 교육청]

수열 $\{a_n\}$에 대하여 $\lim_{n\to\infty}\frac{a_n}{n}=\frac{1}{3}$일 때, $\lim_{n\to\infty}\frac{\sqrt{9n^2+n}-n}{a_n}$의 값을 구하시오. [3점]

18

[2016학년도 교육청]

모든 항이 양수인 수열 $\{a_n\}$에 대하여 $\frac{1+a_n}{a_n}=n^2+2$가 성립할 때, $\lim_{n\to\infty}n^2a_n$의 값은? [3점]

① 1 ② 2 ③ 3
④ 4 ⑤ 5

19

[2019학년도 교육청]

두 수열 $\{a_n\}$, $\{b_n\}$에 대하여
$\lim_{n\to\infty}(a_n+2b_n)=9$, $\lim_{n\to\infty}(2a_n+b_n)=90$일 때,
$\lim_{n\to\infty}(a_n+b_n)$의 값을 구하시오. [3점]

기출유형 06 수열의 극한의 대소 관계

[2020학년도 수능 모의평가]

모든 항이 양수인 수열 $\{a_n\}$이 모든 자연수 n에 대하여 부등식 $\sqrt{9n^2+4}<\sqrt{na_n}<3n+2$를 만족시킬 때, $\lim_{n\to\infty}\frac{a_n}{n}$의 값은? [3점]

① 6 ② 7 ③ 8 ④ 9 ⑤ 10

Act ①

$a_n \le c_n \le b_n$이고 $\lim_{n\to\infty} a_n = \lim_{n\to\infty} b_n = \alpha$ (α는 실수)이면 $\lim_{n\to\infty} c_n = \alpha$임을 이용한다.

해결의 실마리

모든 자연수 n에 대하여 $a_n \le c_n \le b_n$이고 $\lim_{n\to\infty} a_n = \lim_{n\to\infty} b_n = \alpha$ (α는 실수)이면 ⇨ $\lim_{n\to\infty} c_n = \alpha$

20

[2014학년도 교육청]

모든 항이 양수인 수열 $\{a_n\}$이 모든 자연수 n에 대하여 $1+2\log_3 n<\log_3 a_n<1+2\log_3 (n+1)$을 만족시킬 때, $\lim_{n\to\infty}\frac{a_n}{n^2}$의 값은? [3점]

① 1 ② 2 ③ 3
④ 4 ⑤ 5

21

[2016학년도 수능]

수열 $\{a_n\}$에 대하여 곡선 $y=x^2-(n+1)x+a_n$은 x축과 만나고, 곡선 $y=x^2-nx+a_n$은 x축과 만나지 않는다. $\lim_{n\to\infty}\frac{a_n}{n^2}$의 값은? [3점]

① $\frac{1}{20}$ ② $\frac{1}{10}$ ③ $\frac{3}{20}$
④ $\frac{1}{5}$ ⑤ $\frac{1}{4}$

22

[2014학년도 교육청]

두 수열 $\{a_n\}$, $\{b_n\}$이 모든 자연수 n에 대하여 다음 조건을 만족시킨다.

(가) $4^n<a_n<4^n+1$
(나) $2+2^2+2^3+\cdots+2^n<b_n<2^{n+1}$

$\lim_{n\to\infty}\frac{4a_n+b_n}{2a_n+2^n b_n}$의 값은? [4점]

① $\frac{1}{4}$ ② $\frac{1}{2}$ ③ 1
④ 2 ⑤ 4

기출유형 07 등비수열의 극한

[2015학년도 교육청]

$\lim_{n\to\infty}\frac{3\times5^n+2^n}{5^n-2^n}$의 값을 구하시오. [3점]

Act ①

$\lim_{n\to\infty}\frac{c^n+d^n}{a^n+b^n}$ 꼴의 극한은 분모에서 밑의 절댓값이 가장 큰 항으로 분모, 분자를 각각 나눈다.

해결의 실마리

(1) $\lim_{n\to\infty}\frac{c^n+d^n}{a^n+b^n}$ 꼴의 극한 ⇨ 분모에서 밑의 절댓값이 가장 큰 항으로 분모, 분자를 각각 나눈다.

(2) $\lim_{n\to\infty}(a^n-b^n)$ 꼴의 극한 ⇨ 밑이 가장 큰 항으로 묶는다.

23

[2013학년도 교육청]

$\lim_{n\to\infty}\frac{a\times4^{n+1}-1}{2^{2n-1}+3^{n+1}}=4$를 만족시키는 실수 a의 값은? [3점]

① $\frac{1}{2}$　② 1　③ $\frac{3}{2}$　④ 2　⑤ $\frac{5}{2}$

24

[2018학년도 교육청]

공비가 3인 등비수열 $\{a_n\}$이 $\lim_{n\to\infty}\frac{a_n-2}{3^{n+1}+2a_n}=\frac{2}{5}$를 만족시킬 때, 첫째항 a_1의 값은? [3점]

① 10　② 12　③ 14　④ 16　⑤ 18

25

[2018학년도 교육청]

$\lim_{n\to\infty}\frac{3n-1}{n+1}=a$일 때, $\lim_{n\to\infty}\frac{a^{n+2}+1}{a^n-1}$의 값은? (단, a는 상수이다.) [4점]

① 1　② 3　③ 5　④ 7　⑤ 9

26

[2017학년도 수능]

자연수 n에 대하여 직선 $x=4^n$이 곡선 $y=\sqrt{x}$와 만나는 점을 P_n이라 하자. 선분 P_nP_{n+1}의 길이를 L_n이라 할 때, $\lim_{n\to\infty}\left(\frac{L_{n+1}}{L_n}\right)^2$의 값을 구하시오. [4점]

y
P_{n+1}
$y=\sqrt{x}$
P_n
O
$x=4^n$
$x=4^{n+1}$ x

기출유형 08 등비수열의 수렴 조건

수열 $\left\{\left(\frac{2x-1}{3}\right)^n\right\}$이 수렴하도록 하는 모든 정수 x의 값의 합은? [3점]

① 1 ② 2 ③ 3 ④ 4 ⑤ 5

Act ①
등비수열 $\{r^n\}$의 수렴 조건은 $-1<r\leq 1$임을 이용한다.

해결의 실마리

(1) 등비수열 $\{r^n\}$의 수렴 조건 ⇨ $-1<r\leq 1$

(2) 등비수열 $\{ar^{n-1}\}$의 수렴 조건 ⇨ $a=0$ 또는 $-1<r\leq 1$

27

수열 $\left\{\frac{x(x-3)^n}{3^{n-1}}\right\}$이 수렴하도록 하는 모든 정수 x의 개수를 구하시오. [3점]

28

[2011학년도 교육청]

등비수열 $\{(4\sin x-3)^n\}$이 수렴하기 위한 필요충분조건은 $\alpha<x<\beta$이다. 이때 $\beta-\alpha$의 값은? (단, $0\leq x<2\pi$)

[4점]

① $\frac{\pi}{3}$ ② $\frac{\pi}{2}$ ③ $\frac{2}{3}\pi$
④ $\frac{5}{6}\pi$ ⑤ π

29

[2019학년도 교육청]

$\lim_{n\to\infty}\frac{\left(\frac{m}{5}\right)^{n+1}+2}{\left(\frac{m}{5}\right)^n+1}=2$가 되도록 하는 자연수 m의 개수는?

[3점]

① 5 ② 6 ③ 7
④ 8 ⑤ 9

Very Important Test

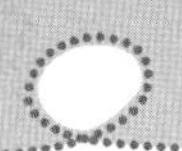

01

$\lim_{n\to\infty}\frac{\sqrt{n+1}-\sqrt{n-1}}{\sqrt{n+2}-\sqrt{n}}$의 값은? [3점]

① 1 ② 2 ③ 3
④ 4 ⑤ 5

02

등식 $\lim_{n\to\infty}\frac{an^2+bn+1}{2n-3}=2$가 성립할 때, $a+b$의 값은? (단, a, b는 상수) [3점]

① 4 ② 5 ③ 6
④ 7 ⑤ 8

03

자연수 n에 대하여 $\sqrt{4n^2+2n+1}$의 소수 부분을 a_n이라 할 때, $\lim_{n\to\infty}a_n$의 값은? [3점]

① $\frac{1}{4}$ ② $\frac{1}{2}$ ③ 1
④ 2 ⑤ 4

04

수열 $\{a_n\}$에 대하여 $\lim_{n\to\infty}(3n+2)a_n=6$일 때, $\lim_{n\to\infty}\frac{2n^2+3}{n-1}a_n$의 값을 구하시오. [3점]

05

수열 $\{a_n\}$에 대하여 $\lim_{n\to\infty}(n^2+4n+3)a_n=4$일 때, $\lim_{n\to\infty}(2n^2+3n)a_n$의 값은? [3점]

① 2 ② 4 ③ 8
④ 12 ⑤ 16

06

수열 $\{a_n\}$이 모든 자연수 n에 대하여

$$5n^2+2n-2<a_n<5n^2+2n+3$$

을 만족시킬 때, $\lim_{n\to\infty}\frac{a_n-5n^2}{n}$의 값을 구하시오. [3점]

07

수열 $\{a_n\}$에서 모든 자연수 n에 대하여 첫째항부터 제n항까지의 합 S_n이 $S_n=n\times 2^n$일 때, $\lim_{n\to\infty}\frac{S_n}{a_n}$의 값은? [3점]

① 2 ② 4 ③ 6
④ 8 ⑤ 10

08

함수 $f(x)=\lim_{n\to\infty}\frac{x^{n+1}-1}{x^n+1}$에 대하여 $f\left(\frac{1}{2}\right)+f(2)$의 값은? [3점]

① -2 ② -1 ③ 0
④ 1 ⑤ 2

09

등비수열 $\{(-1+\log_2 x)^n\}$이 수렴하도록 하는 정수 x의 개수를 구하시오. [3점]

10

수열 $\{a_n\}$이 모든 자연수 n에 대하여
$3^{n+1}-2^n<(2^{n+1}+3^{n-1})a_n<2^n+3^{n+1}$을 만족시킬 때, $\lim_{n\to\infty}a_n$의 값을 구하시오. [4점]

1등급 level up

11

$\lim_{n\to\infty}(\sqrt{an^2+bn}-3n)=1$일 때, 두 상수 a, b에 대하여 ab의 값을 구하시오. [4점]

12

수열 $\{a_n\}$이 모든 자연수 n에 대하여
$\frac{1}{\sqrt{n+2}+\sqrt{n+3}}<a_n<\frac{1}{\sqrt{n+1}+\sqrt{n+2}}$을 만족시킬 때,
$\lim_{n\to\infty}\frac{a_1+a_2+a_3+\cdots+a_n}{\sqrt{n+1}}$의 값은? [4점]

① 1 ② 2 ③ 3
④ 4 ⑤ 5

02 급수

참 중요한 학습 point

 기출 best	 기출 분석	 level up
best 1 급수와 수열의 극한값의 관계 best 2 급수의 성질 best 3 등비급수의 합	급수의 합, 급수의 성질, 등비급수의 합, 등비급수의 수렴 조건에 대한 이해 문제가 출제된다. 특히, 매년 빠지지 않고 출제되는 도형과 등비급수 문제는 어려운 유형으로 알려져 있으나 닮음비만 파악하면 풀 수 있는 유형으로 충분한 연습을 하면 고득점이 가능하다.	• 급수와 수열의 극한값의 관계 • 도형과 등비급수

중요개념

1. 급수의 수렴과 발산

(1) 급수 : 수열 $\{a_n\}$의 각 항을 덧셈 기호 $+$로 연결한 식 $a_1+a_2+a_3+\cdots+a_n+\cdots$을 급수라 하며, 이것을 기호 $\sum$를 사용하여 $\sum_{n=1}^{\infty} a_n$과 같이 나타낸다.

(2) 부분합 : 급수 $\sum_{n=1}^{\infty} a_n=a_1+a_2+a_3+\cdots+a_n+\cdots$에서 첫째항부터 제$n$항까지의 합 S_n, 즉

$S_n=a_1+a_2+a_3+\cdots+a_n=\sum_{k=1}^{n} a_k$를 이 급수의 제$n$항까지의 부분합이라 한다.

(3) 급수의 수렴과 발산

① 급수 $\sum_{n=1}^{\infty} a_n$의 부분합으로 이루어진 수열 $\{S_n\}$이 일정한 값 S에 수렴할 때, 급수 $\sum_{n=1}^{\infty} a_n$은 S에 수렴한다고 하고, S를 급수의 합이라 한다. 즉

$$\sum_{n=1}^{\infty} a_n=\lim_{n\to\infty} S_n=\lim_{n\to\infty}\sum_{k=1}^{n} a_k=S$$

② 급수 $\sum_{n=1}^{\infty} a_n$의 부분합으로 이루어진 수열 $\{S_n\}$이 발산할 때, 이 급수는 발산한다고 한다.

2. 급수와 수열의 극한 사이의 관계

(1) 급수 $\sum_{n=1}^{\infty} a_n$이 수렴하면 $\lim_{n\to\infty} a_n=0$이다.

(2) $\lim_{n\to\infty} a_n\neq0$이면 급수 $\sum_{n=1}^{\infty} a_n$은 발산한다.

← (2)를 이용하면 급수의 발산을 쉽게 판정할 수 있다.

참고 (1)의 역은 성립하지 않고, (1)의 대우인 (2)는 성립한다. 예를 들어 $\lim_{n\to\infty}\frac{1}{n}=0$이지만 $\sum_{n=1}^{\infty}\frac{1}{n}$은 양의 무한대로 발산한다.

$$\sum_{n=1}^{\infty}\frac{1}{n}=1+\frac{1}{2}+\left(\frac{1}{3}+\frac{1}{4}\right)+\left(\frac{1}{5}+\frac{1}{6}+\frac{1}{7}+\frac{1}{8}\right)+\cdots$$
$$>1+\frac{1}{2}+\left(\frac{1}{4}+\frac{1}{4}\right)+\left(\frac{1}{8}+\frac{1}{8}+\frac{1}{8}+\frac{1}{8}\right)+\cdots$$
$$=1+\frac{1}{2}+\frac{1}{2}+\frac{1}{2}+\cdots=\infty$$

3. 급수의 성질

두 급수 $\sum_{n=1}^{\infty} a_n$, $\sum_{n=1}^{\infty} b_n$이 모두 수렴하고 그 합이 각각 S, T일 때

(1) $\sum_{n=1}^{\infty}(a_n+b_n)=\sum_{n=1}^{\infty} a_n+\sum_{n=1}^{\infty} b_n=S+T$

(2) $\sum_{n=1}^{\infty}(a_n-b_n)=\sum_{n=1}^{\infty} a_n-\sum_{n=1}^{\infty} b_n=S-T$

(3) $\sum_{n=1}^{\infty} ca_n=c\sum_{n=1}^{\infty} a_n=cS$ (단, c는 상수)

4. 등비급수의 수렴과 발산

(1) 첫째항이 $a(a\neq0)$, 공비가 r인 등비수열 $\{ar^{n-1}\}$의 각 항을 덧셈 기호 $+$로 연결하여 얻은 급수

$$\sum_{n=1}^{\infty} ar^{n-1}=a+ar+ar^2+\cdots+ar^{n-1}+\cdots$$

을 첫째항이 a, 공비가 r인 등비급수라 한다.

(2) 등비급수 $\sum_{n=1}^{\infty} ar^{n-1}\,(a\neq0)$은

① $|r|<1$일 때, 수렴하고 그 합은 $\frac{a}{1-r}$이다.

② $|r|\geq1$일 때, 발산한다.

중요개념문제

01 [2018학년도 교육청]

$\sum_{n=1}^{\infty}\frac{2}{(n+1)(n+2)}$의 값을 구하시오. [3점]

02 [2015학년도 교육청]

수열 $\{a_n\}$에 대하여 급수 $\sum_{n=1}^{\infty}\left(a_n-\frac{3n+1}{n}\right)$이 수렴할 때, 의 $\lim_{n\to\infty}a_n$의 값은? [3점]

① 1 ② 2 ③ 3
④ 4 ⑤ 5

03 [2014학년도 교육청]

$\sum_{n=1}^{\infty}a_n=4$, $\sum_{n=1}^{\infty}b_n=-3$일 때, $\sum_{n=1}^{\infty}(5a_n-2b_n)$의 값을 구하시오. [3점]

04 [2015학년도 수능]

등비수열 $\{a_n\}$에 대하여 $a_1=3$, $a_2=1$일 때, $\sum_{n=1}^{\infty}(a_n)^2$의 값은? [3점]

① $\frac{81}{8}$ ② $\frac{83}{8}$ ③ $\frac{85}{8}$
④ $\frac{87}{8}$ ⑤ $\frac{89}{8}$

05 [2019학년도 수능 모의평가]

급수 $\sum_{n=1}^{\infty}\left(\frac{x}{5}\right)^n$이 수렴하도록 하는 모든 정수 x의 개수는? [3점]

① 1 ② 3 ③ 5
④ 7 ⑤ 9

06

그림과 같이 높이가 2인 직각이등변삼각형 A_1에서 시작하여 변의 길이를 반으로 줄인 직각이등변삼각형을 계속 그려 나간다. 이와 같은 과정을 계속하여 얻은 모든 직각이등변삼각형의 넓이의 합은? [4점]

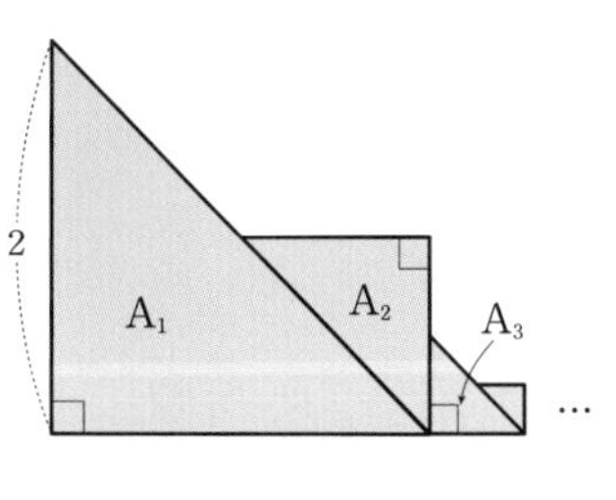

① $\frac{4}{3}$ ② $\frac{5}{3}$ ③ 2
④ $\frac{7}{3}$ ⑤ $\frac{8}{3}$

기출유형 01 급수의 합

$\frac{1}{1\cdot2}+\frac{1}{2\cdot3}+\frac{1}{3\cdot4}+\cdots+\frac{1}{n(n+1)}+\cdots$의 값을 구하시오. [3점]

Act ①
$\frac{1}{AB}=\frac{1}{B-A}\left(\frac{1}{A}-\frac{1}{B}\right)$임을 이용하여 부분합 S_n을 구한 후 $\lim_{n\to\infty}S_n$의 값을 구한다.

해결의 실마리

급수 $\sum_{n=1}^{\infty}a_n$의 합은 제n항까지의 부분합 S_n을 구하여 $\lim_{n\to\infty}S_n$의 값을 구한다.

(1) 부분분수를 이용하는 급수 : $\frac{1}{AB}=\frac{1}{B-A}\left(\frac{1}{A}-\frac{1}{B}\right)$임을 이용하여 부분합 S_n을 구한다.

(2) 로그를 포함한 급수 : $\sum_{k=1}^{n}\log a_k=\log a_1+\log a_2+\log a_3+\cdots+\log a_n=\log(a_1a_2a_3\cdots a_n)$임을 이용하여 부분합 S_n을 구한다.

(3) 항의 부호가 교대로 바뀌는 급수 : 홀수 번째의 부분합 S_{2n-1}과 짝수 번째의 부분합 S_{2n}을 구해서 비교한다.

01

[2016학년도 교육청]

첫째항이 5이고, 공차가 2인 등차수열 $\{a_n\}$에 대하여 급수 $\sum_{n=1}^{\infty}\frac{2}{a_na_{n+1}}$의 값은? [3점]

① $\frac{1}{10}$ ② $\frac{1}{5}$ ③ $\frac{3}{10}$
④ $\frac{2}{5}$ ⑤ $\frac{1}{2}$

02

[2015학년도 수능 모의평가]

자연수 n에 대하여 $3^n\cdot5^{n+1}$의 모든 양의 약수의 개수를 a_n이라 할 때, $\sum_{n=1}^{\infty}\frac{1}{a_n}$의 값은? [3점]

① $\frac{1}{2}$ ② $\frac{7}{12}$ ③ $\frac{2}{3}$
④ $\frac{3}{4}$ ⑤ $\frac{5}{6}$

03

급수 $\sum_{n=2}^{\infty}\log\left(1-\frac{1}{n^2}\right)$의 합은? [3점]

① $-\log 2$ ② 0 ③ 1
④ $\log 2$ ⑤ $\log 3$

04

[2013학년도 교육청]

첫째항과 공차가 모두 2인 등차수열 $\{a_n\}$에 대하여 수열 $\{b_n\}$을 다음과 같이 정의한다.

$$b_n=\frac{a_2+a_4+a_6+\cdots+a_{2n}}{a_1+a_3+a_5+\cdots+a_{2n-1}}$$

이때 $\sum_{n=1}^{\infty}(b_{n+1}-b_n)$의 값은? [4점]

① -2 ② -1 ③ 0
④ 1 ⑤ 2

기출유형 02 급수와 수열의 극한값 사이의 관계

급수 $\sum_{n=1}^{\infty}(a_n-2)$가 수렴할 때, $\lim_{n\to\infty}\frac{a_n+2}{2a_n-1}$의 값은? [3점]

① $\frac{1}{3}$　② $\frac{2}{3}$　③ 1　④ $\frac{4}{3}$　⑤ $\frac{5}{3}$

Act①
급수 $\sum_{n=1}^{\infty}a_n$이 수렴하면 $\lim_{n\to\infty}a_n=0$임을 이용한다.

해결의 실마리

급수 $\sum_{n=1}^{\infty}a_n$이 수렴하면 ⇨ $\lim_{n\to\infty}a_n=0$ ←이 명제의 대우는 항상 성립한다.

05

[2017학년도 교육청]

수열 $\{a_n\}$에 대하여 $\sum_{n=1}^{\infty}(a_n-5)=2$일 때, $\lim_{n\to\infty}(2a_n+3)$의 값을 구하시오. [3점]

06

[2020학년도 수능 모의평가]

수열 $\{a_n\}$이 $\sum_{n=1}^{\infty}(2a_n-3)=2$를 만족시킨다. $\lim_{n\to\infty}a_n=r$일 때, $\lim_{n\to\infty}\frac{r^{n+2}-1}{r^n+1}$의 값은? [3점]

① $\frac{7}{4}$　② 2　③ $\frac{9}{4}$
④ $\frac{5}{2}$　⑤ $\frac{11}{4}$

07

[2019학년도 교육청]

수열 $\{a_n\}$에 대하여 $\sum_{n=1}^{\infty}\left(7-\frac{a_n}{2^n}\right)=19$일 때, $\lim_{n\to\infty}\frac{a_n}{2^{n+1}}$의 값은? [3점]

① 2　② $\frac{5}{2}$　③ 3
④ $\frac{7}{2}$　⑤ 4

08

[2017학년도 교육청]

수열 $\{a_n\}$에 대하여 $\sum_{n=1}^{\infty}\frac{2^na_n-2^{n+1}}{2^n+1}=1$일 때, $\lim_{n\to\infty}a_n$의 값은? [4점]

① 1　② 2　③ 3
④ 4　⑤ 5

기출유형 03 급수의 성질

두 급수 $\sum_{n=1}^{\infty} a_n$, $\sum_{n=1}^{\infty} b_n$이 모두 수렴하고 $\sum_{n=1}^{\infty}(a_n+b_n)=8$, $\sum_{n=1}^{\infty}(3a_n-4b_n)=3$일 때, $\sum_{n=1}^{\infty} a_n-\sum_{n=1}^{\infty} b_n$의 값을 구하시오. [3점]

Act①
두 급수 $\sum_{n=1}^{\infty} a_n$, $\sum_{n=1}^{\infty} b_n$이 모두 수렴하므로 $\sum_{n=1}^{\infty} a_n=\alpha$, $\sum_{n=1}^{\infty}=\beta$로 놓고 급수의 성질을 이용한다.

해결의 실마리

두 급수 $\sum_{n=1}^{\infty} a_n$, $\sum_{n=1}^{\infty} b_n$이 모두 수렴하고 그 합이 각각 S, T일 때

(1) $\sum_{n=1}^{\infty}(a_n+b_n)=\sum_{n=1}^{\infty} a_n+\sum_{n=1}^{\infty} b_n=S+T$, $\sum_{n=1}^{\infty}(a_n-b_n)=\sum_{n=1}^{\infty} a_n-\sum_{n=1}^{\infty} b_n=S-T$

(2) $\sum_{n=1}^{\infty} ca_n=c\sum_{n=1}^{\infty} a_n=cS$ (단, c는 상수)

09

[2015학년도 수능]

두 수열 $\{a_n\}$, $\{b_n\}$에 대하여 $\sum_{n=1}^{\infty} a_n=4$, $\sum_{n=1}^{\infty} b_n=10$일 때, $\sum_{n=1}^{\infty}(a_n+5b_n)$의 값을 구하시오. [3점]

10

수열 $\{a_n\}$, $\{b_n\}$에 대하여

$$\sum_{n=1}^{\infty}(3a_n-2)=120,\ \sum_{n=1}^{\infty}(3b_n+2)=90$$

일 때, $\sum_{n=1}^{\infty}(a_n+b_n)$의 값을 구하시오. [3점]

11

두 수열 $\{a_n\}$, $\{b_n\}$이 다음 조건을 만족시킬 때, $\sum_{n=1}^{\infty}(a_n-b_n)$의 값은? [3점]

(가) $\sum_{n=1}^{\infty} a_n$, $\sum_{n=1}^{\infty} b_n$이 각각 수렴한다.

(나) $\sum_{n=1}^{\infty}(2a_n+b_n)=8$이고 $\sum_{n=1}^{\infty}(3a_n+2b_n)=26$이다.

① -40 ② -38 ③ -36 ④ -34 ⑤ -32

기출유형 04 등비급수의 합

[2018학년도 교육청]

두 등비수열 $\{a_n\}$, $\{b_n\}$에 대하여 $a_1=b_1=1$이고 $\sum_{n=1}^{\infty}a_n=4$, $\sum_{n=1}^{\infty}b_n=2$일 때, $\sum_{n=1}^{\infty}a_nb_n$의 값은? [3점]

① $\frac{6}{5}$ ② $\frac{7}{5}$ ③ $\frac{8}{5}$ ④ $\frac{9}{5}$ ⑤ 2

Act ①
등비급수 $\sum_{n=1}^{\infty}ar^{n-1}$ $(a\neq0,\ |r|<1)$의 합은 $\frac{a}{1-r}$임을 이용한다.

해결의 실마리

등비급수 $\sum_{n=1}^{\infty}ar^{n-1}$ $(a\neq0,\ |r|<1)$의 합 ⇨ $\frac{a}{1-r}$

12

[2019학년도 교육청]

수열 $\{a_n\}$은 첫째항이 3이고 공비가 $\frac{1}{2}$인 등비수열이다. $\sum_{n=1}^{\infty}a_n$의 값은? [3점]

① 4 ② 5 ③ 6
④ 7 ⑤ 8

13

[2009학년도 수능]

공비가 같은 두 등비수열 $\{a_n\}$, $\{b_n\}$에 대하여

$$a_1-b_1=1\text{이고 } \sum_{n=1}^{\infty}a_n=8,\ \sum_{n=1}^{\infty}b_n=6$$

일 때, $\sum_{n=1}^{\infty}a_nb_n$의 값을 구하시오. [3점]

14

[2015학년도 교육청]

첫째항이 1인 두 등비수열 $\{a_n\}$, $\{b_n\}$이 다음 조건을 만족시킬 때, $\sum_{n=1}^{\infty}(a_n^{\ 2}+b_n^{\ 2})$의 값은? [4점]

(가) $\sum_{n=1}^{\infty}a_n$, $\sum_{n=1}^{\infty}b_n$이 각각 수렴한다.
(나) $\sum_{n=1}^{\infty}(a_n+b_n)=\frac{9}{4}$이고 $\sum_{n=1}^{\infty}(a_n-b_n)=\frac{3}{4}$이다.

① $\frac{9}{4}$ ② $\frac{11}{4}$ ③ $\frac{13}{4}$
④ $\frac{15}{4}$ ⑤ $\frac{17}{4}$

기출유형 05 등비급수의 수렴 조건

등비급수 $\sum_{n=1}^{\infty}\left(\frac{2x-1}{5}\right)^n$이 수렴하도록 하는 정수 x의 개수는? [3점]

① 2 ② 4 ③ 6 ④ 8 ⑤ 10

Act ①
등비급수 $\sum_{n=1}^{\infty}r^n$이 수렴하기 위한 조건은 $-1<r<1$임을 이용한다.

해결의 실마리

(1) 등비급수 $\sum_{n=1}^{\infty}r^n$이 수렴하기 위한 조건 ⇨ $-1<r<1$

(2) 등비급수 $\sum_{n=1}^{\infty}ar^{n-1}$이 수렴하기 위한 조건 ⇨ $a=0$ 또는 $-1<r<1$

15

[2012학년도 교육청]

등비급수 $\sum_{n=1}^{\infty}\left(\frac{2x-5}{7}\right)^n$이 수렴하기 위한 모든 정수 x의 값의 합을 구하시오. [3점]

16

두 등비급수 $\sum_{n=1}^{\infty}\left(\frac{x}{3}\right)^n$, $\sum_{n=1}^{\infty}(2x-6)^{n-2}$이 모두 수렴하도록 하는 x의 값의 범위가 $a<x<b$일 때, $2ab$의 값을 구하시오. [3점]

17

[2012학년도 교육청]

모든 항이 실수이고 공비가 0이 아닌 등비수열 $\{a_n\}$에 대하여 옳은 것만을 [보기]에서 있는 대로 고른 것은? [4점]

보기

ㄱ. $a_1<0$이면 $a_{101}<0$이다.

ㄴ. $a_1<a_2<1$이면 $\lim_{n\to\infty}a_n=0$이다.

ㄷ. $a_1<a_2<0$이면 $\sum_{n=1}^{\infty}a_n<a_1$이다.

① ㄱ ② ㄴ ③ ㄱ, ㄷ
④ ㄴ, ㄷ ⑤ ㄱ, ㄴ, ㄷ

친절한 해설 12쪽

기출유형 06 등비급수의 활용 - 도형과 등비급수

[2010학년도 교육청]

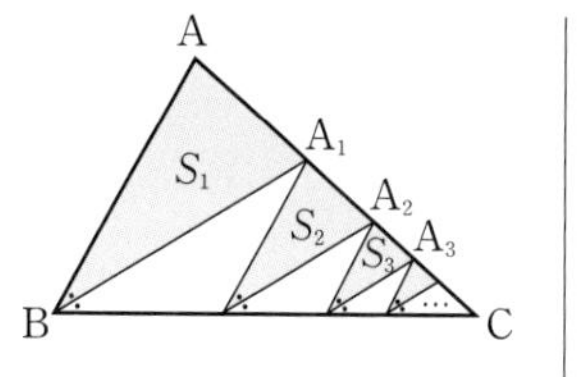

$\angle B=\frac{\pi}{3}$, $\overline{AB}=4$, $\overline{BC}=6$인 △ABC에 대하여 ∠B의 이등분선이 $\overline{AC}$와 만나는 점을 A_1이라 할 때, $\triangle ABA_1$의 넓이를 S_1이라 하자. 점 A_1에서 $\overline{AB}$에 평행한 직선을 그어 $\overline{BC}$와 만나는 점을 B_1, $\angle A_1B_1C$의 이등분선이 $\overline{AC}$와 만나는 점을 A_2라 할 때, $\triangle A_1B_1A_2$의 넓이를 S_2라 하자. 이와 같은 과정을 계속하여 n번째 얻은 $\triangle A_{n-1}B_{n-1}A_n$의 넓이를 S_n이라 할 때, $\sum_{n=1}^{\infty}S_n$의 값은 $\frac{q\sqrt{3}}{p}$이다. $p+q$의 값을 구하시오. (단, $A_0=A$, $B_0=B$이고 p, q는 서로소인 자연수이다.) [4점]

Act ①
반복되는 규칙에서 첫째항 S_1과 공비를 구한 후 등비급수의 합 공식에 대입한다.

해결의 실마리

도형과 등비급수 문제는 반복되는 규칙을 찾아 첫째항 a와 공비 r를 구한 후 등비급수의 합이 $\frac{a}{1-r}$임을 이용한다.

18

[2020학년도 수능]

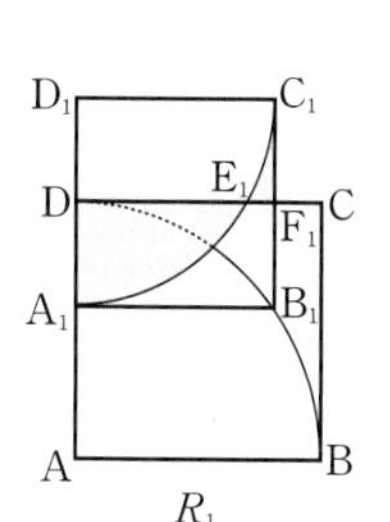

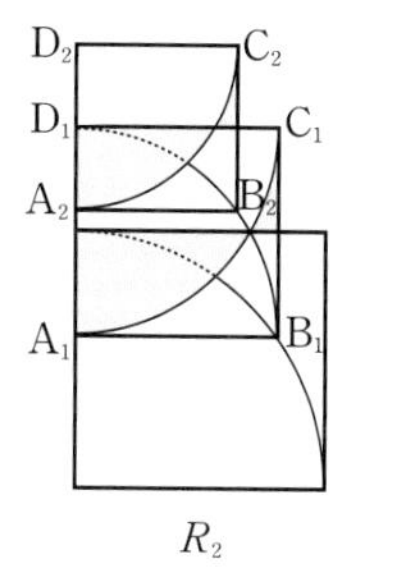

그림과 같이 한 변의 길이가 5인 정사각형 ABCD에 중심이 A이고 중심각의 크기가 90°인 부채꼴 ABD를 그린다. 선분 AD를 3 : 2로 내분하는 점을 A_1, 점 A_1을 지나고 선분 AB에 평행한 직선이 호 BD와 만나는 점을 B_1이라 하자.
선분 A_1B_1을 한 변으로 하고 선분 DC와 만나도록 정사각형 $A_1B_1C_1D_1$을 그린 후, 중심이 D_1이고 중심각의 크기가 90°인 부채꼴 $D_1A_1C_1$을 그린다. 선분 DC가 호 A_1C_1, 선분 B_1C_1과 만나는 점을 각각 E_1, F_1이라 하고, 두 선분 DA_1, DE_1과 호 A_1E_1로 둘러싸인 부분과 두 선분 E_1F_1, F_1C_1과 호 E_1C_1로 둘러싸인 부분인 ◸ 모양의 도형에 색칠하여 얻은 그림을 R_1이라 하자.
그림 R_1에서 정사각형 $A_1B_1C_1D_1$에 중심이 A_1이고 중심각의 크기가 90°인 부채꼴 $A_1B_1D_1$을 그린다. 선분 A_1D_1을 3 : 2로 내분하는 점을 A_2, 점 A_2를 지나고 선분 A_1B_1에 평행한 직선이 호 B_1D_1과 만나는 점을 B_2라 하자. 선분 A_2B_2를 한 변으로 하고 선분 D_1C_1과 만나도록 정사각형 $A_2B_2C_2D_2$를 그린 후, 그림 R_1을 얻은 것과 같은 방법으로 정사각형 $A_2B_2C_2D_2$에 ◸ 모양의 도형을 그리고 색칠하여 얻은 그림을 R_2라 하자.
이와 같은 과정을 계속하여 n번째 얻은 그림 R_n에 색칠되어 있는 부분의 넓이를 S_n이라 할 때, $\lim_{n\to\infty}S_n$의 값은? [4점]

① $\frac{50}{3}\left(3-\sqrt{3}+\frac{\pi}{6}\right)$ ② $\frac{100}{9}\left(3-\sqrt{3}+\frac{\pi}{3}\right)$ ③ $\frac{50}{3}\left(2-\sqrt{3}+\frac{\pi}{3}\right)$ ④ $\frac{100}{9}\left(3-\sqrt{3}+\frac{\pi}{6}\right)$ ⑤ $\frac{100}{9}\left(2-\sqrt{3}+\frac{\pi}{3}\right)$

Very Important Test

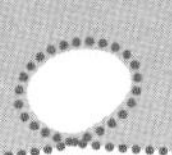

01

$\sum_{n=1}^{\infty}\frac{1}{(n+1)(n+2)}$의 값은? [3점]

① $\frac{1}{5}$ ② $\frac{1}{4}$ ③ $\frac{1}{3}$
④ $\frac{1}{2}$ ⑤ 1

02

$\sum_{n=1}^{\infty}\left(\frac{1}{2}\right)^n\sin\frac{n\pi}{2}$의 값은? [3점]

① $\frac{1}{5}$ ② $\frac{2}{5}$ ③ $\frac{3}{5}$
④ $\frac{4}{5}$ ⑤ 1

03

수열 $\{a_n\}$이

$$a_1=2,\ a_2=3,\ a_{n+2}=a_{n+1}+a_n\ (n=1,\ 2,\ 3,\ \cdots)$$

을 만족시킨다. $\sum_{n=1}^{\infty}\frac{a_n}{a_{n+1}a_{n+2}}$의 값은? [4점]

① $\frac{1}{3}$ ② $\frac{1}{2}$ ③ 1
④ $\frac{3}{2}$ ⑤ $\frac{5}{3}$

04

급수 $\sum_{n=1}^{\infty}\left(5+\frac{an^2+bn+4}{2n+1}\right)$가 수렴할 때, $a-b$의 값을 구하시오. (단, a, b는 상수이다.) [3점]

05

수열 $\{a_n\}$에 대하여 $\sum_{n=1}^{\infty}a_n=3$이고, 제n항까지의 부분합을 S_n이라 할 때, $\lim_{n\to\infty}\frac{2S_{n+1}+3S_{n-1}-a_n}{S_n}$의 값은? [3점]

① 1 ② 2 ③ 3
④ 4 ⑤ 5

06

두 급수 $\sum_{n=1}^{\infty}a_n$, $\sum_{n=1}^{\infty}b_n$이 수렴하고 $\sum_{n=1}^{\infty}(a_n-3b_n)=10$, $\sum_{n=1}^{\infty}(3a_n-2b_n)=9$일 때, $\sum_{n=1}^{\infty}(a_n-b_n)$의 값은? [3점]

① 2 ② 4 ③ 6
④ 8 ⑤ 10

07

등비수열 $\{a_n\}$에 대하여 $\sum_{n=1}^{\infty}a_n=2$, $\sum_{n=1}^{\infty}a_n^{\ 2}=\frac{4}{3}$일 때, $\sum_{n=1}^{\infty}a_n^{\ 3}$의 값은? [3점]

① $\frac{5}{4}$　② $\frac{6}{5}$　③ $\frac{7}{6}$　④ $\frac{8}{7}$　⑤ $\frac{9}{8}$

08

첫째항이 3, 공비가 $\frac{1}{4}$인 등비급수의 합 S와 제n항까지의 부분합 S_n과의 차가 처음으로 $\frac{1}{1000}$보다 작게 되는 자연수 n의 값을 구하시오. [3점]

09

등비수열 $\{a_n\}$에 대하여 $a_1+a_2=48$, $a_2+a_3=16$일 때, $\sum_{n=1}^{\infty}a_n$의 값은? [3점]

① 50　② 52　③ 54　④ 56　⑤ 58

level up

10

두 수열 $\{a_n\}$, $\{b_n\}$이 다음 조건을 만족시킬 때, $\sum_{n=1}^{\infty}b_n$의 값은 $\frac{q}{p}$이다. $p+q$의 값을 구하시오. (단, p, q는 서로소인 자연수이다.) [4점]

(가) 수열 $\{a_n\}$은 첫째항이 3, 공비가 $\frac{1}{3}$인 등비수열이다.

(나) 모든 자연수 n에 대하여 $\sum_{k=1}^{n}a_kb_k=-\frac{1}{4^n}$이다.

11

반지름의 길이가 r인 원 S_1에 내접하면서 원 S_1의 반지름의 길이 r를 지름으로 하는 원 S_2를 그린다. 또, 원 S_2에 내접하면서 원 S_2의 반지름의 길이 $\frac{1}{2}r$를 지름으로 하는 원 S_3을 그린다. 이와 같은 과정을 한없이 반복할 때, 이들 원의 넓이의 합은 $\frac{q}{p}\pi r^2$이다. $p+q$의 값을 구하시오. (단, p, q는 서로소인 자연수이다.) [4점]

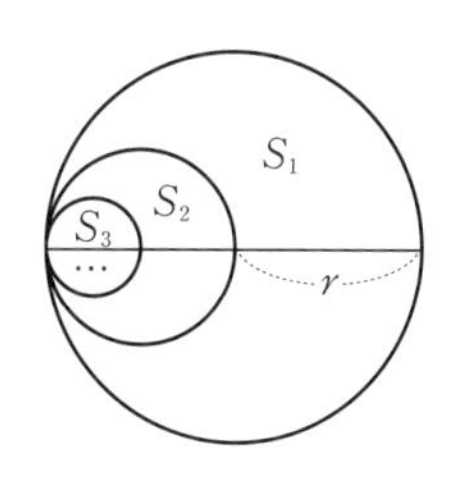

03 지수함수와 로그함수의 미분

참 중요한 학습 point

best 1 무리수 e의 정의

best 2 지수, 로그함수의 극한

best 3 지수, 로그함수의 도함수

기출 분석

무리수 e의 정의를 이용한 지수함수와 로그함수의 극한, 지수함수와 로그함수의 미분가능성은 매년 빠지지 않고 출제되는 내용으로, 개념만 알면 쉽게 풀 수 있으므로 충분한 연습을 하여야 한다.

- 지수, 로그함수의 극한
- 지수, 로그함수의 미분가능성

중요개념

1. 지수함수와 로그함수의 극한

(1) 지수함수 $y=a^x$ $(a>0,\ a\neq1)$에서

① $a>1$일 때, $\lim\limits_{x\to\infty}a^x=\infty$, $\lim\limits_{x\to-\infty}a^x=0$

② $0<a<1$일 때, $\lim\limits_{x\to\infty}a^x=0$, $\lim\limits_{x\to-\infty}a^x=\infty$

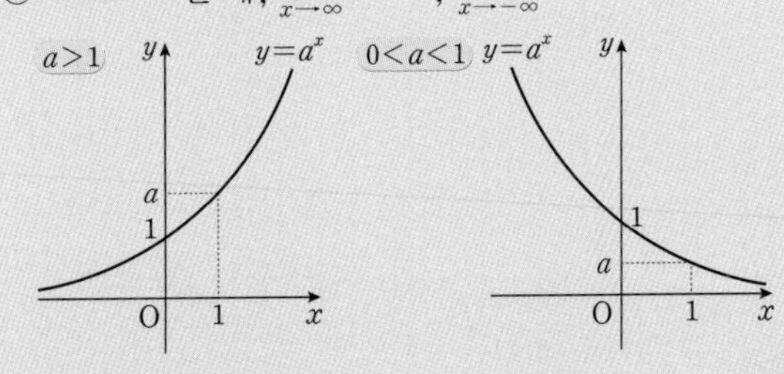

(2) 로그함수 $y=\log_a x$ $(a>0,\ a\neq1)$에서

① $a>1$일 때, $\lim\limits_{x\to\infty}\log_a x=\infty$, $\lim\limits_{x\to0+}\log_a x=-\infty$

② $0<a<1$일 때, $\lim\limits_{x\to\infty}\log_a x=-\infty$,

$\lim\limits_{x\to0+}\log_a x=\infty$

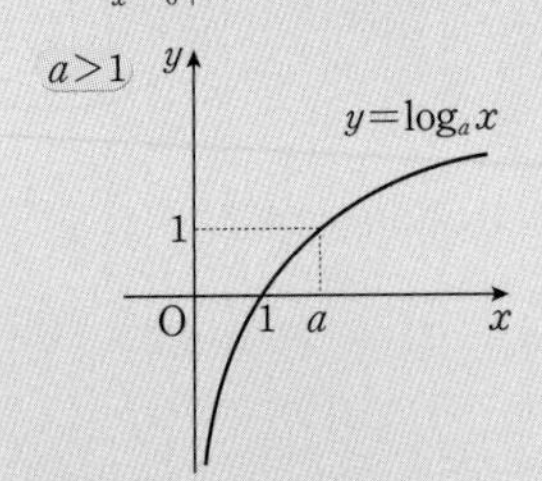

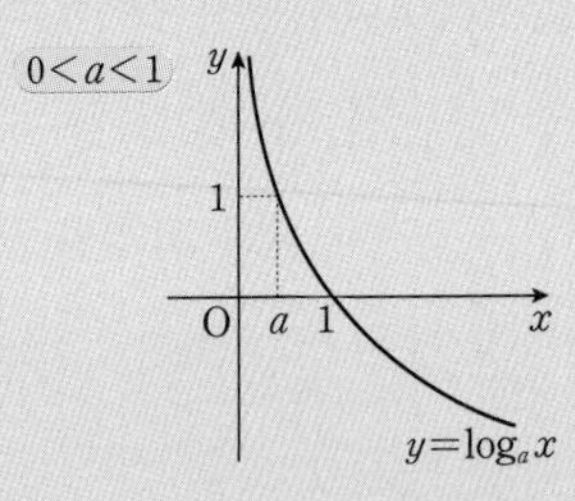

2. 무리수 e와 자연로그

(1) 무리수 e의 정의

$$\lim_{x\to0}(1+x)^{\frac{1}{x}}=\lim_{x\to\infty}\left(1+\frac{1}{x}\right)^x=e$$

$(e=2.718281828459045\cdots)$

(2) 자연로그

① 무리수 e를 밑으로 하는 로그 $\log_e x$를 자연로그라 하며 $\ln x$로 나타낸다.

② 지수함수 $y=e^x$과 로그함수 $y=\ln x$는 서로 역함수 관계에 있다.

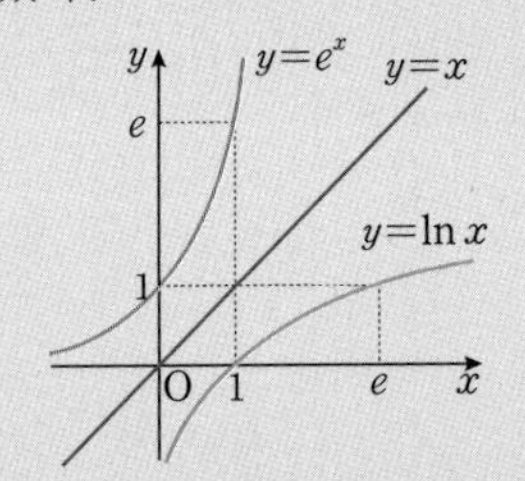

3. 무리수 e의 정의를 이용한 지수함수와 로그함수의 극한

(1) 밑을 e로 하는 경우

① $\lim\limits_{x\to0}\dfrac{\ln(1+x)}{x}=1$　　② $\lim\limits_{x\to0}\dfrac{e^x-1}{x}=1$

(2) 밑이 e가 아닌 경우

① $\lim\limits_{x\to0}\dfrac{\log_a(1+x)}{x}=\dfrac{1}{\ln a}$　　② $\lim\limits_{x\to0}\dfrac{a^x-1}{x}=\ln a$

4. 지수함수와 로그함수의 도함수

(1) 지수함수의 도함수

① $y=e^x \Rightarrow y'=e^x$

② $y=a^x \Rightarrow y'=a^x\ln a$ $(a>0,\ a\neq1)$

참고 $y=e^{f(x)} \Rightarrow y'=e^{f(x)}f'(x)$,
$y=a^{f(x)} \Rightarrow y'=a^{f(x)}f'(x)\ln a$ $(a>0,\ a\neq1)$

(2) 로그함수의 도함수

① $y=\ln x \Rightarrow y'=\dfrac{1}{x}$ $(x>0)$

② $y=\log_a x \Rightarrow y'=\dfrac{1}{x\ln a}$ $(x>0,\ a>0,\ a\neq1)$

중요개념문제

01

$\lim_{x\to\infty}\frac{5^{x+1}-2^x}{5^x+3^x}$의 값을 구하시오. [3점]

02

[2018학년도 교육청]

$\lim_{x\to 0}(1+2x)^{\frac{1}{x}}$의 값은? [2점]

① $\frac{1}{e^2}$ ② $\frac{1}{2e}$ ③ $\frac{1}{e}$
④ $2e$ ⑤ e^2

03

[2019학년도 수능]

$\lim_{x\to 0}\frac{x^2+5x}{\ln(1+3x)}$의 값은? [2점]

① $\frac{7}{3}$ ② 2 ③ $\frac{5}{3}$
④ $\frac{4}{3}$ ⑤ 1

04

$\lim_{x\to 0}\frac{\log_3(4+x)-\log_3 4}{x}$의 값은? [3점]

① $\frac{1}{5\ln 4}$ ② $\frac{1}{4\ln 3}$ ③ $\frac{1}{3\ln 4}$
④ $2\ln 2$ ⑤ $2\ln 3$

05

[2018학년도 수능 모의평가]

함수 $f(x)=e^x(2x+1)$에 대하여 $f'(1)$의 값은? [3점]

① $8e$ ② $7e$ ③ $6e$
④ $5e$ ⑤ $4e$

06

[2012학년도 수능 모의평가]

함수 $f(x)$가 $f(x)=\begin{cases}\frac{e^{3x}-1}{x(e^x+1)} & (x\neq 0)\\ a & (x=0)\end{cases}$이다. $f(x)$가 $x=0$에서 연속일 때, 상수 a의 값은? [3점]

① 1 ② $\frac{3}{2}$ ③ 2
④ $\frac{5}{2}$ ⑤ 3

기출유형 01 지수함수와 로그함수의 극한

$\lim_{x \to \infty}\frac{1+5^x}{3^x+5^x}$의 값을 구하시오. [3점]

Act①
분모에서 밑이 가장 큰 항으로 분모, 분자를 나누어 $0<a<1$일 때, $\lim_{x \to \infty}a^x=0$임을 이용한다.

해결의 실마리

(1) 지수함수의 극한

① $\lim_{x \to \infty}\frac{a^x}{b^x+c^x}$ 꼴 ⇨ 분모에서 밑이 가장 큰 항으로 분모, 분자를 나눈다.

② $\lim_{x \to \infty}(a^x-b^x)$ 꼴 ⇨ 밑이 가장 큰 항으로 묶는다.

(2) 로그함수의 극한

주어진 식을 로그의 성질을 이용하여 $\lim_{x \to \infty}\{\log_a f(x)\}$ 꼴로 변형한 후

⇨ $\lim_{x \to \infty}\{\log_a f(x)\}=\log_a\left\{\lim_{x \to \infty}f(x)\right\}$임을 이용한다. (단, $a>0$, $a\neq1$, $f(x)>0$, $\lim_{x \to \infty}f(x)>0$)

01

$\lim_{x \to \infty}\frac{3^{x+1}-2^x}{3^x+2^x}$의 값을 구하시오. [3점]

02

$\lim_{x \to \infty}\{\log_3(3x+1)-\log_3(x+2)\}$의 값을 구하시오. [3점]

03

[2009학년도 수능 모의평가]

$a>0$, $b>0$, $a\neq1$, $b\neq1$일 때, 함수

$$f(x)=\frac{b^x+\log_a x}{a^x+\log_b x}$$

에 대하여 [보기]에서 옳은 것만을 있는 대로 고른 것은? [4점]

보기

ㄱ. $1<a<b$이면 $x>1$인 모든 x에 대하여 $f(x)>1$이다.

ㄴ. $b<a<1$이면 $\lim_{x \to \infty}f(x)=0$이다.

ㄷ. $\lim_{x \to 0+}f(x)=\log_a b$

① ㄱ　② ㄴ　③ ㄱ, ㄷ　④ ㄴ, ㄷ　⑤ ㄱ, ㄴ, ㄷ

친절한 해설 15쪽

기출유형 02 무리수 e의 정의와 자연로그

[2015학년도 수능 모의평가]

$\lim_{x\to0}(1+x)^{\frac{5}{x}}$의 값은? [2점]

① $\frac{1}{e^5}$ ② $\frac{1}{e^3}$ ③ 1 ④ e^3 ⑤ e^5

Act ①

$\lim_{\star\to0}(1+\star)^{\frac{1}{\star}}$을 포함한 꼴로 변형한다.

해결의 실마리

(1) 무리수 e의 정의 : $\lim_{x\to0}(1+x)^{\frac{1}{x}}=\lim_{x\to\infty}\left(1+\frac{1}{x}\right)^x=e$

(2) 자연로그 : 무리수 e를 밑으로 하는 로그 $\log_e x$를 자연로그라 하며 $\ln x$로 나타낸다.

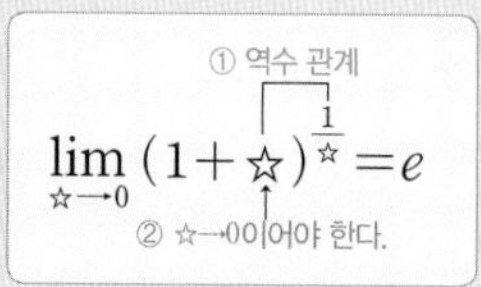

04

$\lim_{n\to\infty}\left\{\frac{1}{2}\left(1+\frac{1}{n}\right)\left(1+\frac{1}{n+1}\right)\left(1+\frac{1}{n+2}\right)\cdots\left(1+\frac{1}{2n}\right)\right\}^n$의 값은? [3점]

① $\frac{1}{e^2}$ ② $\frac{1}{e}$ ③ $\sqrt[3]{e}$
④ $\sqrt{e}$ ⑤ e

05

[2018학년도 교육청]

$a>e$인 실수 a에 대하여 두 곡선 $y=e^{x-1}$과 $y=a^x$이 만나는 점의 x좌표를 $f(a)$라 할 때, $\lim_{a\to e+}\frac{1}{(e-a)f(a)}$의 값은? [4점]

① $\frac{1}{e^2}$ ② $\frac{1}{e}$ ③ 1
④ e ⑤ e^2

06

[2009학년도 수능 모의평가]

함수 $f(x)=\left(\frac{x}{x-1}\right)^x$ $(x>1)$에 대하여 [보기]에서 옳은 것을 모두 고른 것은? [3점]

보기

ㄱ. $\lim_{x\to\infty}f(x)=e$

ㄴ. $\lim_{x\to\infty}f(x)f(x+1)=e^2$

ㄷ. $k\geq2$일 때, $\lim_{x\to\infty}f(kx)=e^k$이다.

① ㄱ ② ㄷ ③ ㄱ, ㄴ
④ ㄴ, ㄷ ⑤ ㄱ, ㄴ, ㄷ

기출유형 03 무리수 e의 정의를 이용한 지수함수와 로그함수의 극한 (1)

[2019학년도 교육청]

$\lim_{x\to0}\frac{\ln(1+8x)}{2x}$의 값은? [2점]

① 1 ② 2 ③ 3 ④ 4 ⑤ 5

Act ①

$\lim_{x\to0}\frac{\ln(1+ax)}{ax}=1$을 이용할 수 있도록 주어진 식을 변형한다.

해결의 실마리

(1) $\lim_{x\to0}\frac{\ln(1+x)}{x}=1 \to \lim_{x\to0}\frac{\ln(1+ax)}{ax}=1$

(2) $\lim_{x\to0}\frac{e^x-1}{x}=1 \to \lim_{x\to0}\frac{e^{ax}-1}{ax}=1$

① ☆→0이어야 한다.

$\lim_{☆\to0}\frac{\ln(1+☆)}{☆}=1$

② 일치

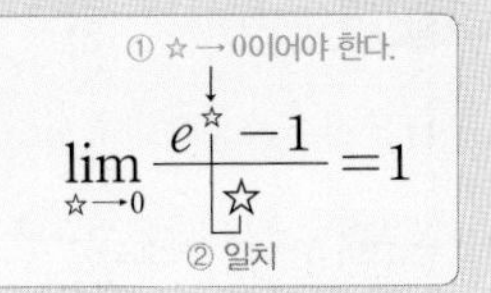

07

[2020학년도 수능]

$\lim_{x\to0}\frac{6x}{e^{4x}-e^{2x}}$의 값은? [2점]

① 1 ② 2 ③ 3
④ 4 ⑤ 5

08

[2018학년도 수능]

$\lim_{x\to0}\frac{\ln(1+5x)}{e^{2x}-1}$의 값은? [2점]

① 1 ② $\frac{3}{2}$ ③ 2
④ $\frac{5}{2}$ ⑤ 3

09

[2018학년도 교육청]

함수 $f(x)=e^x-e^{-x}$에 대하여 $\lim_{x\to0}\frac{f(x)}{x}$의 값은? [3점]

① 1 ② 2 ③ 3
④ 4 ⑤ 5

10

[2006학년도 수능 모의평가]

연속함수 $f(x)$가 $\lim_{x\to0}\frac{f(x)}{\ln(1-x)}=4$를 만족할 때, $\lim_{x\to0}\frac{f(x)}{x}$의 값은? [3점]

① -4 ② -1 ③ 1
④ 2 ⑤ 4

친절한 해설 16쪽

기출유형 04 무리수 e의 정의를 이용한 지수함수와 로그함수의 극한 (2)

$\lim_{x\to 0}\dfrac{\log_3(1+2x)}{6x}$의 값은? [3점]

① $\dfrac{1}{2\ln 3}$　② $\dfrac{1}{3\ln 3}$　③ $\ln 2$　④ $\ln 3$　⑤ $2\ln 3$

Act①
$\lim_{x\to 0}\dfrac{\log_a(1+x)}{x}=\dfrac{1}{\ln a}$임을 이용한다.

해결의 실마리

(1) $\lim_{x\to 0}\dfrac{\log_a(1+x)}{x}=\dfrac{1}{\ln a}$　(2) $\lim_{x\to 0}\dfrac{a^x-1}{x}=\ln a$

참고 (1) $\lim_{x\to 0}\dfrac{\log_a(1+x)}{x}=\lim_{x\to 0}\log_a(1+x)^{\frac{1}{x}}=\lim_{x\to 0}\dfrac{\ln(1+x)^{\frac{1}{x}}}{\ln a}=\dfrac{\ln e}{\ln a}=\dfrac{1}{\ln a}$

(2) $\lim_{x\to 0}\dfrac{a^x-1}{x}$에서 $a^x-1=t$로 놓으면 $x=\log_a(1+t)$이고 $x\to 0$일 때 $t\to 0$이므로

$\lim_{x\to 0}\dfrac{a^x-1}{x}=\lim_{t\to 0}\dfrac{t}{\log_a(1+t)}=\lim_{t\to 0}\dfrac{1}{\log_a(1+t)^{\frac{1}{t}}}=\lim_{t\to 0}\dfrac{\ln a}{\ln(1+t)^{\frac{1}{t}}}=\dfrac{\ln a}{\ln e}=\ln a$

11

$\lim_{x\to 0}\dfrac{\log_3(3+x)-1}{x}$의 값은? [3점]

① $\dfrac{1}{3\ln 3}$　② $\dfrac{1}{2\ln 3}$　③ 1
④ $2\ln 3$　⑤ $3\ln 3$

12

$\lim_{x\to 0}\dfrac{4^x-2^x}{x}$의 값은? [3점]

① $\dfrac{1}{2\ln 3}$　② $\dfrac{1}{\ln 2}$　③ 1
④ $\ln 2$　⑤ $2\ln 2$

13

양수 a가 $\lim_{x\to 0}\dfrac{(a+8)^x-a^x}{x}=\ln 2$를 만족시킬 때, a의 값은? [3점]

① 4　② 5　③ 6
④ 7　⑤ 8

14

[2013학년도 교육청]

함수 $f(x)=\log_2(x+3)$에 대하여 함수 $f(x)$의 역함수를 $g(x)$라 할 때, $\lim_{x\to 0}\dfrac{f(x-2)}{g(x)+2}$의 값은? [4점]

① $(\ln 2)^2$　② $\ln 2$　③ 1
④ $\dfrac{1}{\ln 2}$　⑤ $\dfrac{1}{(\ln 2)^2}$

기출유형 05 지수함수와 로그함수의 도함수

함수 $f(x)=(2x+6)e^x$에 대하여 $f'(0)$의 값은? [3점]

① 6 ② 7 ③ 8 ④ 9 ⑤ 10

Act ①
$y=e^x$ 이면 $y'=e^x$임을 이용한다.

해결의 실마리

(1) 지수함수의 도함수

① $y=e^x \Rightarrow y'=e^x$ ② $y=a^x \Rightarrow y'=a^x \ln a$ $(a>0,\ a\neq 1)$

(2) 로그함수의 도함수

① $y=\ln x \Rightarrow y'=\dfrac{1}{x}$ $(x>0)$ ② $y=\log_a x \Rightarrow y'=\dfrac{1}{x\ln a}$ $(x>0,\ a>0,\ a\neq 1)$

15

[2015학년도 교육청]

함수 $f(x)=(5x+3)e^x$의 도함수가 $f'(x)=(ax+b)e^x$일 때, 두 상수 a, b의 곱 ab의 값을 구하시오. [3점]

16

[2013학년도 수능]

함수 $f(x)=x\ln x+13x$에 대하여 $f'(1)$의 값을 구하시오. [3점]

17

[2020학년도 수능]

함수 $f(x)=x^3\ln x$에 대하여 $\dfrac{f'(e)}{e^2}$의 값을 구하시오. [3점]

18

함수 $f(x)=(x+a)4^x$에 대하여 $f'(0)=1+4\ln 2$일 때, 상수 a의 값을 구하시오. [3점]

기출유형 06 지수함수와 로그함수의 연속, 미분가능성

[2019학년도 교육청]

함수 $f(x)=\begin{cases} \dfrac{e^{ax}-1}{4x} & (x<0) \\ x^2+4x+1 & (x\geq 0) \end{cases}$이 실수 전체의 집합에서 연속일 때, 상수 a의 값은? (단, $a\neq 0$) [3점]

① 4 ② 5 ③ 6 ④ 7 ⑤ 8

Act ①
함수 $f(x)$가 $x=0$에서 연속이면 $\lim_{x\to 0-} f(x)=\lim_{x\to 0+} f(x)=f(0)$임을 이용한다.

해결의 실마리

(1) $x\neq a$인 모든 실수 x에서 연속인 함수 $g(x)$에 대하여 함수 $f(x)=\begin{cases} g(x) & (x\neq a) \\ k & (x=a) \end{cases}$ (k는 상수)가 모든 실수 x에 대하여 연속이면

⇨ $\lim_{x\to a} g(x)=k$

(2) 함수 $h(x)=\begin{cases} f(x) & (x\geq a) \\ g(x) & (x<a) \end{cases}$가 $x=a$에서 미분가능하면

① 함수 $h(x)$가 $x=a$에서 연속이다. ⇨ $\lim_{x\to a+} f(x)=\lim_{x\to a-} g(x)=h(a)$

② $h'(a)$가 존재한다. ⇨ $\lim_{x\to a+} f'(x)=\lim_{x\to a-} g'(x)$

19

[2012학년도 교육청]

함수 $f(x)=\begin{cases} \dfrac{e^{2x-2}-1}{x-1} & (x\neq 1) \\ a & (x=1) \end{cases}$가 $x=1$에서 연속일 때, 상수 a의 값을 구하시오. [3점]

20

[2016학년도 수능 모의평가]

두 함수 $f(x)=\begin{cases} ax & (x<1) \\ -3x+4 & (x\geq 1) \end{cases}$, $g(x)=2^x+2^{-x}$에 대하여 합성함수 $(g\circ f)(x)$가 실수 전체의 집합에서 연속이 되도록 하는 모든 실수 a의 값의 곱은? [4점]

① -5 ② -4 ③ -3
④ -2 ⑤ -1

21

[2016학년도 교육청]

함수 $f(x)=\begin{cases} (3x+1)e^x & (x\leq 0) \\ ax+1 & (x>0) \end{cases}$이 $x=0$에서 미분가능할 때, 상수 a의 값은? [3점]

① 1 ② 4 ③ 7
④ 10 ⑤ 13

22

함수 $f(x)=\begin{cases} ax^2+1 & (x<1) \\ \ln x+b & (x\geq 1) \end{cases}$이 $x=1$에서 미분가능할 때, $a+b$의 값은? [3점]

① 1 ② 2 ③ 3
④ 4 ⑤ 5

Very Important Test

01

$\lim_{x\to\infty} x\{\ln(4x+1)-\ln 4x\}$의 값은? [3점]

① $\frac{1}{16}$　② $\frac{1}{8}$　③ $\frac{3}{16}$
④ $\frac{1}{4}$　⑤ $\frac{5}{16}$

02

$\lim_{x\to\infty}\left\{\left(1+\frac{1}{2x}\right)\left(1+\frac{1}{4x}\right)\right\}^{x}=e^{k}$일 때, 상수 k의 값은? [3점]

① $\frac{1}{4}$　② $\frac{1}{2}$　③ $\frac{3}{4}$
④ 1　⑤ $\frac{5}{4}$

03

함수 $f(x)$가 모든 실수에서 연속이고

$$(x-1)f(x)=e^{2x-2}-1$$

을 만족시킬 때, $f(1)$의 값은? [3점]

① $\frac{1}{e}$　② 1　③ 2
④ e　⑤ $e+1$

04

$\lim_{x\to 0}\frac{\ln(1+cx)}{e^{ax+b}-1}=5$를 만족시키는 상수 a, b, c에 대하여 $\frac{c}{a+b}$의 값은? (단, $a\neq 0$) [3점]

① 1　② 2　③ 3
④ 4　⑤ 5

05

$\lim_{x\to 0}\frac{\log_2(1-2x)}{x}$의 값은? [3점]

① $-\frac{2}{\ln 2}$　② $-\frac{1}{\ln 2}$　③ $\frac{1}{2}\ln 2$
④ $\ln 2$　⑤ $2\ln 2$

06

두 함수 $f(x)=\log_3 x$, $g(x)=3^x$에 대하여 $\frac{f'(2)}{g'(2)}$의 값은? [3점]

① $\frac{1}{18(\ln 3)^2}$　② $\frac{3}{2\ln 3}$　③ $\frac{3}{\ln 3}$
④ $3\ln 3$　⑤ $\frac{3}{2}(\ln 3)^2$

친절한 해설 18쪽

07

함수 $f(x)=x\ln x+ax^2$에 대하여

$$\lim_{h\to 0}\frac{f(1+h)-f(1-h)}{h}=6$$

일 때, 상수 a의 값을 구하시오. [3점]

08

$\displaystyle\lim_{x\to 0}\frac{e^x+e^{2x}+e^{3x}+\cdots+e^{nx}-n}{x}=28$일 때, 자연수 n의 값을 구하시오. [4점]

09

함수 $f(x)=\begin{cases} ae^x & (x\le 0) \\ \ln(bx+1)+2 & (x>0)\end{cases}$가 실수 전체의 집합에서 미분가능할 때, $a+b$의 값을 구하시오. (단, a, b는 상수이다.) [3점]

1등급 level up

10

다항함수 $f(x)$가 다음 조건을 만족시킬 때, $f(1)$의 값을 구하시오. [4점]

(가) $\displaystyle\lim_{x\to\infty}\frac{x^3\ln\left(1+\frac{3}{x}\right)}{f(x)}=\frac{1}{6}$

(나) $\displaystyle\lim_{x\to 0}\frac{f(x)}{e^{3x}-1}=3$

11

실수 전체의 집합에서 미분가능한 함수 $f(x)$에 대하여 함수 $g(x)$를 $g(x)=(\ln x+7)f(x)$라 하자.

$\displaystyle\lim_{x\to 1}\frac{f(x)+2}{x-1}=\frac{3}{5}$일 때, $g'(1)$의 값은? [4점]

① $\frac{3}{5}$　② $\frac{7}{5}$　③ $\frac{9}{5}$　④ $\frac{11}{5}$　⑤ $\frac{13}{5}$

04 삼각함수의 미분

참 중요한 학습 point

기출 best

best 1 삼각함수의 덧셈정리
best 2 삼각함수의 극한
best 3 사인함수와 코사인함수의 도함수

기출 분석

삼각함수의 덧셈정리, 삼각함수의 극한에 대한 계산과 활용 문제가 출제된다. 4점짜리 활용 문제를 풀기 위해서 3점짜리 계산 문제를 막힘없이 풀 수 있도록 연습하여야 한다.

level up

• 삼각함수의 덧셈정리
• 삼각함수의 극한

중요개념

1. 삼각함수의 덧셈정리

두 각의 합, 차에 대한 삼각함수의 값은 ⇨ 삼각함수의 덧셈정리를 이용한다.

(1) $\sin(\alpha+\beta)=\sin\alpha\cos\beta+\cos\alpha\sin\beta$
　$\sin(\alpha-\beta)=\sin\alpha\cos\beta-\cos\alpha\sin\beta$

(2) $\cos(\alpha+\beta)=\cos\alpha\cos\beta-\sin\alpha\sin\beta$
　$\cos(\alpha-\beta)=\cos\alpha\cos\beta+\sin\alpha\sin\beta$

(3) $\tan(\alpha+\beta)=\dfrac{\tan\alpha+\tan\beta}{1-\tan\alpha\tan\beta}$
　$\tan(\alpha-\beta)=\dfrac{\tan\alpha-\tan\beta}{1+\tan\alpha\tan\beta}$

2. 두 직선이 이루는 예각의 크기

두 직선 $y=m_1x+n_1$, $y=m_2x+n_2$가 x축의 양의 방향과 이루는 각의 크기를 각각 α, β라 하면 $\tan\alpha=m_1$, $\tan\beta=m_2$이고, 두 직선이 이루는 예각의 크기를 θ라 하면

$\tan\theta=|\tan(\alpha-\beta)|$

$=\left|\dfrac{\tan\alpha-\tan\beta}{1+\tan\alpha\tan\beta}\right|=\left|\dfrac{m_1-m_2}{1+m_1m_2}\right|$

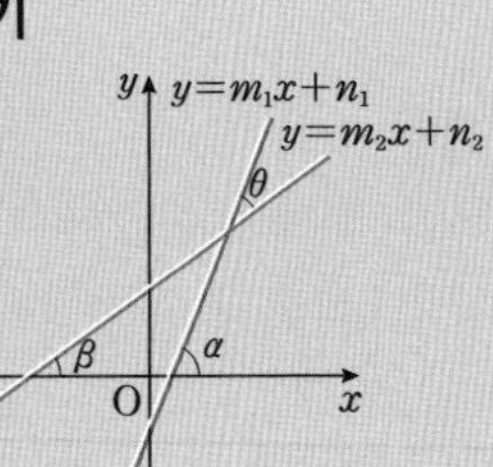
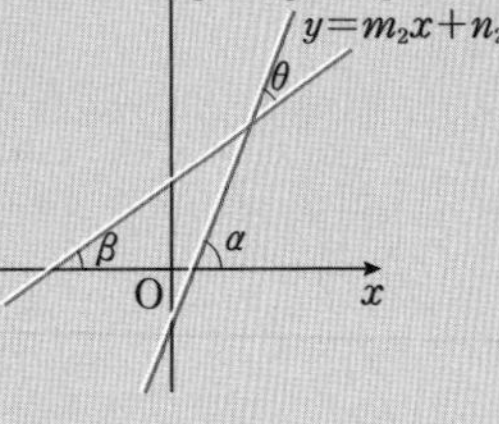

3. 삼각함수의 극한

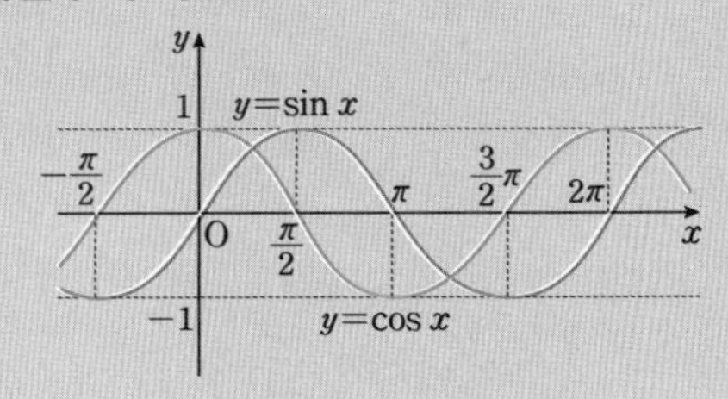

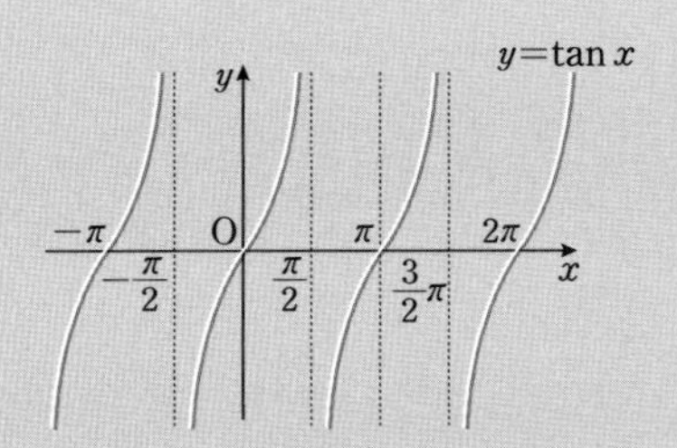

$y=\sin x$, $y=\cos x$는 모든 실수에서 연속이고, $y=\tan x$는 $x\neq n\pi+\dfrac{\pi}{2}$ (n은 정수)인 모든 실수에서 연속이므로, 임의의 실수 a에 대하여

(1) $\lim\limits_{x\to a}\sin x=\sin a$

(2) $\lim\limits_{x\to a}\cos x=\cos a$

(3) $\lim\limits_{x\to a}\tan x=\tan a$ $\left(\text{단, } a\neq n\pi+\dfrac{\pi}{2},\ n\text{은 정수}\right)$

4. $\lim\limits_{x\to 0}\dfrac{\sin x}{x}$, $\lim\limits_{x\to 0}\dfrac{\tan x}{x}$의 값

x의 단위가 라디안일 때

(1) $\lim\limits_{x\to 0}\dfrac{\sin x}{x}=1$ ← $\lim\limits_{x\to 0}\dfrac{\sin bx}{ax}=\lim\limits_{x\to 0}\left(\dfrac{\sin bx}{bx}\times\dfrac{b}{a}\right)=\dfrac{b}{a}$

(2) $\lim\limits_{x\to 0}\dfrac{\tan x}{x}=1$ ← $\lim\limits_{x\to 0}\dfrac{\tan bx}{ax}=\lim\limits_{x\to 0}\left(\dfrac{\tan bx}{bx}\times\dfrac{b}{a}\right)=\dfrac{b}{a}$

참고 (2) $\lim\limits_{x\to 0}\dfrac{\tan x}{x}=\lim\limits_{x\to 0}\dfrac{\sin x}{x\cos x}$
$=\lim\limits_{x\to 0}\dfrac{\sin x}{x}\times\lim\limits_{x\to 0}\dfrac{1}{\cos x}=1\times1=1$

5. 사인함수와 코사인함수의 도함수

(1) $y=\sin x$이면 $y'=\cos x$

(2) $y=\cos x$이면 $y'=-\sin x$

중요개념문제

01

[2017학년도 수능 모의 평가]

$\cos(\alpha+\beta)=\frac{5}{7}$, $\cos\alpha\cos\beta=\frac{4}{7}$일 때, $\sin\alpha\sin\beta$의 값은? [3점]

① $-\frac{1}{7}$ ② $-\frac{2}{7}$ ③ $-\frac{3}{7}$
④ $-\frac{4}{7}$ ⑤ $-\frac{5}{7}$

02

[2012학년도 수능 모의 평가]

좌표평면에서 두 직선 $y=x$, $y=-2x$가 이루는 예각의 크기를 θ라 할 때, $\tan\theta$의 값은? [3점]

① 2 ② $\frac{7}{3}$ ③ $\frac{8}{3}$
④ 3 ⑤ $\frac{10}{3}$

03

[2017학년도 수능 모의 평가]

$\lim_{x\to 0}\frac{\sin 2x}{x\cos x}$의 값을 구하시오. [3점]

04

[2016학년도 수능]

$\lim_{x\to 0}\frac{\ln(1+5x)}{\sin 3x}$의 값은? [2점]

① 1 ② $\frac{4}{3}$ ③ $\frac{5}{3}$
④ 2 ⑤ $\frac{7}{3}$

05

[2015학년도 수능 모의 평가]

함수 $f(x)=\sin x-4x$에 대하여 $f'(0)$의 값은? [2점]

① -5 ② -4 ③ -3
④ -2 ⑤ -1

06

[2018학년도 교육청]

함수 $f(x)=\cos x-3\sin x$에 대하여
$\lim_{h\to 0}\frac{f(\pi+3h)-f(\pi)}{h}$의 값을 구하시오. [3점]

기출유형 01 삼각함수의 덧셈정리

[2018학년도 교육청]

$\sin\alpha=\frac{3}{5}$, $\cos\beta=\frac{\sqrt{5}}{5}$일 때, $\sin(\beta-\alpha)$의 값은? (단, α, β는 예각이다.) [3점]

① $\frac{3\sqrt{5}}{20}$ ② $\frac{\sqrt{5}}{5}$ ③ $\frac{\sqrt{5}}{4}$ ④ $\frac{3\sqrt{5}}{10}$ ⑤ $\frac{7\sqrt{5}}{20}$

Act 1
두 각의 합, 차에 대한 삼각함수의 값은 삼각함수의 덧셈정리를 이용한다.

해결의 실마리
두 각의 합, 차에 대한 삼각함수의 값은 ⇨ 삼각함수의 덧셈정리를 이용한다.

01

[2010학년도 수능]

$\tan\theta=-\sqrt{2}$일 때, $\sin\theta\tan2\theta$의 값은? $\left(단,\ \frac{\pi}{2}<\theta<\pi\right)$ [3점]

① $\frac{2\sqrt{3}}{3}$ ② $\sqrt{3}$ ③ $\frac{4\sqrt{3}}{3}$
④ $\frac{5\sqrt{3}}{3}$ ⑤ $2\sqrt{3}$

02

[2015학년도 교육청]

$\sin\theta=\frac{4}{5}$일 때, $2\sin\left(\theta-\frac{\pi}{3}\right)+\sqrt{3}\cos\theta$의 값이 p이다. $20p$의 값을 구하시오. [3점]

03

[2012학년도 수능 모의평가]

$\tan2\alpha=\frac{5}{12}$일 때, $\tan\alpha=p$이다. $60p$의 값을 구하시오. $\left(단,\ 0<\alpha<\frac{\pi}{4}이다.\right)$ [3점]

04

[2020학년도 수능]

$\overline{AB}=\overline{AC}$인 이등변삼각형 ABC에서 $\angle A=\alpha$, $\angle B=\beta$라 하자. $\tan(\alpha+\beta)=-\frac{3}{2}$일 때, $\tan\alpha$의 값은? [3점]

① $\frac{21}{10}$ ② $\frac{11}{5}$ ③ $\frac{23}{10}$
④ $\frac{12}{5}$ ⑤ $\frac{5}{2}$

기출유형 02 두 직선이 이루는 예각의 크기

두 직선 $y=3x-1$, $y=\frac{1}{2}x+3$이 이루는 예각의 크기를 θ라 할 때, $\tan\theta$의 값은? [3점]

① $\frac{3}{4}$　② 1　③ $\frac{5}{4}$　④ $\frac{3}{2}$　⑤ $\frac{7}{4}$

Act 1
두 직선이 이루는 예각에 대한 탄젠트함수의 값은 $|\tan(\alpha-\beta)|$ $=\left|\frac{\tan\alpha-\tan\beta}{1+\tan\alpha\tan\beta}\right|$를 이용하여 구한다.

해결의 실마리

두 직선이 x축의 양의 방향과 이루는 각의 크기를 각각 α, β라 하고, 두 직선이 이루는 예각의 크기를 θ라 하면

⇨ $\tan\theta=|\tan(\alpha-\beta)|=\left|\frac{\tan\alpha-\tan\beta}{1+\tan\alpha\tan\beta}\right|$

05

좌표평면에서 두 직선 $x-y-1=0$, $ax-y+1=0$이 이루는 예각의 크기를 θ라 하자. $\tan\theta=\frac{1}{4}$일 때, 상수 a의 값은? (단, $a>1$) [3점]

① $\frac{7}{6}$　② $\frac{4}{3}$　③ $\frac{3}{2}$
④ $\frac{5}{3}$　⑤ $\frac{11}{6}$

06

직선 $y=\frac{5}{3}x$와 x축의 양의 방향이 이루는 각을 이등분하는 직선 $y=mx$가 x축의 양의 방향과 이루는 각을 θ라 하면 $\tan\theta=\frac{q+\sqrt{34}}{p}$이다. $p+q$의 값을 구하시오. [3점]

07

[2014학년도 수능 모의평가]

그림과 같이 중심이 O인 원 위에 세 점 A, B, C가 있다. $\overline{AC}=4$, $\overline{BC}=3$이고 삼각형 ABC의 넓이가 2이다. $\angle AOB=\theta$일 때, $\sin\theta$의 값은? (단, $0<\theta<\pi$) [3점]

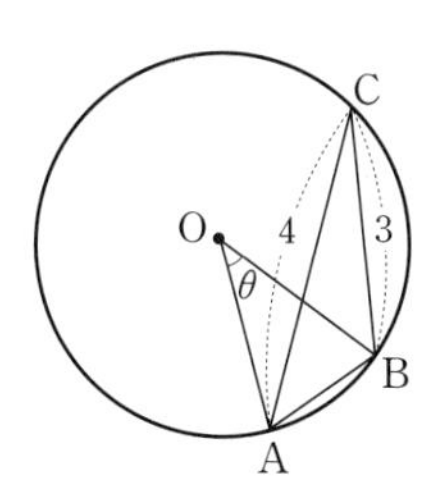

① $\frac{2\sqrt{2}}{9}$　② $\frac{5\sqrt{2}}{18}$
③ $\frac{\sqrt{2}}{3}$　④ $\frac{7\sqrt{2}}{18}$　⑤ $\frac{4\sqrt{2}}{9}$

기출유형 03 삼각함수의 극한

$\lim_{x \to 0} \frac{\sin 2x \tan x}{x^2}$의 값을 구하시오. [3점]

Act ①

주어진 식을 $\lim_{\bigstar \to 0} \frac{\sin\bigstar}{\bigstar}$, $\lim_{\blacktriangle \to 0} \frac{\tan\blacktriangle}{\blacktriangle}$ 꼴로 변형하여 계산한다.

해결의 실마리

(1) 삼각함수를 포함한 함수의 극한 ⇨ 삼각함수의 여러 가지 공식을 이용하여 주어진 식을 간단히 한다.

(2) 임의의 실수 a에 대하여

① $\lim_{x \to a} \sin x = \sin a$　② $\lim_{x \to a} \cos x = \cos a$　③ $\lim_{x \to a} \tan x = \tan a$ $\left(단, a \neq n\pi + \frac{\pi}{2}, n은 정수\right)$

(3) x의 단위가 라디안일 때

① $\lim_{x \to 0} \frac{\sin x}{x} = 1 \to \lim_{x \to 0} \frac{\sin bx}{ax} = \lim_{x \to 0} \left(\frac{\sin bx}{bx} \times \frac{b}{a}\right) = \frac{b}{a}$　② $\lim_{x \to 0} \frac{\tan x}{x} = 1 \to \lim_{x \to 0} \frac{\tan bx}{ax} = \lim_{x \to 0} \left(\frac{\tan bx}{bx} \times \frac{b}{a}\right) = \frac{b}{a}$

08

$\lim_{x \to 0} \frac{2-2\cos x}{x\tan x}$의 값을 구하시오. [3점]

09

[2017학년도 교육청]

함수 $f(\theta)=1-\frac{1}{1+2\sin\theta}$일 때, $\lim_{\theta \to 0} \frac{10f(\theta)}{\theta}$의 값을 구하시오. [3점]

10

[2011학년도 수능 모의평가]

$\lim_{x \to 0} \frac{e^{2x^2}-1}{\tan x \sin 2x}$의 값은? [3점]

① $\frac{1}{4}$　② $\frac{1}{2}$　③ 1　④ 2　⑤ 4

11

[2007학년도 수능 모의평가]

두 양수 a, b가 $\lim_{x \to 0} \frac{\sin 7x}{2^{x+1}-a} = \frac{b}{2\ln 2}$를 만족시킬 때, ab의 값을 구하시오. [4점]

기출유형 04 사인함수와 코사인함수의 도함수

[2015학년도 교육청]

함수 $f(x)=(x+\pi)\sin x$에 대하여 $f'(0)$의 값은? [3점]

① $-\pi$ ② $-\frac{\pi}{2}$ ③ 0 ④ $\frac{\pi}{2}$ ⑤ π

Act ①
$y=\sin x$이면 $y'=\cos x$임을 이용한다.

해결의 실마리

(1) $y=\sin x$이면 $y'=\cos x$ (2) $y=\cos x$이면 $y'=-\sin x$

12

[2019학년도 교육청]

함수 $f(x)=\frac{x}{2}+\sin x$에 대하여 $\lim_{x\to\pi}\frac{f(x)-f(\pi)}{x-\pi}$의 값은? [3점]

① $-\frac{5}{2}$ ② -2 ③ $-\frac{3}{2}$
④ -1 ⑤ $-\frac{1}{2}$

13

[2017학년도 교육청]

함수 $f(x)=x\sin x+\cos x$에 대하여
$\lim_{h\to0}\frac{f(\pi-2h)-f(\pi)}{h}$의 값은? [3점]

① 0 ② $\frac{\pi}{2}$ ③ π
④ $\frac{3}{2}\pi$ ⑤ 2π

14

[2016학년도 교육청]

실수 a에 대하여 함수 $f(x)=\sin x+\cos x$가

$$\lim_{x\to a}\frac{\{f(x)\}^2-\{f(a)\}^2}{x-a}=1$$

을 만족시킬 때, $\cos^2 a$의 값은? [4점]

① $\frac{1}{4}$ ② $\frac{3}{8}$ ③ $\frac{1}{2}$
④ $\frac{5}{8}$ ⑤ $\frac{3}{4}$

15

[2020학년도 수능 모의평가]

함수 $f(x)=\sin(x+\alpha)+2\cos(x+\alpha)$에 대하여 $f'\left(\frac{\pi}{4}\right)=0$일 때, $\tan\alpha$의 값은? (단, α는 상수이다.) [3점]

① $-\frac{5}{6}$ ② $-\frac{2}{3}$ ③ $-\frac{1}{2}$
④ $-\frac{1}{3}$ ⑤ $-\frac{1}{6}$

Very Important Test

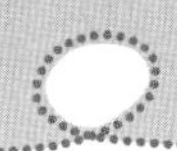

01

이차방정식 $3x^2-5x+2=0$의 두 근이 $\tan\alpha$, $\tan\beta$일 때, $\tan(\alpha+\beta)$의 값은? [3점]

① 5 ② $\frac{5}{3}$ ③ $\frac{2}{3}$ ④ $\frac{3}{5}$ ⑤ $\frac{2}{5}$

02

$0<\alpha<\frac{\pi}{2}$, $\frac{3}{2}\pi<\beta<2\pi$이고 $\sin\alpha=\frac{3}{5}$, $\cos\beta=\frac{5}{13}$일 때, $\cos(\alpha-\beta)$의 값은? [3점]

① $-\frac{48}{65}$ ② $-\frac{16}{65}$ ③ $-\frac{12}{65}$ ④ $\frac{36}{65}$ ⑤ $\frac{48}{65}$

03

두 직선 $2x-y+3=0$, $ax+y-2=0$이 이루는 예각의 크기가 $\frac{\pi}{4}$일 때, 양수 a의 값은? $\left(단,\ a>\frac{1}{2}\right)$ [3점]

① 2 ② $\frac{5}{2}$ ③ 3 ④ $\frac{7}{2}$ ⑤ 4

04

$\lim_{x\to0}\frac{\tan(\sin 3x)}{\sin 2x}$의 값은? [3점]

① $\frac{2}{3}$ ② 1 ③ $\frac{3}{2}$ ④ 2 ⑤ $\frac{4}{3}$

05

$\lim_{x\to0}\frac{\sin ax}{\ln(x+b)}=3$을 만족시키는 두 상수 a, b에 대하여 $a+b$의 값은? [3점]

① 1 ② 2 ③ 3 ④ 4 ⑤ 5

06

연속함수 $f(x)$에 대하여 $\lim_{x\to0}\frac{f(x)}{x-\sin x}=4$일 때, $\lim_{x\to0}\frac{f(x)}{x+\sin x}$의 값은? [3점]

① -4 ② -3 ③ -2 ④ -1 ⑤ 0

07

실수 전체의 집합에서 미분가능한 함수 $f(x)$에 대하여 $f'(2)=-8$일 때, $\lim_{x \to 0} \frac{f(1+\cos x)-f(2)}{x^2}$의 값을 구하시오. [4점]

08

두 함수 $f(x)=e^x \sin x$, $g(x)=e^x \cos x$에 대하여 $f'(\pi)-g'(\pi)$의 값은? [3점]

① $-2e^\pi$　② $-e^\pi$　③ 0　④ e^π　⑤ $2e^\pi$

09

함수 $f(x)=x\cos x$에 대하여 $\lim_{h \to 0} \frac{f(\pi+3h)-f(\pi-h)}{h}$의 값은? [3점]

① -5　② -4　③ -3　④ -2　⑤ -1

10

함수 $f(x)=\sin^2 x$에 대하여 $\lim_{h \to 0} \frac{f(\pi-2h)-f(\pi)}{h}$의 값은? [3점]

① -2　② -1　③ 0　④ 1　⑤ 2

1등급 level up

11

함수 $f(x)=x^2\cos x+a\sin x$가 $\lim_{x \to \frac{\pi}{2}} \frac{f(x)-2}{2x-\pi}=b$를 만족시킬 때, 두 상수 a, b에 대하여 ab의 값은? [4점]

① $-\frac{\pi^2}{2}$　② $-\frac{\pi^2}{4}$　③ $-\frac{3}{16}\pi^2$　④ $-\frac{\pi^2}{8}$　⑤ $-\frac{\pi^2}{16}$

12

함수 $f(x)=\cos x$에 대하여 함수 $g(x)$를 다음과 같이 정의하자.

$$g(x)=\lim_{h \to 0} \frac{f(x+h)-f(x-h)}{h}$$

$0<\alpha<\pi$이고 $f'(\alpha)+g'(\alpha)=0$을 만족시키는 α에 대하여 $\tan \alpha$의 값은? [4점]

① -4　② -2　③ -1　④ $-\frac{1}{2}$　⑤ $-\frac{1}{4}$

05 여러 가지 미분법

참 중요한 학습 point

 기출 best

best 1 몫의 미분법
best 2 합성함수의 미분법
best 3 매개변수로 나타낸 함수의 미분법

 기출 분석

최근 수능에서는 몫의 미분, 합성함수의 미분, 매개변수로 나타낸 함수의 미분, 음함수와 역함수의 미분에 대한 문제가 골고루 출제되었다. 기본적인 개념만 알면 풀 수 있는 문제가 출제되므로 실수하지 않고 풀 수 있도록 연습해 두어야 한다.

 level up

- 합성함수의 미분법
- 역함수의 미분계수

중요개념

1. 함수의 몫의 미분법

(1) 함수의 몫의 미분법

미분가능한 두 함수 $f(x)$, $g(x)$ $(g(x)\neq 0)$에 대하여

① $y=\dfrac{1}{g(x)}$이면 $y'=-\dfrac{g'(x)}{\{g(x)\}^2}$

② $y=\dfrac{f(x)}{g(x)}$이면 $y'=\dfrac{f'(x)g(x)-f(x)g'(x)}{\{g(x)\}^2}$

(2) 함수 $y=x^n$ (n은 정수)의 도함수

n이 정수일 때, $y=x^n$이면 $y'=nx^{n-1}$

2. 여러 가지 삼각함수의 도함수

(1) 각 θ를 나타내는 동경이 반지름의 길이가 r인 원 O와 만나는 점을 $\mathrm{P}(x, y)$라 할 때

① 코시컨트함수 : $\csc\theta=\dfrac{r}{y}$ $(y\neq 0)$

② 시컨트함수 : $\sec\theta=\dfrac{r}{x}$ $(x\neq 0)$

③ 코탄젠트함수 : $\cot\theta=\dfrac{x}{y}$ $(y\neq 0)$

(2) 삼각함수 사이의 관계

① $1+\tan^2\theta=\sec^2\theta$　② $1+\cot^2\theta=\csc^2\theta$

(3) 여러 가지 삼각함수의 도함수

① $y=\tan x$이면 $y'=\sec^2 x$

② $y=\csc x$이면 $y'=-\csc x\cot x$

③ $y=\sec x$이면 $y'=\sec x\tan x$

④ $y=\cot x$이면 $y'=-\csc^2 x$

3. 합성함수의 미분법

(1) 미분가능한 두 함수 $y=f(u)$, $u=g(x)$에 대하여 합성함수 $y=f(g(x))$의 도함수는

$\dfrac{dy}{dx}=\dfrac{dy}{du}\times\dfrac{du}{dx}$ 또는 $y'=f'(g(x))g'(x)$

(2) 로그함수의 도함수

① $y=\ln|x|$이면 $y'=\dfrac{1}{x}$ (단, $x\neq 0$)

② $y=\ln|f(x)|$이면 $y'=\dfrac{f'(x)}{f(x)}$

(단, 함수 $f(x)$는 미분가능하고 $f(x)\neq 0$)

(3) 함수 $y=x^n$ (n은 실수)의 도함수

n이 실수일 때, $y=x^n$이면 $y'=nx^{n-1}$ (단, $x>0$)

4. 매개변수로 나타낸 함수의 미분법

매개변수로 나타낸 두 함수 $x=f(t)$, $y=g(t)$가 t에 대하여 미분가능하고 $f'(t)\neq 0$이면 $\dfrac{dy}{dx}=\dfrac{\frac{dy}{dt}}{\frac{dx}{dt}}=\dfrac{g'(t)}{f'(t)}$

5. 음함수와 역함수의 미분법

(1) 음함수의 미분법

x의 함수 y가 음함수 $f(x, y)=0$의 꼴로 주어질 때, y를 x의 함수로 보고 각 항을 x에 대하여 미분하여 $\dfrac{dy}{dx}$를 구한다.

(2) 역함수의 미분법

미분가능한 함수 $f(x)$의 역함수 $g(x)$가 존재하고 미분가능할 때, $y=g(x)$의 도함수는

$g'(x)=\dfrac{1}{f'(g(x))}=\dfrac{1}{f'(y)}$ (단, $f'(y)\neq 0$)

또는 $\dfrac{dy}{dx}=\dfrac{1}{\frac{dx}{dy}}$ $\left(단, \dfrac{dx}{dy}\neq 0\right)$

6. 이계도함수

$f(x)$의 도함수 $f'(x)$가 미분가능할 때, $f'(x)$의 도함수 $\lim\limits_{h\to 0}\dfrac{f'(x+h)-f'(x)}{h}$를 $f(x)$의 이계도함수라고 하고, 이것을 기호로 $f''(x)$, y'', $\dfrac{d^2y}{dx^2}$, $\dfrac{d^2}{dx^2}f(x)$와 같이 나타낸다.

중요개념문제

01
[2019학년도 수능]

$\tan\theta=5$일 때, $\sec^2\theta$의 값을 구하시오. [3점]

02
[2017학년도 수능 모의평가]

실수 전체의 집합에서 미분가능한 함수 $f(x)$가 모든 실수 x에 대하여 $f(2x+1)=(x^2+1)^2$을 만족시킬 때, $f'(3)$의 값은? [3점]

① 1　② 2　③ 3　④ 4　⑤ 5

03
[2019학년도 수능 모의평가]

함수 $f(x)=e^{3x-2}$에 대하여 $f'(1)$의 값은? [2점]

① e　② $2e$　③ $3e$　④ $4e$　⑤ $5e$

04
[2018학년도 수능]

함수 $f(x)=\ln(x^2+1)$에 대하여 $f'(1)$의 값을 구하시오. [3점]

05
[2018학년도 수능 모의평가]

함수 $f(x)=\sqrt{x^3+1}$에 대하여 $f'(2)$의 값을 구하시오. [3점]

06
[2018학년도 수능 모의평가]

매개변수 t로 나타내어진 곡선 $x=t^2+2$, $y=t^3+t-1$에서 $t=1$일 때, $\frac{dy}{dx}$의 값은? [3점]

① $\frac{1}{2}$　② 1　③ $\frac{3}{2}$　④ 2　⑤ $\frac{5}{2}$

07
[2019학년도 수능]

곡선 $e^x-xe^y=y$ 위의 점 $(0,\ 1)$에서의 접선의 기울기는? [3점]

① $3-e$　② $2-e$　③ $1-e$　④ $-e$　⑤ $-1-e$

08
[2017학년도 수능]

함수 $f(x)=x^3+x+1$의 역함수를 $g(x)$라 할 때, $g'(1)$의 값은? [3점]

① $\frac{1}{3}$　② $\frac{2}{5}$　③ $\frac{2}{3}$　④ $\frac{4}{5}$　⑤ 1

기출유형 01 함수의 몫의 미분법

함수 $f(x)=\dfrac{\ln x}{x+1}$에 대하여 $f'(1)$의 값은? [3점]

① 1 ② $\dfrac{1}{2}$ ③ $\dfrac{1}{3}$ ④ $\dfrac{1}{4}$ ⑤ $\dfrac{1}{5}$

Act ①
두 함수 $f(x)$, $g(x)$ $(g(x)\neq0)$가 미분가능할 때,
$\left\{\dfrac{f(x)}{g(x)}\right\}'=\dfrac{f'(x)g(x)-f(x)g'(x)}{\{g(x)\}^2}$
임을 이용한다.

해결의 실마리

미분가능한 두 함수 $f(x)$, $g(x)$ $(g(x)\neq0)$에 대하여

(1) $y=\dfrac{1}{g(x)}$이면 ⇨ $y'=-\dfrac{g'(x)}{\{g(x)\}^2}$

(2) $y=\dfrac{f(x)}{g(x)}$이면 ⇨ $y'=\dfrac{f'(x)g(x)-f(x)g'(x)}{\{g(x)\}^2}$

01

[2019학년도 교육청]

함수 $f(x)=\dfrac{1}{x-2}$에 대하여 $\lim\limits_{h\to0}\dfrac{f(a+h)-f(a)}{h}=-\dfrac{1}{4}$을 만족시키는 양수 a의 값은? [3점]

① 4 ② $\dfrac{9}{2}$ ③ 5
④ $\dfrac{11}{2}$ ⑤ 6

02

함수 $f(x)=\dfrac{3}{x^2+2}$에 대하여 $\lim\limits_{x\to1}\dfrac{f(x^3)-1}{x-1}$의 값은? [3점]

① -1 ② -2 ③ -3
④ -4 ⑤ -5

03

[2020학년도 수능 모의평가]

함수 $f(x)=\dfrac{\ln x}{x^2}$에 대하여 $\lim\limits_{h\to0}\dfrac{f(e+h)-f(e-2h)}{h}$의 값은? [3점]

① $-\dfrac{2}{e}$ ② $-\dfrac{3}{e^2}$ ③ $-\dfrac{1}{e}$
④ $-\dfrac{2}{e^2}$ ⑤ $-\dfrac{3}{e^3}$

04

미분가능한 함수 $g(x)$에 대하여 $f(x)=\dfrac{x-1}{g(x)+3}$, $f'(1)=2$일 때, $g(1)$의 값은? [3점]

① $\dfrac{3}{2}$ ② $\dfrac{1}{2}$ ③ $-\dfrac{1}{2}$
④ $-\dfrac{3}{2}$ ⑤ $-\dfrac{5}{2}$

기출유형 02 여러 가지 삼각함수의 도함수

[2020학년도 수능 모의평가]

$\frac{\pi}{2}<\theta<\pi$인 θ에 대하여 $\cos\theta=-\frac{3}{5}$일 때, $\csc(\pi+\theta)$의 값은? [3점]

① $-\frac{5}{2}$ ② $-\frac{5}{3}$ ③ $-\frac{5}{4}$ ④ $\frac{5}{4}$ ⑤ $\frac{5}{3}$

Act①

$\csc\theta=\frac{1}{\sin\theta}$ 임을 이용한다.

해결의 실마리

(1) 삼각함수의 관계

① $\csc\theta=\frac{1}{\sin\theta}$, $\sec\theta=\frac{1}{\cos\theta}$, $\cot\theta=\frac{1}{\tan\theta}$ ② $1+\tan^2\theta=\sec^2\theta$, $1+\cot^2\theta=\csc^2\theta$

(2) 삼각함수의 도함수

① $y=\tan x$이면 ⇨ $y'=\sec^2 x$ ② $y=\csc x$이면 ⇨ $y'=-\csc x\cot x$

③ $y=\sec x$이면 ⇨ $y'=\sec x\tan x$ ④ $y=\cot x$이면 ⇨ $y'=-\csc^2 x$

05

[2020학년도 수능 모의평가]

$\cos\theta=\frac{1}{7}$일 때, $\csc\theta\times\tan\theta$의 값을 구하시오. [3점]

06

[2019학년도 교육청]

$\sec\theta=10$일 때, $\tan^2\theta$의 값을 구하시오. [3점]

07

함수 $f(x)=\frac{2-\cos x}{1+\sin x}$에 대하여 $f'\left(\frac{\pi}{2}\right)$의 값은? [3점]

① $-\frac{1}{2}$ ② $-\frac{1}{3}$ ③ 0 ④ $\frac{1}{3}$ ⑤ $\frac{1}{2}$

08

함수 $f'(x)=2\cos x+\sec x$에 대하여 $f'\left(\frac{\pi}{4}\right)$의 값은? [3점]

① $-\sqrt{2}$ ② $-\frac{\sqrt{2}}{2}$ ③ 0 ④ $\frac{\sqrt{2}}{2}$ ⑤ $\sqrt{2}$

기출유형 03 합성함수의 미분법

미분가능한 함수 $f(x)$에 대하여 $g(x)=x^3+1$, $(f\circ g)(x)=(x^2+x+1)^3$일 때, $f'(2)$의 값은? [3점]

① 21 ② 23 ③ 25 ④ 27 ⑤ 29

Act ①
합성함수 $y=f(g(x))$의 도함수는 $y'=f'(g(x))g'(x)$임을 이용한다.

해결의 실마리

두 함수 $f(x)$, $g(x)$가 미분가능할 때

(1) $y=f(g(x))$이면 ⇨ $y'=f'(g(x))g'(x)$

(2) $y=f(ax+b)$ (a, b는 상수)이면 ⇨ $y'=af'(ax+b)$

(3) $y=\{f(x)\}^n$ (n은 정수)이면 ⇨ $y'=n\{f(x)\}^{n-1}f'(x)$

09

[2019학년도 교육청]

실수 전체의 집합에서 미분가능한 두 함수 $f(x)$, $g(x)$에 대하여 함수 $h(x)$를 $h(x)=(f\circ g)(x)$라 하자.

$$\lim_{x\to1}\frac{g(x)+1}{x-1}=2,\ \lim_{x\to1}\frac{h(x)-2}{x-1}=12$$

일 때, $f(-1)+f'(-1)$의 값은? [3점]

① 4 ② 5 ③ 6
④ 7 ⑤ 8

10

[2019학년도 교육청]

실수 전체의 집합에서 미분가능한 두 함수 $f(x)$, $g(x)$에 대하여 함수 $h(x)$를 $h(x)=(g\circ f)(x)$라 할 때, 두 함수 $f(x)$, $h(x)$가 다음 조건을 만족시킨다.

(가) $f(1)=2$, $f'(1)=3$

(나) $\lim_{x\to1}\frac{h(x)-5}{x-1}=12$

$g(2)+g'(2)$의 값은? [3점]

① 5 ② 7 ③ 9
④ 11 ⑤ 13

11

[2020학년도 수능 모의평가]

함수 $f(x)=\frac{2^x}{\ln 2}$과 실수 전체의 집합에서 미분가능한 함수 $g(x)$가 다음 조건을 만족시킬 때, $g(2)$의 값은? [3점]

(가) $\lim_{h\to0}\frac{g(2+4h)-g(2)}{h}=8$

(나) 함수 $(f\circ g)(x)$의 $x=2$에서의 미분계수는 10이다.

① 1 ② $\log_2 3$ ③ 2
④ $\log_2 5$ ⑤ $\log_2 6$

12

[2013학년도 교육청]

함수 $f(x)$가 $f(\cos x)=\sin 2x+\tan x$ $\left(0<x<\frac{\pi}{2}\right)$를 만족시킬 때, $f'\left(\frac{1}{2}\right)$의 값은? [4점]

① $-2\sqrt{3}$ ② $-\sqrt{3}$ ③ 0
④ $\sqrt{3}$ ⑤ $2\sqrt{3}$

친절한 해설 26쪽

기출유형 04 합성함수의 미분법 ― 지수함수

[2015학년도 수능 모의평가]

함수 $f(x)=e^{3x}+10x$에 대하여 $f'(0)$의 값은? [3점]

① 17 ② 16 ③ 15 ④ 14 ⑤ 13

Act ①
$f(x)$가 미분가능할 때, $\{e^{f(x)}\}'=e^{f(x)}f'(x)$임을 이용한다.

해결의 실마리

미분가능한 함수 $f(x)$에 대하여

(1) $y=e^{f(x)}$이면 ⇨ $y'=e^{f(x)}f'(x)$

(2) $y=a^{f(x)}$ $(a>0,\ a\neq1)$이면 ⇨ $y'=a^{f(x)}\ln a\times f'(x)$

13

함수 $f(x)=3^{2x-1}+1$에 대하여 $f'\left(\frac{1}{2}\right)$의 값은 [3점]

① $\frac{1}{2}\ln 2$ ② $\ln 3$ ③ $\frac{3}{2}\ln 2$
④ $2\ln 3$ ⑤ $3\ln 2$

14

[2018학년도 수능]

실수 전체의 집합에서 미분가능한 함수 $f(x)$에 대하여 함수 $g(x)$를 $g(x)=\frac{f(x)}{e^{x-2}}$라 하자. $\lim_{x\to2}\frac{f(x)-3}{x-2}=5$일 때, $g'(2)$의 값은? [3점]

① 1 ② 2 ③ 3
④ 4 ⑤ 5

15

[2017학년도 수능 모의평가]

두 함수 $f(x)=\sin^2 x$, $g(x)=e^x$에 대하여

$\lim_{x\to\frac{\pi}{4}}\frac{g(f(x))-\sqrt{e}}{x-\frac{\pi}{4}}$의 값은? [4점]

① $\frac{1}{e}$ ② $\frac{1}{\sqrt{e}}$ ③ 1
④ $\sqrt{e}$ ⑤ e

16

[2020학년도 수능]

함수 $f(x)=(x^2+2)e^{-x}$에 대하여 함수 $g(x)$가 미분가능하고 $g\left(\frac{x+8}{10}\right)=f^{-1}(x)$, $g(1)=0$을 만족시킬 때, $|g'(1)|$의 값을 구하시오. [4점]

기출유형 05 합성함수의 미분법 — 로그함수

함수 $f(x)=\log_3(2x+1)^5$에 대하여 $f'(a)=\frac{2}{\ln 3}$일 때, 상수 a의 값을 구하시오. [3점]

Act 1
함수 $f(x)$가 미분가능하고 $f(x)\neq0$일 때,
$\{\log_a|f(x)|\}'$
$=\left\{\frac{\ln|f(x)|}{\ln a}\right\}'=\frac{f'(x)}{f(x)\ln a}$
임을 이용한다.

해결의 실마리

(1) $y=\ln|x|$이면 ⇨ $y'=\frac{1}{x}$ (단, $x\neq0$)

(2) $y=\ln|f(x)|$이면 ⇨ $y'=\frac{f'(x)}{f(x)}$ (단, 함수 $f(x)$는 미분가능하고 $f(x)\neq0$)

참고 $y=\log_a|x|=\frac{\ln|x|}{\ln a}$에서 $y'=\frac{1}{x\ln a}$ (단, $x\neq0$, $a>0$, $a\neq1$)

$y=\log_a|f(x)|=\frac{\ln|f(x)|}{\ln a}$에서 $y'=\frac{f'(x)}{f(x)\ln a}$ (단, 함수 $f(x)$는 미분가능하고 $f(x)\neq0$, $a>0$, $a\neq1$)

17

함수 $f(x)=\ln(3x-2)$에 대하여 $f'(1)$의 값을 구하시오. [3점]

18

함수 $f(x)=\ln(5x-1)$에 대하여

$\lim_{h\to0}\frac{f(1+2h)-f(1-2h)}{h}$의 값은? [3점]

① 1 ② 2 ③ 3
④ 4 ⑤ 5

19

함수 $f(x)=x(\ln x+2)$일 때, $\lim_{x\to1}\frac{f(x)-2}{\sqrt{x}-1}$의 값을 구하시오. [3점]

20

[2019학년도 교육청]

함수 $f(x)=\ln(ax+b)$에 대하여 $\lim_{x\to0}\frac{f(x)}{x}=2$일 때, $f(2)$의 값은? (단, a, b는 상수이다.) [3점]

① $\ln 3$ ② $2\ln 2$ ③ $\ln 5$
④ $\ln 6$ ⑤ $\ln 7$

기출유형 06 함수 $y=x^n$ (n은 실수)의 도함수

함수 $f(x)=\sqrt{3x^2+1}$에 대하여 $f'(1)$의 값은? [3점]

① $\frac{1}{12}$ ② $\frac{1}{6}$ ③ $\frac{1}{4}$ ④ $\frac{1}{3}$ ⑤ $\frac{5}{12}$

Act ①
n이 실수일 때,
$[\{f(x)\}^n]'=n\{f(x)\}^{n-1}f'(x)$
임을 이용한다.

해결의 실마리

(1) n이 실수일 때, $y=x^n$이면 ⇨ $y'=nx^{n-1}$

(2) 미분가능한 함수 $f(x)$에 대하여 $y=\{f(x)\}^n$ (n은 실수)이면 ⇨ $y'=n\{f(x)\}^{n-1}f'(x)$

21

[2019학년도 교육청]

함수 $f(x)=x^3+4\sqrt{x}$에 대하여 $f'(4)$의 값을 구하시오. [3점]

22

곡선 $y=\frac{1}{\sqrt{x-3}}$ 위의 점 $\left(7,\ \frac{1}{2}\right)$에서의 접선의 기울기는? [3점]

① $-\frac{1}{2}$ ② $-\frac{1}{4}$ ③ $-\frac{1}{8}$
④ $-\frac{1}{16}$ ⑤ $-\frac{1}{32}$

23

[2014학년도 수능 모의평가]

점 A(1, 0)을 지나고 기울기가 양수인 직선 l이 곡선 $y=2\sqrt{x}$와 만나는 점을 B, 점 B에서 x축에 내린 수선의 발을 C, 직선 l이 y축과 만나는 점을 D라 하자. 점 B$(t,\ 2\sqrt{t})$에 대하여 삼각형 BAC의 넓이를 $f(t)$라 할 때, $f'(9)$의 값은? [3점]

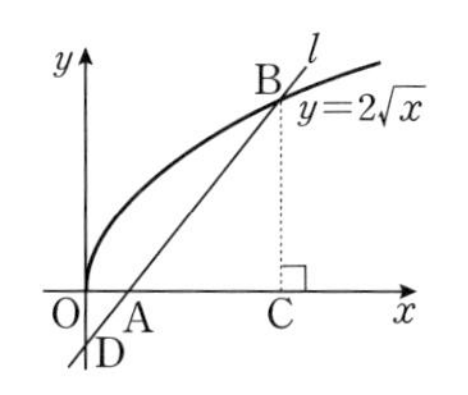

① 3 ② $\frac{10}{3}$ ③ $\frac{11}{3}$
④ 4 ⑤ $\frac{13}{3}$

24

[2012학년도 수능 모의평가]

함수 $f(x)=(x+1)^{\frac{3}{2}}$과 실수 전체의 집합에서 미분가능한 함수 $g(x)$에 대하여 함수 $h(x)$를 $h(x)=(g\circ f)(x)$라 하자. $h'(0)=15$일 때, $g'(1)$의 값을 구하시오. [4점]

기출유형 07 매개변수로 나타낸 함수의 미분법

[2019학년도 교육청]

매개변수 t $(t>0)$으로 나타내어진 함수 $x=t^2+\ln t$, $y=t^3+6t$에서 $t=1$일 때, $\frac{dy}{dx}$의 값은? [3점]

① 1 ② $\frac{3}{2}$ ③ 2 ④ $\frac{5}{2}$ ⑤ 3

Act ①
매개변수로 나타낸 함수 $x=f(t)$, $y=g(t)$가 t에 대하여 미분가능하고 $f'(t)\neq0$이면 $\frac{dy}{dx}=\frac{g'(t)}{f'(t)}$임을 이용한다.

해결의 실마리

매개변수로 나타낸 두 함수 $x=f(t)$, $y=g(t)$가 t에 대하여 미분가능하고 $f'(t)\neq0$이면 ⇨ $\frac{dy}{dx}=\frac{\frac{dy}{dt}}{\frac{dx}{dt}}=\frac{g'(t)}{f'(t)}$

25

[2016학년도 수능 모의평가]

매개변수 t $(t>0)$으로 나타내어진 함수 $x=t^2+1$, $y=\frac{2}{3}t^3+10t-1$에서 $t=1$일 때, $\frac{dy}{dx}$의 값을 구하시오. [3점]

26

[2017학년도 수능 모의평가]

매개변수 t $(t>0)$으로 나타내어진 함수 $x=t-\frac{2}{t}$, $y=t^2+\frac{2}{t^2}$에서 $t=1$일 때, $\frac{dy}{dx}$의 값은? [4점]

① $-\frac{2}{3}$ ② -1 ③ $-\frac{4}{3}$
④ $-\frac{5}{3}$ ⑤ -2

27

매개변수 t로 나타내어진 함수 $x=e^t\cos t$, $y=e^t\sin t+1$에서 $t=\frac{\pi}{3}$일 때, $\frac{dy}{dx}$의 값은? [4점]

① $-2-2\sqrt{3}$ ② $-2\sqrt{3}$ ③ $-\sqrt{3}$
④ $2\sqrt{3}$ ⑤ $2+2\sqrt{3}$

기출유형 08 음함수의 미분법

[2018학년도 수능 모의평가]

곡선 $5x+xy+y^2=5$ 위의 점 $(1,\ -1)$에서의 접선의 기울기를 구하시오. [3점]

Act ①
음함수 $f(x, y)=0$에서 y를 x의 함수로 보고 각 항을 x에 대하여 미분하여 $\frac{dy}{dx}$를 구한다.

해결의 실마리

음함수 $f(x, y)=0$에서 $\frac{dy}{dx}$를 구할 때는 ⇨ y를 x의 함수로 보고 각 항을 x에 대하여 미분하여 $\frac{dy}{dx}$를 구한다.

28

[2020학년도 수능]

곡선 $x^2-3xy+y^2=x$ 위의 점 $(1,\ 0)$에서의 접선의 기울기는? [3점]

① $\frac{1}{12}$　② $\frac{1}{6}$　③ $\frac{1}{4}$　④ $\frac{1}{3}$　⑤ $\frac{5}{12}$

29

[2018학년도 수능]

곡선 $2x+x^2y-y^3=2$ 위의 점 $(1,\ 1)$에서의 접선의 기울기를 구하시오. [3점]

30

[2020학년도 수능 모의평가]

곡선 $\pi x=\cos y+x\sin y$ 위의 점 $\left(0,\ \frac{\pi}{2}\right)$에서의 접선의 기울기는? [3점]

① $1-\frac{5}{2}\pi$　② $1-2\pi$　③ $1-\frac{3}{2}\pi$　④ $1-\pi$　⑤ $1-\frac{\pi}{2}$

31

[2012학년도 수능]

좌표평면에서 곡선 $y^3=\ln(5-x^2)+xy+4$ 위의 점 $(2,\ 2)$에서의 접선의 기울기는? [3점]

① $-\frac{3}{5}$　② $-\frac{1}{2}$　③ $-\frac{2}{5}$　④ $-\frac{3}{10}$　⑤ $-\frac{1}{5}$

기출유형 09 역함수의 미분법

[2017학년도 교육청]

구간 $(-1, \infty)$에서 정의된 함수 $f(x)=xe^x+e$의 역함수를 $g(x)$라 할 때, $60g'(e)$의 값을 구하시오. [3점]

Act①
$f(x)$의 역함수 $g(x)$에 대하여 $f(a)=b$이면 $f'(a)g'(b)=1$, 즉 $g'(b)=\frac{1}{f'(a)}$임을 이용한다.

해결의 실마리

미분가능한 함수 $f(x)$의 역함수 $g(x)$가 존재하고 미분가능할 때,

(1) $y=g(x)$의 도함수는

⇨ $g'(x)=\frac{1}{f'(y)}=\frac{1}{f'(g(x))}$ (단, $f'(y)\neq0$) 또는 $\frac{dy}{dx}=\frac{1}{\frac{dx}{dy}}$ (단, $\frac{dx}{dy}\neq0$)

(2) $f(a)=b$, 즉 $g(b)=a$이면 ⇨ $f'(a)g'(b)=1$, 즉 $g'(b)=\frac{1}{f'(a)}$ (단, $f'(a)\neq0$)

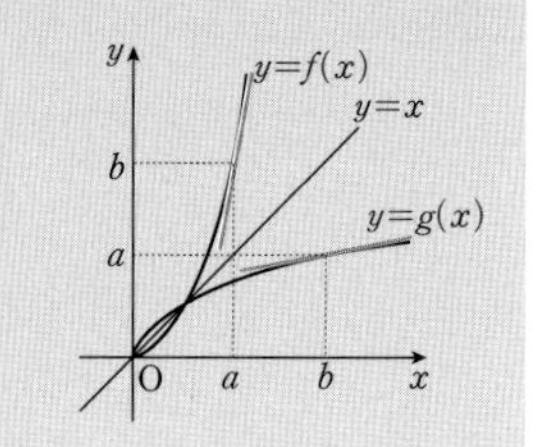

32

[2020학년도 수능 모의평가]

정의역이 $\left\{x \middle| -\frac{\pi}{4}<x<\frac{\pi}{4}\right\}$인 함수 $f(x)=\tan 2x$의 역함수를 $g(x)$라 할 때, $100\times g'(1)$의 값을 구하시오. [3점]

33

[2019학년도 수능 모의평가]

함수 $f(x)=3e^{5x}+x+\sin x$의 역함수를 $g(x)$라 할 때, 곡선 $y=g(x)$는 점 $(3, 0)$을 지난다. $\lim_{x\to3}\frac{x-3}{g(x)-g(3)}$의 값을 구하시오. [3점]

34

[2017학년도 수능 모의평가]

함수 $f(x)=2x+\sin x$의 역함수를 $g(x)$라 할 때, 곡선 $y=g(x)$ 위의 점 $(4\pi, 2\pi)$에서의 접선의 기울기는 $\frac{q}{p}$이다. $p+q$의 값을 구하시오. (단, p와 q는 서로소인 자연수이다.) [4점]

35

[2019학년도 교육청]

함수 $f(x)=x^3-5x^2+9x-5$의 역함수를 $g(x)$라 할 때, 곡선 $y=g(x)$ 위의 점 $(4, g(4))$에서의 접선의 기울기는? [4점]

① $\frac{1}{18}$ ② $\frac{1}{12}$ ③ $\frac{1}{9}$
④ $\frac{5}{36}$ ⑤ $\frac{1}{6}$

기출유형 10 이계도함수

함수 $f(x)=x\cos x$에 대하여 $f''\left(\frac{\pi}{2}\right)$의 값은? [3점]

① -2　② -1　③ 0　④ 1　⑤ 2

Act 1
$f(x)$에서 $f'(x)$, $f''(x)$를 차례로 구한다.

해결의 실마리

함수 $f(x)$의 도함수 $f'(x)$가 미분가능할 때, $f(x)$의 이계도함수는 ⇨ $f''(x)=\lim_{h\to 0}\frac{f'(x+h)-f'(x)}{h}$

36

함수 $f(x)=e^{2x}\sin^2 x$에 대하여 $f''\left(\frac{\pi}{4}\right)$의 값은? [3점]

① $4e^{\frac{\pi}{2}}$　② $5e^{\frac{\pi}{2}}$　③ $6e^{\frac{\pi}{2}}$
④ $-2e^{\frac{\pi}{2}}$　⑤ $-4e^{\frac{\pi}{2}}$

37

함수 $f(x)=x\ln(x^2+1)$에 대하여 $f''(1)$의 값을 구하시오. [3점]

38

함수 $f(x)=e^{-x^2}$에 대하여 $\lim_{x\to -1}\frac{f'(x)-f'(-1)}{x+1}$의 값은? [3점]

① $\frac{1}{e}$　② $\frac{2}{e}$　③ $\frac{3}{e}$
④ $\frac{4}{e}$　⑤ $\frac{5}{e}$

39

[2018학년도 수능 모의평가]

함수 $f(x)=\frac{1}{x+3}$에 대하여 $\lim_{h\to 0}\frac{f'(a+h)-f'(a)}{h}=2$를 만족시키는 실수 a의 값은? [3점]

① -2　② -1　③ 0
④ 1　⑤ 2

Very Important Test

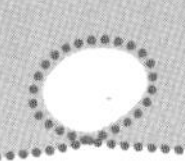

01

함수 $y=\frac{x^3+5x+3}{x-2}$의 도함수가 $y'=\frac{ax^3+bx^2+cx+d}{(x-2)^2}$일 때, 상수 a, b, c, d에 대하여 $a+b+c+d$의 값은? [3점]

① -19　② -18　③ -17　④ -16　⑤ -15

02

함수 $f(x)=\tan x+\cot x$에 대하여 $\lim_{n\to\infty} n\left\{f\left(\frac{\pi}{4}+\frac{1}{n}\right)-2\right\}$의 값은? [3점]

① 0　② $\frac{\sqrt{2}}{2}$　③ 1　④ $\sqrt{2}$　⑤ $\frac{3\sqrt{2}}{2}$

03

미분가능한 함수 $f(x)$에 대하여 $f(5)=\frac{1}{2}$, $f'(5)=4$일 때, 함수 $y=\{f(x)\}^4$의 $x=5$에서의 미분계수는? [3점]

① $\frac{3}{2}$　② 2　③ $\frac{5}{2}$　④ 3　⑤ $\frac{7}{2}$

04

두 함수 $f(x)=\frac{x-1}{x^2+1}$, $g(x)=x^2+2x-5$에 대하여 합성함수 $y=(f\circ g)(x)$의 $x=2$에서의 미분계수는? [3점]

① $-\frac{3}{25}$　② $-\frac{2}{25}$　③ $-\frac{1}{25}$　④ $\frac{2}{25}$　⑤ $\frac{3}{25}$

05

함수 $f(x)=\ln\frac{3-2x}{3+2x}$에 대하여 $f'(0)$의 값은? [3점]

① $-\frac{4}{3}$　② $-\frac{2}{3}$　③ $\frac{1}{3}$　④ $\frac{2}{3}$　⑤ $\frac{4}{3}$

06

함수 $f(x)=x\sqrt{x}+\frac{1}{\sqrt{x}}$에 대하여 $f'(x)=0$을 만족시키는 x의 값은? [3점]

① $\frac{\sqrt{3}}{2}$　② $\frac{\sqrt{3}}{3}$　③ $\frac{\sqrt{3}}{4}$　④ $\frac{\sqrt{3}}{5}$　⑤ $\frac{\sqrt{3}}{6}$

07

매개변수 t로 나타낸 곡선 $x=t^2+1$, $y=-t^2+4t+3$ 위의 점 $(2, -2)$에서의 접선의 기울기는? [3점]

① -3　② -2　③ -1　④ 1　⑤ 2

08

곡선 $xy+x\sin y=\sin y$ 위의 점 $(0, \pi)$에서의 접선의 기울기는? [3점]

① $-\frac{\pi}{2}$　② $-\frac{2}{3}\pi$　③ $-\frac{5}{6}\pi$　④ $-\pi$　⑤ $-\frac{7}{6}\pi$

09

양의 실수 전체의 집합에서 정의된 함수 $f(x)=x-1+\ln x$의 역함수 $g(x)$에 대하여 곡선 $y=g(x)$ 위의 점 $(a, 1)$에서의 접선의 기울기가 m일 때, $100m$의 값을 구하시오. [4점]

10

함수 $f(x)=(ax+b)e^x$에 대하여 $f'(0)=5$, $f''(0)=7$일 때, ab의 값은? (단, a, b는 상수) [3점]

① 3　② 4　③ 5　④ 6　⑤ 7

1등급 level up

11

모든 실수 x에서 $f(x)>0$이고 미분가능한 함수 $f(x)$가 $\lim_{x\to 1}\frac{\ln f(x)}{x-1}=2$를 만족시킬 때, 함수 $g(x)=x^2e^{f(x)}$에 대하여 $g'(1)$의 값은? (단, e는 자연로그의 밑이다.) [4점]

① $\frac{1}{4e}$　② $\frac{1}{2e}$　③ e　④ $2e$　⑤ $4e$

12

열린구간 $(-\infty, \infty)$에서 증가하고 미분가능한 함수 $f(x)$에 대하여 $f(4)=1$, $f'(4)=\frac{3}{2}$이다. 함수 $f(3x)$의 역함수를 $g(x)$라 할 때, $g(1)+g'(1)$의 값은 $\frac{q}{p}$이다. $p+q$의 값을 구하시오. (단, p, q는 서로소인 자연수이다.) [4점]

06 도함수의 활용 (1)

참 중요한 학습 point

 기출 best

best 1 접점의 좌표가 주어진 접선

best 2 곡선 밖의 한 점이 주어진 접선의 방정식

best 3 함수의 극대, 극소

기출 분석

접점의 좌표 또는 곡선 밖의 한 점이 주어진 접선의 방정식, 음함수로 나타낸 곡선의 접선의 방정식, 함수의 극댓값과 극솟값에 대한 문제가 출제된다. 특히 함수의 극댓값과 극솟값 문제는 매년 빠지지 않고 출제되므로 이에 대한 철저한 대비가 필요하다.

 level up

- 매개변수로 나타낸 곡선의 접선
- 함수의 극대, 극소

중요개념

1. 접선의 방정식

(1) 접점의 좌표 $(a, f(a))$가 주어진 경우

① 접선의 기울기 $f'(a)$를 구한다.

② 접선의 방정식은 ⇨ $y-f(a)=f'(a)(x-a)$

(2) 기울기 m이 주어진 경우

① 접점의 좌표를 $(a, f(a))$로 놓는다.

② $f'(a)=m$에서 접점의 좌표 $(a, f(a))$를 구한다.

③ 접선의 방정식은 ⇨ $y-f(a)=m(x-a)$

(3) 곡선 밖의 한 점의 좌표 (x_1, y_1)이 주어진 경우

① 접점의 좌표를 $(a, f(a))$로 놓는다.

② $y-f(a)=f'(a)(x-a)$에 점 (x_1, y_1)의 좌표를 대입하여 a의 값을 구한다.

③ 접선의 방정식은
⇨ a의 값을 $y-f(a)=f'(a)(x-a)$에 대입한다.

2. 매개변수로 나타낸 곡선의 접선의 방정식

매개변수로 나타낸 곡선 $x=f(t)$, $y=g(t)$에 대하여 $t=a$에 대응하는 점에서의 접선의 방정식은

① $\dfrac{g'(t)}{f'(t)}$를 구한다.

② $f(a)$, $g(a)$, $\dfrac{g'(a)}{f'(a)}$의 값을 구한다.

③ ②에서 구한 값을 $y-g(a)=\dfrac{g'(a)}{f'(a)}\{x-f(a)\}$에 대입하여 접선의 방정식을 구한다.

3. 음함수로 나타낸 곡선의 접선의 방정식

곡선 $f(x, y)=0$ 위의 점 (x_1, y_1)에서의 접선의 방정식은

① 음함수의 미분법을 이용하여 $\dfrac{dy}{dx}$를 구한다.

② ①에서 구한 $\dfrac{dy}{dx}$에 $x=x_1$, $y=y_1$을 대입하여 접선의 기울기 m을 구한다.

③ ②에서 구한 m의 값을 $y-y_1=m(x-x_1)$에 대입하여 접선의 방정식을 구한다.

4. 함수의 증가, 감소

함수 $f(x)$가 어떤 구간에서 미분가능하고 이 구간의 모든 x에 대하여

① $f'(x)>0$이면 $f(x)$는 이 구간에서 증가한다.

② $f'(x)<0$이면 $f(x)$는 이 구간에서 감소한다.

5. 함수의 극대, 극소의 판정

(1) 도함수를 이용한 함수의 극대, 극소의 판정

함수 $f(x)$가 미분가능하고 $f'(a)=0$일 때, $x=a$의 좌우에서

- $f'(x)$의 부호가 양(+)에서 음(−)으로 바뀌면 $f(x)$는 $x=a$에서 극대이다.
- $f'(x)$의 부호가 음(−)에서 양(+)으로 바뀌면 $f(x)$는 $x=a$에서 극소이다.

(2) 이계도함수를 이용한 함수의 극대, 극소의 판정

함수 $f(x)$의 이계도함수 $f''(x)$가 존재하고 $f'(a)=0$일 때

- $f''(a)<0$이면 $f(x)$는 $x=a$에서 극대이고, 극댓값은 $f(a)$
- $f''(a)>0$이면 $f(x)$는 $x=a$에서 극소이고 극솟값은 $f(a)$

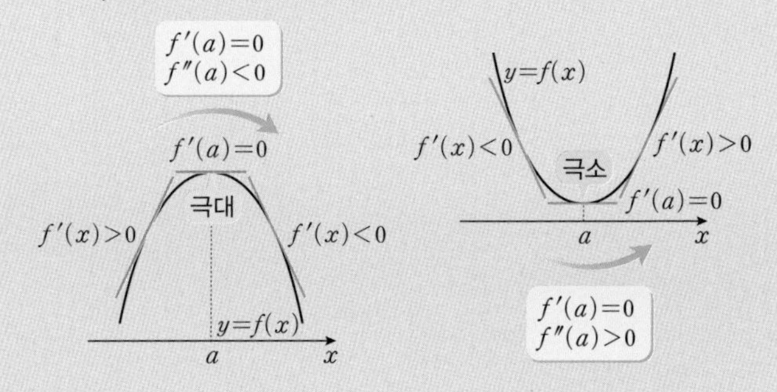

중요개념문제

01
[2017학년도 수능 모의평가]

곡선 $y=\ln(x-3)+1$ 위의 점 $(4,\ 1)$에서의 접선의 방정식이 $y=ax+b$일 때, 두 상수 a, b의 합 $a+b$의 값은? [3점]

① -2 ② -1 ③ 0
④ 1 ⑤ 2

02
[2016학년도 교육청]

곡선 $y=\ln(x-7)$에 접하고 기울기가 1인 직선이 x축, y축과 만나는 점을 각각 A, B라 할 때, 삼각형 AOB의 넓이를 구하시오. (단, O는 원점이다.) [3점]

03
[2016학년도 수능]

곡선 $y=3e^{x-1}$ 위의 점 A에서의 접선이 원점 O를 지날 때, 선분 OA의 길이는? [3점]

① $\sqrt{6}$ ② $\sqrt{7}$ ③ $2\sqrt{2}$
④ 3 ⑤ $\sqrt{10}$

04

매개변수로 나타낸 곡선 $x=t+1$, $y=2t^2-5$에 대하여 $t=1$에 대응하는 점에서의 접선의 방정식이 $y=ax+b$일 때, 두 상수 a, b의 차 $a-b$의 값은? [3점]

① 11 ② 12 ③ 13
④ 14 ⑤ 15

05
[2019학년도 수능 모의평가]

곡선 $e^y\ln x=2y+1$ 위의 점 $(e,\ 0)$에서의 접선의 방정식을 $y=ax+b$라 할 때, ab의 값은? (단, a, b는 상수이다.) [3점]

① $-2e$ ② $-e$ ③ -1
④ $-\frac{2}{e}$ ⑤ $-\frac{1}{e}$

06
[2017학년도 수능 모의평가]

함수 $f(x)=(x^2-8)e^{-x+1}$은 극솟값 a와 극댓값 b를 갖는다. 두 수 a, b의 곱 ab의 값은? [3점]

① -34 ② -32 ③ -30
④ -28 ⑤ -26

기출유형 01 접점의 좌표가 주어진 접선의 방정식

곡선 $y=xe^x$ 위의 점 $(1, e)$에서의 접선의 방정식이 $y=ax+b$일 때, 두 상수 a, b의 곱 ab의 값은? [3점]

① $-e$ ② $-2e$ ③ $-2e^2$ ④ $2e$ ⑤ $2e^2$

Act ①
$y=f(x)$ 위의 점 (a, b)에서의 접선의 방정식은 $y-f(a)=f'(a)(x-a)$임을 이용한다.

해결의 실마리

곡선 $y=f(x)$ 위의 점 (a, b)에서의 접선의 방정식
① 접선의 기울기 $f'(a)$를 구한다.
② 접선의 방정식은 ⇨ $y-f(a)=f'(a)(x-a)$

01

곡선 $y=x\ln x$ 위의 점 $(1, 0)$에서의 접선의 y절편은? [3점]

① $-\frac{5}{2}$ ② -2 ③ $-\frac{3}{2}$
④ -1 ⑤ $-\frac{1}{2}$

02

[2015학년도 수능 모의평가]

양의 실수 전체의 집합에서 미분가능한 함수 $f(x)$에 대하여 함수 $g(x)$를 $g(x)=f(x)\ln x^4$이라 하자. 곡선 $y=f(x)$ 위의 점 $(e, -e)$에서의 접선과 곡선 $y=g(x)$ 위의 점 $(e, -4e)$에서의 접선이 서로 수직일 때, $100f'(e)$의 값을 구하시오. [4점]

03

[2019학년도 수능 모의평가]

미분가능한 함수 $f(x)$와 함수 $g(x)=\sin x$에 대하여 합성함수 $y=(g\circ f)(x)$의 그래프 위의 점 $(1, (g\circ f)(1))$에서의 접선이 원점을 지난다. $\lim_{x\to 1}\frac{f(x)-\frac{\pi}{6}}{x-1}=k$일 때, 상수 k에 대하여 $30k^2$의 값을 구하시오. [4점]

기출유형 02 기울기가 주어진 접선의 방정식

곡선 $y=\ln x$에 접하고 기울기가 1인 접선의 y절편은? [3점]

① -2　② -1　③ 0　④ 1　⑤ 2

Act ①
접점의 좌표를 $(a, \ln a)$로 놓고 접선의 방정식을 구한다.

해결의 실마리

곡선 $y=f(x)$에 접하고 기울기가 m인 직선의 방정식

① 접점의 좌표를 $(a, f(a))$로 놓는다.

② $f'(a)=m$에서 접점의 좌표 $(a, f(a))$를 구한다.

③ 접선의 방정식은 ⇨ $y-f(a)=m(x-a)$

04

곡선 $y=e^x$에 접하고 기울기가 1인 접선이 점 $(k, 3)$을 지날 때, k의 값은? [3점]

① 1　② 2　③ 3
④ 4　⑤ 5

05

직선 $y=2x+a$가 곡선 $y=x(2-\ln x)$에 접할 때, 상수 a의 값은? [3점]

① $2e^{-2}$　② e^{-1}　③ 1
④ e　⑤ $2e^2$

06

직선 $y=x+a$가 곡선 $y=x+\sin x$에 접할 때, 상수 a의 값을 구하시오. (단, $0\le x\le\pi$) [3점]

07

$x+4y-1=0$에 수직인 직선 $y=ax+b$가 곡선 $y=e^{x+1}$에 접할 때, $4\ln a+b$의 값을 구하시오. (단, a, b는 상수이다.) [3점]

기출유형 03 곡선 밖의 한 점이 주어진 접선의 방정식

원점에서 곡선 $y=e^{\sqrt{x-1}}$ $(x>0)$에 그은 접선이 점 $(2,\ k)$를 지날 때, k의 값은? (단, e는 자연로그의 밑이다.) [3점]

① e　② $\frac{e}{2}$　③ $\frac{e}{3}$　④ $\frac{e}{4}$　⑤ $\frac{e}{5}$

Act ①
접점의 좌표를 $(t,\ e^{\sqrt{t-1}})$으로 놓고 접선의 방정식을 구한다.

해결의 실마리

곡선 $y=f(x)$ 밖의 한 점 $(x_1,\ y_1)$에서 곡선에 그은 접선의 방정식

① 접점의 좌표를 $(a,\ f(a))$로 놓는다.

② $y-f(a)=f'(a)(x-a)$에 점 $(x_1,\ y_1)$의 좌표를 대입하여 a의 값을 구한다.

③ 접선의 방정식은 ⇨ a의 값을 $y-f(a)=f'(a)(x-a)$에 대입한다.

08

점 $(1,\ 0)$에서 곡선 $y=\frac{1}{x-4}$에 그은 접선이 점 $\left(\frac{5}{2},\ k\right)$를 지날 때, k의 값은? [3점]

① $-\frac{5}{6}$　② $-\frac{4}{5}$　③ $-\frac{3}{4}$

④ $-\frac{2}{3}$　⑤ $-\frac{1}{2}$

09

[2018학년도 교육청]

원 $x^2+y^2=1$ 위의 임의의 점 P와 곡선 $y=\sqrt{x}-3$ 위의 임의의 점 Q에 대하여 $\overline{\mathrm{PQ}}$의 최솟값은 $\sqrt{a}-b$이다. 자연수 a, b에 대하여 a^2+b^2의 값을 구하시오. [4점]

10

[2020학년도 수능 모의평가]

함수 $f(x)=\frac{\ln x}{x}$와 양의 실수 t에 대하여 기울기가 t인 직선이 곡선 $y=f(x)$에 접할 때 접점의 x좌표를 $g(t)$라 하자. 원점에서 곡선 $y=f(x)$에 그은 접선의 기울기가 a일 때, 미분가능한 함수 $g(t)$에 대하여 $a\times g'(a)$의 값은? [4점]

① $-\frac{\sqrt{e}}{3}$　② $-\frac{\sqrt{e}}{4}$　③ $-\frac{\sqrt{e}}{5}$

④ $-\frac{\sqrt{e}}{6}$　⑤ $-\frac{\sqrt{e}}{7}$

기출유형 04 매개변수로 나타낸 곡선의 접선의 방정식

매개변수 t로 나타낸 곡선 $x=t+\sin t$, $y=-1+\cos t$에 대하여 $t=\frac{\pi}{2}$에 대응하는 점에서의 접선이 점 $(2\pi, k)$를 지날 때, k의 값은? [3점]

① $-\frac{5}{2}\pi$ ② -2π ③ $-\frac{3}{2}\pi$ ④ $-\pi$ ⑤ $-\frac{1}{2}\pi$

Act①

$t=\frac{\pi}{2}$에 대응하는 접선의 기울기와 접점의 좌표를 구한다.

해결의 실마리

매개변수로 나타낸 곡선 $x=f(t)$, $y=g(t)$에 대하여 $t=a$에 대응하는 점에서의 접선의 방정식

① $\frac{g'(t)}{f'(t)}$를 구한다. ② $f(a)$, $g(a)$, $\frac{g'(a)}{f'(a)}$의 값을 구한다.

③ ②에서 구한 값을 $y-g(a)=\frac{g'(a)}{f'(a)}\{x-f(a)\}$에 대입하여 접선의 방정식을 구한다.

11

매개변수 t로 나타낸 곡선 $x=t^2$, $y=\frac{t}{2}+\frac{2}{t}$에 대하여 $t=1$에 대응하는 점에서의 접선이 점 $(3, a)$를 지날 때, a의 값을 구하시오. [3점]

12

매개변수 t로 나타낸 곡선 $x=a\cos t$, $y=b\sin t$에 대하여 $t=\frac{\pi}{4}$에 대응하는 점에서의 접선의 방정식이 $y=x+\sqrt{2}$일 때, 두 상수 a, b의 합 $a+b$의 값은? [3점]

① -2 ② -1 ③ 0
④ 1 ⑤ 2

13

매개변수 t로 나타낸 곡선 $x=e^t-2e^{-t}$, $y=e^{2t}+e^t$ 위의 점 $(1, a)$에서의 접선의 y절편을 b라 할 때, 두 상수 a, b의 곱 ab의 값은? [3점]

① 1 ② 2 ③ 4
④ 8 ⑤ 16

14

매개변수 θ로 나타낸 곡선 $x=2\cos 2\theta$, $y=2\sin\theta$ 위의 점 $(1, 1)$을 지나고 이 점에서의 접선에 수직인 직선이 점 $(a, 0)$을 지날 때, a의 값은? $\left(단, 0<\theta<\frac{\pi}{2}\right)$ [3점]

① $\frac{1}{4}$ ② $\frac{1}{2}$ ③ $\frac{3}{4}$
④ 1 ⑤ $\frac{5}{4}$

기출유형 05 음함수로 나타낸 곡선의 접선의 방정식

곡선 $x^2+xy-y^3=a$ 위의 점 (1, 1)에서의 접선이 점 (3, b)를 지날 때, $a+b$의 값은? (단, a, b는 상수이다.) [3점]

① 1 ② 2 ③ 3 ④ 4 ⑤ 5

Act ①
음함수의 미분법을 이용하여 $\frac{dy}{dx}$를 구하고 $x=1$, $y=1$을 대입하여 접선의 기울기를 구한다.

해결의 실마리

곡선 $f(x, y)=0$ 위의 점 (a, b)에서의 접선의 방정식

① 음함수의 미분법을 이용하여 $\frac{dy}{dx}$를 구한다.

② ①에서 구한 $\frac{dy}{dx}$에 $x=a$, $y=b$를 대입하여 접선의 기울기 m을 구한다.

③ ②에서 구한 m의 값을 $y-b=m(x-a)$에 대입하여 접선의 방정식을 구한다.

15

곡선 $x^2+4\sqrt{y}=9$ 위의 점 (1, 4)에서의 접선의 y절편을 구하시오. [3점]

16

곡선 $3x^2+2xy+y^2=6$ 위의 점 (1, 1)에서의 접선이 점 (2, k)를 지날 때, k의 값은? [3점]

① -2 ② -1 ③ 0
④ 1 ⑤ 2

17

곡선 $x^3-y^3-4xy-1=0$ 위의 점 (1, 0)에서의 접선이 점 (5, k)를 지날 때, k의 값을 구하시오. [3점]

18

곡선 $x^3+xy+y^3+27=0$이 x축과 만나는 점에서의 접선이 $(-2, k)$를 지날 때, k의 값을 구하시오. [3점]

기출유형 06 함수의 극대, 극소

함수 $f(x)=\frac{x}{x^2+4}$는 $x=a$에서 극댓값 $\frac{1}{4}$을 갖고 $x=b$에서 극솟값 k를 갖는다. 이때 세 상수 a, b, k에 대하여 $a+b-12k$의 값은? [3점]

① 1 ② 2 ③ 3 ④ 4 ⑤ 5

Act ①
$f'(x)=0$이 되는 x의 값을 구하고 그 값의 좌우에서 $f'(x)$의 부호를 조사한다.

해결의 실마리

(1) 도함수를 이용한 함수의 극대, 극소 판정
$x=a$의 좌우에서 $f'(x)$의 부호가
① 양에서 음으로 바뀌면 ⇨ $f(x)$는 $x=a$에서 극대
② 음에서 양으로 바뀌면 ⇨ $f(x)$는 $x=a$에서 극소

(2) 이계도함수를 이용한 함수의 극대, 극소 판정
① $f'(a)=0$, $f''(a)<0$ ⇨ $f(x)$는 $x=a$에서 극대
② $f'(a)=0$, $f''(a)>0$ ⇨ $f(x)$는 $x=a$에서 극소

(3) 미분가능한 함수 $f(x)$가 $x=\alpha$에서 극값 β를 가지면 ⇨ $f'(\alpha)=0$, $f(\alpha)=\beta$

19

[2020학년도 수능 모의평가]

함수 $f(x)=(x^2-3)e^{-x}$의 극댓값과 극솟값을 각각 a, b라 할 때, $a\times b$의 값은? [3점]

① $-12e^2$ ② $-12e$ ③ $-\frac{12}{e}$ ④ $-\frac{12}{e^2}$ ⑤ $-\frac{12}{e^3}$

20

[2019학년도 교육청]

함수 $f(x)=\tan(\pi x^2+ax)$가 $x=\frac{1}{2}$에서 극솟값 k를 가질 때, k의 값은? (단, a는 상수이다.) [3점]

① $-\sqrt{3}$ ② -1 ③ $-\frac{\sqrt{3}}{3}$ ④ 0 ⑤ $\frac{\sqrt{3}}{3}$

21

[2013학년도 교육청]

열린구간 $(0,\ 2\pi)$에서 정의된 함수 $f(x)=\frac{\sin x}{e^{2x}}$가 $x=a$에서 극솟값을 가질 때, $\cos a$의 값은? [4점]

① $-\frac{2\sqrt{5}}{5}$ ② $-\frac{\sqrt{5}}{5}$ ③ 0 ④ $\frac{\sqrt{5}}{5}$ ⑤ $\frac{2\sqrt{5}}{5}$

Very Important Test

01

곡선 $y=2x\ln x$ 위의 점 $(1,\ 0)$을 지나고, 이 점에서의 접선과 수직인 직선을 l이라 할 때, 원점과 직선 l 사이의 거리는? [3점]

① $\frac{\sqrt{5}}{5}$　② $\frac{\sqrt{2}}{2}$　③ 1
④ $2\sqrt{5}$　⑤ $5\sqrt{2}$

02

곡선 $y=2x+e^x$에 접하고 직선 $y=3x-1$에 평행한 직선의 y절편은? [3점]

① 0　② $\frac{1}{2}$　③ 1
④ $\frac{3}{2}$　⑤ 2

03

직선 $y=x$를 y축의 방향으로 k만큼 평행이동시켰더니 곡선 $y=e^x$에 접하였다. 상수 k의 값은? [3점]

① -2　② -1　③ 0
④ 1　⑤ 2

04

직선 $y=4x+k$가 곡선 $y=2x\ln x+x$에 접할 때, 상수 k의 값은? [3점]

① $-5\sqrt{e}$　② $-2\sqrt{e}$　③ $\sqrt{e}$
④ $4\sqrt{e}$　⑤ $7\sqrt{e}$

05

점 $(0,\ -1)$에서 곡선 $y=2x+\ln x$에 그은 접선이 점 $(2,\ a)$를 지날 때, a의 값은? [3점]

① 1　② 2　③ 3
④ 4　⑤ 5

06

곡선 $y=e^x$ 위의 점 $(1,\ e)$에서의 접선이 곡선 $y=\sqrt{x+a}$에 접할 때, 상수 a의 값은? [4점]

① $-\frac{1}{7e^2}$　② $-\frac{1}{6e^2}$　③ $-\frac{1}{5e^2}$
④ $-\frac{1}{4e^2}$　⑤ $-\frac{1}{3e^2}$

07

곡선 $y=\cos 3x$ 위의 점 $\mathrm{P}(t,\ \cos 3t)$를 지나고 점 P에서의 접선과 수직인 직선의 y절편을 $f(t)$라 할 때, $\lim_{t\to 0}f(t)$의 값은 $\frac{q}{p}$이다. $p+q$의 값을 구하시오. (단, p, q는 서로소인 자연수이다.) [4점]

08

매개변수 t로 나타낸 곡선

$x=\ln(t+1)+2,\ y=\frac{1}{3}t^3-\frac{1}{2}t^2+t+1$ 위의 점 $(2,\ 1)$에서의 접선이 x축, y축과 만나는 점을 각각 A, B라 하자. $\overline{\mathrm{OA}}+\overline{\mathrm{OB}}$의 값은? (단, O는 원점) [3점]

① $\frac{3}{2}$　② 2　③ $\frac{5}{2}$
④ 3　⑤ $\frac{7}{2}$

09

함수 $f(x)=xe^{ax+b}$이 $x=-1$에서 극솟값 $-\frac{1}{e}$을 가질 때, 상수 a, b에 대하여 $a+b$의 값은? [3점]

① -2　② -1　③ 0
④ 1　⑤ 2

10

함수 $f(x)=(x^2+3x+k)e^{-x}$이 극댓값과 극솟값을 모두 갖도록 하는 정수 k의 최댓값은? [3점]

① 2　② 3　③ 4
④ 5　⑤ 6

1등급 level up

11

점 $(a,\ 0)$에서 곡선 $y=xe^{-x}$에 서로 다른 두 개의 접선을 그을 수 있을 때, 자연수 a의 최솟값을 구하시오. (단, e는 자연로그의 밑이다.) [4점]

12

자연수 n에 대하여 매개변수 t $(t>0)$로 나타낸 곡선

$$x=t+t^2+t^3+\cdots+t^{n+1},$$
$$y=t+\frac{3}{2}t^2+\frac{5}{3}t^3+\cdots+\frac{2n+1}{n+1}t^{n+1}$$

에 대하여 $t=1$에 대응하는 점에서의 접선의 기울기를 $f(n)$이라 할 때, $\lim_{n\to\infty}f(n)$의 값을 구하시오. [4점]

07 도함수의 활용 (2)

참 중요한 학습 point

 기출 best

best 1 함수의 최대 · 최소
best 2 방정식의 실근의 개수
best 3 속도와 가속도

 기출 분석

함수의 최대 · 최소, 방정식의 실근의 개수, 속도와 가속도는 단골로 출제되는 내용이다. 함수의 최대 · 최소 활용 문제는 어려워 보이지만 도형의 넓이를 함수로 나타내기만 하면 쉽게 풀 수 있으므로 충분한 연습을 하면 고득점이 가능하다.

 level up

• 최대 · 최소의 활용
• 방정식의 실근의 개수

중요개념

1. 곡선의 오목, 볼록과 변곡점

(1) 어떤 구간에서 곡선 $y=f(x)$ 위의 임의의 두 점 P, Q에 대하여 두 점 P, Q를 잇는 곡선 부분이 항상 선분 PQ의 아래쪽에 있으면 곡선 $y=f(x)$는 이 구간에서 아래로 볼록(또는 위로 오목), 두 점 P, Q를 잇는 곡선 부분이 항상 선분 PQ의 위쪽에 있으면 곡선 $y=f(x)$는 이 구간에서 위로 볼록(또는 아래로 오목)하다고 한다.

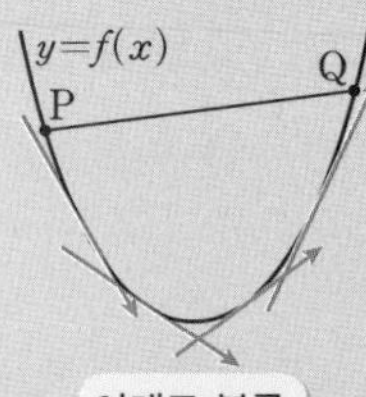

아래로 볼록

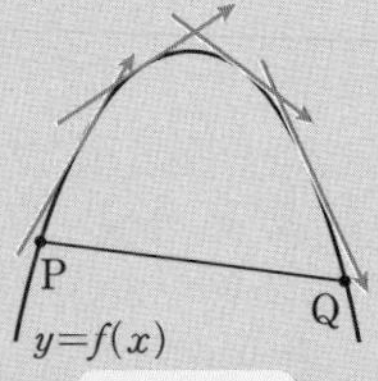

위로 볼록

(2) 이계도함수가 존재하는 함수 $f(x)$에 대하여 어떤 구간에서 $f''(x)>0$이면 $y=f(x)$는 이 구간에서 아래로 볼록(또는 위로 오목), $f''(x)<0$이면 $y=f(x)$는 이 구간에서 위로 볼록(또는 아래로 오목)하다.

(3) 곡선 $y=f(x)$ 위의 점 $\mathrm{P}(a,\ f(a))$에 대하여 $x=a$의 좌우에서 곡선의 모양이 아래로 볼록에서 위로 볼록으로 바뀌거나 위로 볼록에서 아래로 볼록으로 바뀔 때, 점 P를 곡선 $y=f(x)$의 변곡점이라 한다.

(4) 이계도함수가 존재하는 함수 $f(x)$에 대하여 $f''(a)=0$이고 $x=a$의 좌우에서 $f''(x)$의 부호가 바뀌면 점 $(a,\ f(a))$는 곡선 $y=f(x)$의 변곡점이다.

3. 함수의 최댓값, 최솟값

함수 $f(x)$가 닫힌구간 $[a,\ b]$에서 연속이면 그 구간에서의 극댓값, 극솟값, 구간의 양 끝점에서의 함숫값 $f(a)$, $f(b)$ 중에서 가장 큰 값이 최댓값이고, 가장 작은 값이 최솟값이다.

4. 방정식과 부등식에의 활용

(1) 방정식 $f(x)=0$의 실근의 개수
⇨ $y=f(x)$의 그래프와 x축의 교점의 개수

(2) 방정식 $f(x)=g(x)$의 실근의 개수
⇨ $y=f(x)$, $y=g(x)$의 그래프의 교점의 개수

(3) $x>a$에서 부등식 $f(x)>0$이 성립함을 보일 때
• 그 구간에서 최솟값이 존재하면
⇨ ($f(x)$의 최솟값)>0임을 보인다.
• 그 구간에서 최솟값이 존재하지 않으면
⇨ $x>a$에서 $f(x)$가 증가하고 $f(a)\geq 0$임을 보인다.

(4) 두 함수 $f(x)$, $g(x)$에 대하여 부등식 $f(x)\geq g(x)$가 성립함을 보일 때 ⇨ $h(x)=f(x)-g(x)$로 놓고
($h(x)$의 최솟값)≥ 0임을 보인다.

5. 속도와 가속도

(1) 수직선 위를 움직이는 점 P의 시각 t에서의 위치 x가 $x=f(t)$일 때, 점 P의 시각 t에서의 속도 v와 가속도 a는

① $v=\dfrac{dx}{dt}=f'(t)$ ② $a=\dfrac{dv}{dt}=f''(t)$

(2) 좌표평면 위를 움직이는 점 P의 시각 t에서의 위치가 $x=f(t)$, $y=g(t)$일 때, 점 P의 시각 t에서의 속도 v, 속력 $|v|$, 가속도 a, 가속도의 크기 $|a|$는

① $v=\left(\dfrac{dx}{dt},\ \dfrac{dy}{dt}\right)=(f'(t),\ g'(t))$

② $|v|=\sqrt{\left(\dfrac{dx}{dt}\right)^2+\left(\dfrac{dy}{dt}\right)^2}=\sqrt{\{f'(t)\}^2+\{g'(t)\}^2}$

③ $a=\left(\dfrac{d^2x}{dt^2},\ \dfrac{d^2y}{dt^2}\right)=(f''(t),\ g''(t))$

④ $|a|=\sqrt{\left(\dfrac{d^2x}{dt^2}\right)^2+\left(\dfrac{d^2y}{dt^2}\right)^2}=\sqrt{\{f''(t)\}^2+\{g''(t)\}^2}$

중요개념문제

01

[2017학년도 교육청]

곡선 $y=(\ln x)^2-x+1$의 변곡점에서의 접선의 기울기는? [3점]

① $\frac{1}{e}-1$ ② $\frac{2}{e}-1$ ③ $\frac{1}{e}$
④ $\frac{2}{e}+1$ ⑤ $\frac{5}{e}$

02

닫힌구간 $\left[\frac{1}{e},\ e\right]$에서 함수 $f(x)=x\ln x-x+3$의 최댓값을 M, 최솟값을 m이라 할 때, Mm의 값을 구하시오. [3점]

03

양수 a에 대하여 두 곡선 $y=e^{-2x}$, $y=e^{2x}$ 위의 두 점 $(a,\ e^{-2a})$, $(-a,\ e^{-2a})$를 잡아 그림과 같이 직사각형을 만들었을 때, 이 직사각형의 넓이의 최댓값은? [4점]

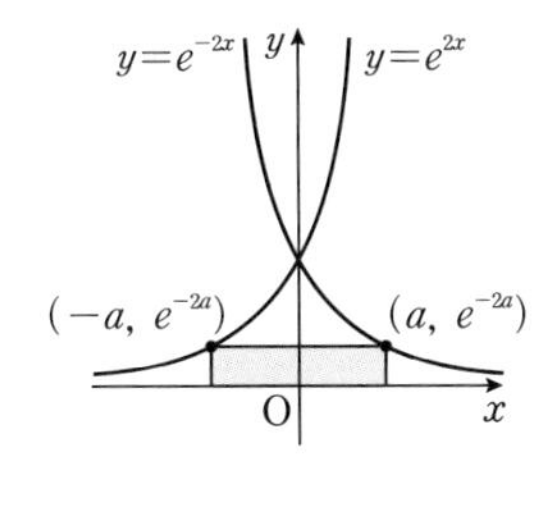

① $\frac{1}{2e}$ ② $\frac{1}{e}$ ③ 1
④ e ⑤ $2e$

04

방정식 $x-\ln x-k=0$이 서로 다른 두 실근을 갖도록 하는 상수 k의 값의 범위가 $k>\alpha$일 때, α의 값은? [3점]

① -2 ② -1 ③ 0
④ 1 ⑤ 2

05

$x>1$일 때, 부등식 $\frac{x^2}{\ln x}\geq k$가 성립하도록 하는 실수 k의 최댓값은? [3점]

① $\frac{1}{2e}$ ② $\frac{1}{e}$ ③ 1
④ e ⑤ $2e$

06

[2019학년도 수능 모의평가]

좌표평면 위를 움직이는 점 P의 시간 $t\ (t\geq0)$에서의 위치 $(x,\ y)$가 $x=3t-\sin t$, $y=4-\cos t$이다. 점 P의 속력의 최댓값을 M, 최솟값을 m이라 할 때, $M+m$의 값은? [3점]

① 3 ② 4 ③ 5
④ 6 ⑤ 7

기출유형 01 곡선의 오목, 볼록과 변곡점

[2020학년도 수능 모의평가]

함수 $f(x)=xe^x$에 대하여 곡선 $y=f(x)$의 변곡점의 좌표가 $(a,\ b)$일 때, 두 수 $a,\ b$의 곱 ab의 값은? [3점]

① $4e^2$　② e　③ $\frac{1}{e}$　④ $\frac{4}{e^2}$　⑤ $\frac{9}{e^3}$

Act ①
$f''(a)=0$이고 $x=a$의 좌우에서 $f''(x)$의 부호가 바뀌면 점 $(a,\ f(a))$는 곡선 $y=f(x)$의 변곡점이다.

해결의 실마리

(1) 함수 $f(x)$가 어떤 구간에서
　① $f''(x)>0$이면 ⇨ $y=f(x)$는 이 구간에서 아래로 볼록 ← $f'(x)$가 증가하므로 아래로 볼록
　② $f''(x)<0$이면 ⇨ $y=f(x)$는 이 구간에서 위로 볼록 ← $f'(x)$가 감소하므로 위로 볼록
(2) 함수 $f(x)$에 대하여 $f''(a)=0$이고 $x=a$의 좌우에서 $f''(x)$의 부호가 바뀌면
　⇨ 점 $(a,\ f(a))$는 곡선 $y=f(x)$의 변곡점 ← 점 $(\alpha,\ \beta)$가 $y=f(x)$의 변곡점이면 $f(\alpha)=\beta,\ f''(\alpha)=0$

01

[2019학년도 교육청]

곡선 $y=\frac{1}{3}x^3+2\ln x$의 변곡점에서의 접선의 기울기를 구하시오. [3점]

02

[2020학년도 수능]

곡선 $y=ax^2-2\sin 2x$가 변곡점을 갖도록 하는 정수 a의 개수는? [3점]

① 4　② 5　③ 6
④ 7　⑤ 8

03

[2015학년도 수능 모의평가]

3 이상의 자연수 n에 대하여 함수 $f(x)$가 $f(x)=x^ne^{-x}$일 때, [보기]에서 옳은 것만을 있는 대로 고른 것은? [4점]

보기

ㄱ. $f\left(\frac{n}{2}\right)=f'\left(\frac{n}{2}\right)$
ㄴ. 함수 $f(x)$는 $x=n$에서 극댓값을 갖는다.
ㄷ. 점 $(0,\ 0)$은 곡선 $y=f(x)$의 변곡점이다.

① ㄴ　② ㄷ　③ ㄱ, ㄴ
④ ㄱ, ㄷ　⑤ ㄱ, ㄴ, ㄷ

친절한 해설 39쪽

기출유형 02 함수의 최댓값, 최솟값

닫힌구간 $[-3, 1]$에서 함수 $f(x)=x^2e^x$의 최댓값을 M, 최솟값을 m이라 할 때, $M+m$의 값은? [3점]

① $\frac{9}{e^3}$ ② $\frac{4}{e^2}$ ③ e ④ e^2 ⑤ e^3

Act ①
주어진 구간에서 함수의 극값을 구한 후 구간의 양 끝에서의 함숫값과 비교하여 최댓값, 최솟값을 구한다.

해결의 실마리
함수 $f(x)$가 닫힌구간 $[a, b]$에서 연속일 때, 최댓값과 최솟값은
⇨ 닫힌구간 $[a, b]$에서 $f(x)$의 극값, $f(a)$, $f(b)$를 구하여 비교한다.

04

닫힌구간 $[0, 9]$에서 함수 $f(x)=x-2\sqrt{x}$의 최댓값을 M, 최솟값을 m이라 할 때, $M+m$의 값을 구하시오. [3점]

05

닫힌구간 $[1, 3]$에서 함수 $f(x)=\frac{\ln x}{x}$의 최댓값을 M, 최솟값을 m이라 할 때, $M+m$의 값은? [3점]

① $\frac{\ln 3}{3}$ ② $\frac{1}{e}$ ③ 1
④ $\ln 3$ ⑤ e

06

[2016학년도 교육청]

다음은 모든 실수 x에 대하여 $2x-1\geq ke^{x^2}$을 성립시키는 실수 k의 최댓값을 구하는 과정이다.

> $f(x)=(2x-1)e^{-x^2}$이라 하자.
> $f'(x)=($ (가) $)\times e^{-x^2}$
> $f'(x)=0$에서 $x=-\frac{1}{2}$ 또는 $x=1$
> 함수 $f(x)$의 증가와 감소를 조사하면 함수 $f(x)$의 극솟값은 (나) 이다.
> 또한 $\lim_{x\to\infty}f(x)=0$, $\lim_{n\to-\infty}f(x)=0$이므로
> 함수 $y=f(x)$의 그래프의 개형을 그리면 함수 $f(x)$의 최솟값은 (나) 이다.
> 따라서 $2x-1\geq ke^{x^2}$을 성립시키는 실수 k의 최댓값은 (나) 이다.

위의 (가)에 알맞은 식을 $g(x)$, (나)에 알맞은 수를 p라 할 때, $g(2)\times p$의 값은? [4점]

① $\frac{10}{e}$ ② $\frac{15}{e}$ ③ $\frac{20}{\sqrt[4]{e}}$
④ $\frac{25}{\sqrt[4]{e}}$ ⑤ $\frac{30}{\sqrt[4]{e}}$

기출유형 03 최대 · 최소의 활용

[2015학년도 교육청]

그림과 같이 $\overline{OP}=1$인 제1사분면 위의 점 P를 중심으로 하고 원점을 지나는 원 C_1이 x축과 만나는 점 중 원점이 아닌 점을 Q라 하자. $\overline{OR}=2$이고 $\angle ROQ=\frac{1}{2}\angle POQ$인 제4사분면 위의 점 R를 중심으로 하고 원점을 지나는 원 C_2가 x축과 만나는 점 중 원점이 아닌 점을 S라 하자.
$\angle POQ=\theta$라 할 때, 삼각형 OQP와 삼각형 ORS의 넓이의 합이 최대가 되도록 하는 θ에 대하여 $\cos\theta$의 값은? $\left(\text{단, O는 원점이고, } 0<\theta<\frac{\pi}{2}\text{이다.}\right)$ [4점]

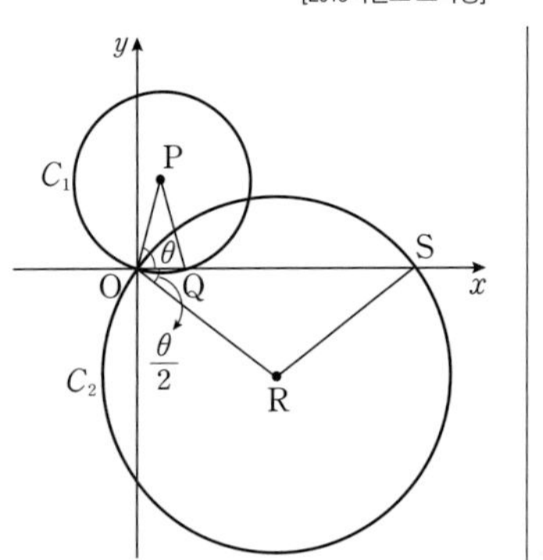

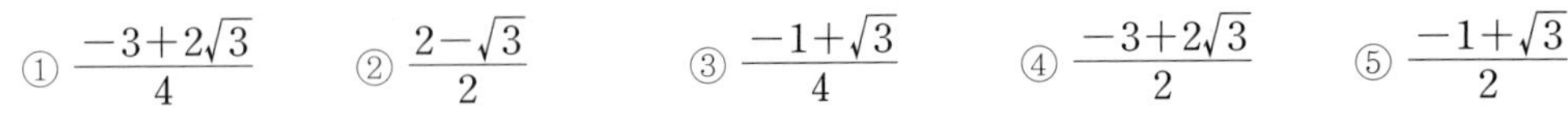

① $\frac{-3+2\sqrt{3}}{4}$　② $\frac{2-\sqrt{3}}{2}$　③ $\frac{-1+\sqrt{3}}{4}$　④ $\frac{-3+2\sqrt{3}}{2}$　⑤ $\frac{-1+\sqrt{3}}{2}$

Act ①
두 삼각형의 넓이의 합을 θ의 함수로 나타낸 다음 함수의 최대, 최소를 이용한다.

해결의 실마리

도형의 길이, 넓이, 부피 등의 최댓값 또는 최솟값을 구할 때는
① 미지수와 그 범위를 정한다. ② 도형의 길이, 넓이, 부피를 함수로 나타낸다. ③ 함수의 최대, 최소를 이용하여 최댓값, 최솟값을 구한다.

참고 극값이 하나만 존재할 때
• 그것이 극댓값이면 극댓값이 최댓값이다.　• 그것이 극솟값이면 극솟값이 최솟값이다.

07

[2018학년도 수능 모의평가]

그림과 같이 좌표평면에 점 A(1, 0)을 중심으로 하고 반지름의 길이가 1인 원이 있다. 원 위의 점 Q에 대하여 $\angle AOQ=\theta$ $\left(0<\theta<\frac{\pi}{3}\right)$라 할 때, 선분 OQ 위에 $\overline{PQ}=1$인 점 P를 정한다. 점 P의 y좌표가 최대가 될 때 $\cos\theta=\frac{a+\sqrt{b}}{8}$이다. $a+b$의 값을 구하시오. (단, O는 원점이고, a와 b는 자연수이다.) [4점]

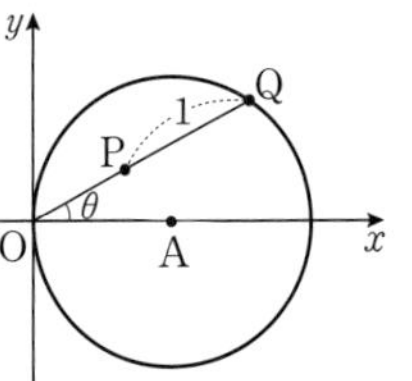

08

[2017학년도 교육청]

그림과 같이 길이가 2인 선분 AB를 지름으로 하는 반원 모양의 색종이가 있다. 호 AB 위의 점 P에 대하여 두 점 A, P를 연결하는 선을 접는 선으로 하여 색종이를 접는다. $\angle PAB=\theta$일 때, 포개어지는 부분의 넓이를 $S(\theta)$라 하자. $\theta=\alpha$에서 $S(\theta)$가 최댓값을 갖는다고 할 때, $\cos 2\alpha$의 값은? $\left(\text{단, } 0<\theta<\frac{\pi}{4}\right)$ [4점]

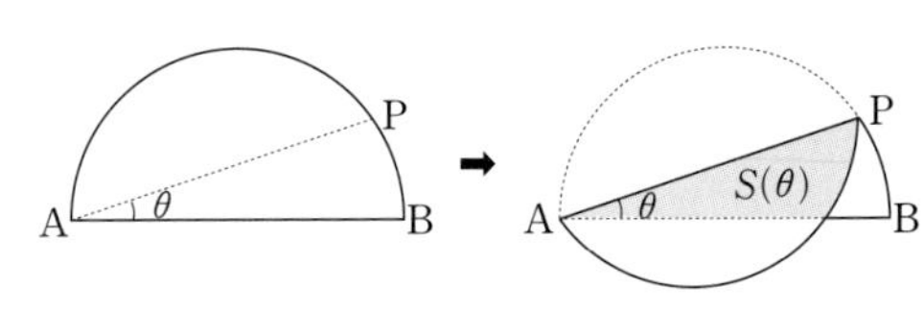

① $\frac{-2+\sqrt{17}}{8}$　② $\frac{-1+\sqrt{17}}{8}$　③ $\frac{\sqrt{17}}{8}$
④ $\frac{1+\sqrt{17}}{8}$　⑤ $\frac{2+\sqrt{17}}{8}$

기출유형 04 방정식의 실근의 개수

방정식 $\frac{e^2}{2}x^2-\ln x=k$가 서로 다른 두 실근을 갖도록 하는 정수 k의 최솟값은? [3점]

① -2 ② -1 ③ 0 ④ 1 ⑤ 2

Act ①
$y=\frac{e^2}{2}x^2-\ln x$의 그래프와 직선 $y=k$의 교점의 개수가 2가 되도록 하는 k의 값의 범위를 구한다.

해결의 실마리

(1) 방정식 $f(x)=k$의 실근의 개수는 ⇨ $y=f(x)$의 그래프와 직선 $y=k$의 교점의 개수와 같다.

(2) 방정식 $f(x)=g(x)$의 실근의 개수는 ⇨ $y=f(x)$, $y=g(x)$의 그래프의 교점의 개수와 같다.

09

방정식 $e^x+e^{-x}-n=0$이 서로 다른 두 실근을 갖도록 하는 자연수 n의 최솟값은? [3점]

① 1 ② 2 ③ 3
④ 4 ⑤ 5

10

열린구간 $(1,\ e^2)$에서 방정식 $\ln x=\frac{1}{3}x$의 실근의 개수는? [3점]

① 0 ② 1 ③ 2
④ 3 ⑤ 4

11

[2018학년도 교육청]

자연수 n에 대하여 함수 $f(x)$와 $g(x)$는 $f(x)=x^n-1$, $g(x)=\log_3(x^4+2n)$이다. 함수 $h(x)$가 $h(x)=g(f(x))$일 때, [보기]에서 옳은 것만을 있는 대로 고른 것은? [4점]

보기

ㄱ. $h'(1)=0$

ㄴ. 열린구간 $(0,\ 1)$에서 함수 $h(x)$는 증가한다.

ㄷ. $x>0$일 때, 방정식 $h(x)=n$의 서로 다른 실근의 개수는 1이다.

① ㄱ ② ㄴ ③ ㄱ, ㄷ
④ ㄴ, ㄷ ⑤ ㄱ, ㄴ, ㄷ

기출유형 05 부등식에의 응용

$x>1$인 모든 실수 x에 대하여 부등식 $\sqrt{x}>a\ln x$가 항상 성립할 때, 실수 a의 값의 범위는? [3점]

① $a<\frac{e}{2}$ ② $a<e$ ③ $a<\frac{3}{2}e$ ④ $a<2e$ ⑤ $a<\frac{5}{2}e$

Act ①
어떤 구간에서 부등식 $f(x)>m$이 성립하려면 그 구간에서 ($f(x)$의 최솟값)$>m$이어야 함을 이용한다.

해결의 실마리

(1) $x>a$에서 부등식 $f(x)>0$이 성립함을 보일 때
① 그 구간에서 최솟값이 존재하면 ⇨ ($f(x)$의 최솟값)>0임을 보인다.
② 그 구간에서 최솟값이 존재하지 않으면 ⇨ $x>a$에서 $f(x)$가 증가하고 $f(a)\ge0$임을 보인다.
(2) 두 함수 $f(x)$, $g(x)$에 대하여 부등식 $f(x)\ge g(x)$가 성립함을 보일 때
⇨ $h(x)=f(x)-g(x)$로 놓고 ($h(x)$의 최솟값)≥0임을 보인다.

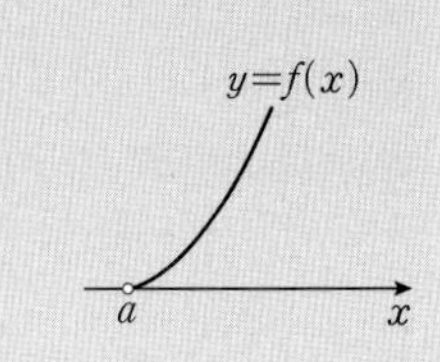

12

$x>1$에서 부등식 $x\ge\ln(x-1)+k$가 항상 성립할 때, 실수 k의 최댓값은? [3점]

① -2 ② -1 ③ 0
④ 1 ⑤ 2

13

$x\ge0$인 모든 실수 x에 대하여 부등식 $\cos 3x<3x+k$가 성립할 때, 정수 k의 최솟값을 구하시오. [3점]

14

[2016학년도 수능 모의평가]

닫힌구간 $[0, 4]$에서 정의된 함수 $f(x)=2\sqrt{2}\sin\frac{\pi}{4}x$의 그래프가 그림과 같고, 직선 $y=g(x)$가 $y=f(x)$의 그래프 위의 점 A$(1, 2)$를 지난다. 일차함수 $g(x)$가 닫힌구간 $[0, 4]$에서 $f(x)\le g(x)$를 만족시킬 때, $g(3)$의 값은? [4점]

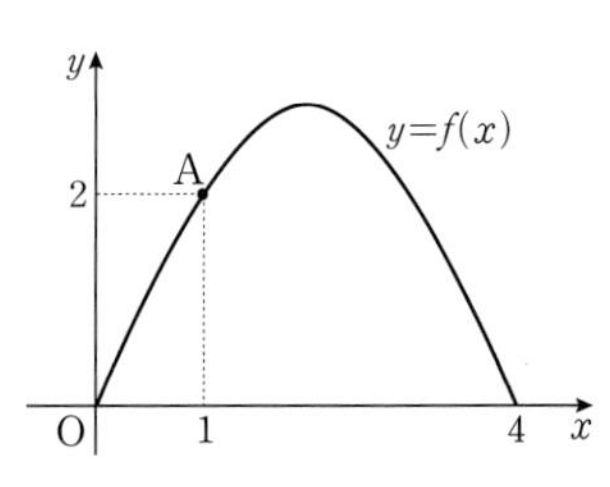

① π ② $\pi+1$ ③ $\pi+2$
④ $\pi+3$ ⑤ $\pi+4$

기출유형 06 속도와 가속도

좌표평면 위를 움직이는 점 P의 시각 t ($t>0$)에서의 좌표 $(x,\ y)$가 $x=2t^2-t$, $y=\sqrt{7}t+1$이다. 시각 $t=a$에서 점 P의 속도의 크기와 가속도의 크기가 서로 같을 때, a의 값은? [3점]

① $\frac{1}{2}$ ② 1 ③ $\frac{3}{2}$ ④ 2 ⑤ $\frac{5}{2}$

Act ①
시각 t에서의 위치가 $x=f(t)$, $y=g(t)$일 때, 속력은 $\sqrt{\{f'(t)\}^2+\{g'(t)\}^2}$, 가속도의 크기는 $\sqrt{\{f''(t)\}^2+\{g''(t)\}^2}$임을 이용한다.

해결의 실마리

좌표평면 위를 움직이는 점 P의 시각 t에서의 위치가 함수 $x=f(t)$, $y=g(t)$로 나타내어질 때, 시각 t에서의 점 P의 속도, 속력, 가속도, 가속도의 크기는

(1) 속도 $v=(f'(t),\ g'(t))$
(2) 속력 $|v|=\sqrt{\{f'(t)\}^2+\{g'(t)\}^2}$
(3) 가속도 $a=(f''(t),\ g''(t))$
(4) 가속도의 크기 $|a|=\sqrt{\{f''(t)\}^2+\{g''(t)\}^2}$

15

[2019학년도 교육청]

좌표평면 위를 움직이는 점 P의 시각 t에서의 위치 $(x,\ y)$가 $x=2t+\sin t$, $y=1-\cos t$이다. 시각 $t=\frac{\pi}{3}$에서 점 P의 속력은? [3점]

① $\sqrt{3}$ ② 2 ③ $\sqrt{5}$
④ $\sqrt{6}$ ⑤ $\sqrt{7}$

16

[2015학년도 교육청]

수직선 위를 움직이는 점 P의 시각 t에서의 위치 $x(t)$가 $x(t)=t+\frac{20}{\pi^2}\cos(2\pi t)$이다. 점 P의 시각 $t=\frac{1}{3}$에서의 가속도의 크기를 구하시오. [4점]

17

[2020학년도 수능 모의평가]

좌표평면 위를 움직이는 점 P의 시각 t ($t>0$)에서의 위치 $(x,\ y)$가 $x=2\sqrt{t+1}$, $y=t-\ln(t+1)$이다. 점 P의 속력의 최솟값은? [4점]

① $\frac{\sqrt{3}}{8}$ ② $\frac{\sqrt{6}}{8}$ ③ $\frac{\sqrt{3}}{4}$
④ $\frac{\sqrt{6}}{4}$ ⑤ $\frac{\sqrt{3}}{2}$

18

[2020학년도 수능]

좌표평면 위를 움직이는 점 P의 시각 t $\left(0<t<\frac{\pi}{2}\right)$에서의 위치 $(x,\ y)$가 $x=t+\sin t\cos t$, $y=\tan t$이다. $0<t<\frac{\pi}{2}$에서 점 P의 속력의 최솟값은? [3점]

① 1 ② $\sqrt{3}$ ③ 2
④ $2\sqrt{2}$ ⑤ $2\sqrt{3}$

Very Important Test

01

곡선 $y=e^{-x^2}$은 두 개의 변곡점을 가진다. 두 변곡점 중 x좌표가 양수인 점을 $(a,\ b)$라 할 때, a^2+b^2의 값은? [3점]

① $\frac{2e+3}{3e}$ ② $\frac{e+2}{2e}$ ③ $\frac{e+1}{2e}$
④ $\frac{e+2}{e}$ ⑤ $\frac{e-1}{e}$

02

닫힌구간 $[0,\ \ln 4]$에서 함수 $f(x)=e^{2x}-4e^x-6x$의 최댓값을 M, 최솟값을 m이라 할 때, $M-m$의 값은? [3점]

① $2\ln 3$ ② $3\ln 3$ ③ $4\ln 3$
④ $5\ln 3$ ⑤ $6\ln 3$

03

함수 $f(x)=e^x\sqrt{2-x^2}$의 최댓값을 M, 최솟값을 m이라 할 때, $M+m$의 값은? [3점]

① $\frac{e}{2}$ ② e ③ $\sqrt{2}e$
④ $2e$ ⑤ $2\sqrt{2}e$

04

곡선 $y=e^{-|x|}$ 위의 제1사분면에 있는 점을 A라 하고, 점 A를 y축에 대하여 대칭이동시킨 점을 B라고 하자. 두 점 A, B에서 x축에 내린 수선의 발을 각각 C, D라 할 때, 직사각형 ABDC의 넓이의 최댓값은? [3점]

① $\frac{1}{e}-1$ ② $\frac{2}{e}-2$ ③ $\frac{1}{e}$
④ $\frac{2}{e}$ ⑤ $\frac{2}{e}+1$

05

방정식 $\frac{3}{x^2-6x+12}=k$가 서로 다른 두 실근을 가질 때, 실수 k의 값의 범위는? [3점]

① $k>0$ ② $k<1$ ③ $0<k<1$
④ $\frac{1}{2}<k<2$ ⑤ $1<k<2$

06

닫힌구간 $[0,\ \pi]$에 속하는 모든 실수 x에 대하여 부등식 $\sin x(\cos x+1)\le a$를 만족시키는 실수 a의 최솟값은? [3점]

① $\frac{\sqrt{3}}{2}$ ② $\frac{2\sqrt{3}}{3}$ ③ $\frac{3\sqrt{3}}{4}$
④ $\frac{4\sqrt{3}}{5}$ ⑤ $\frac{5\sqrt{3}}{6}$

07

모든 실수 x에 대하여 부등식 $e^{3x}+3e^{-x}\ge k$가 성립할 때, 실수 k의 최댓값을 구하시오. [4점]

08

좌표평면 위를 움직이는 점 P의 시각 t에서의 위치 $(x,\ y)$가 $x=6t+2$, $y=-t^2+4t$이고, 점 P의 속력이 최소일 때 점 P의 위치는 $(a,\ b)$이다. $a+b$의 값을 구하시오. [4점]

09

좌표평면 위를 움직이는 점 P의 시각 t에서의 좌표 $(x,\ y)$가 $x=1-\cos 4t$, $y=\frac{1}{4}\sin 4t$이다. 점 P의 속력이 최대일 때, 점 P의 가속도의 크기를 구하시오. [4점]

1등급 level up

10

모든 양수 m에 대하여 방정식 $(x+2)e^{-x}-m(x-a)=0$이 항상 서로 다른 두 실근을 갖도록 하는 정수 a의 최솟값은? [4점]

① -1 ② -2 ③ -3
④ -4 ⑤ -5

11

좌표평면 위를 움직이는 점 P의 시각 t에서의 위치 $(x,\ y)$가 $x=t-3\cos t$, $y=4-2\sqrt{2}\sin t$이다. 점 P의 속력이 최대일 때, 점 P의 가속도의 크기는? [4점]

① 1 ② $\sqrt{3}$ ③ 2
④ $2\sqrt{2}$ ⑤ $2\sqrt{3}$

08 여러 가지 적분법

참 중요한 학습 point

기출 best

best 1 부정적분과 함숫값
best 2 치환적분법
best 3 부분적분법

기출 분석

$y=x^n$의 부정적분, 지수함수의 부정적분, 삼각함수의 부정적분, 그리고 치환적분법, 부분적분법에 대한 문제가 출제된다. 도함수를 적분하여 적분상수를 결정한 다음 함숫값을 구하는 형태로 출제 패턴이 정해져 있으므로, 적분 공식과 적분 방법을 확실하게 익혀 두어야 한다.

level up

- 치환적분법
- 부분적분법

중요개념

1. 함수 $y=x^n$(n은 실수)의 부정적분

(1) $n\neq-1$일 때, $\int x^n\,dx=\frac{1}{n+1}x^{n+1}+C$

(2) $n=-1$일 때, $\int x^{-1}\,dx=\int\frac{1}{x}\,dx=\ln|x|+C$

2. 지수함수의 부정적분

(1) $\int e^x\,dx=e^x+C$

(2) $\int a^x\,dx=\frac{a^x}{\ln a}+C$ (단, $a>0$, $a\neq1$)

3. 삼각함수의 부정적분

(1) $\int \sin x\,dx=-\cos x+C$

(2) $\int \cos x\,dx=\sin x+C$

(3) $\int \sec^2 x\,dx=\tan x+C$

(4) $\int \csc^2 x\,dx=-\cot x+C$

(5) $\int \sec x\tan x\,dx=\sec x+C$

(6) $\int \csc x\cot x\,dx=-\csc x+C$

참고 삼각함수를 적분할 때 $\sin^2 x+\cos^2 x=1$, $1+\tan^2 x=\sec^2 x$, $1+\cot^2 x=\csc^2 x$를 이용하여 적분하기 쉬운 꼴로 변형한다.

4. 치환적분법

미분가능한 함수 $g(x)$에 대하여 $g(x)=t$로 놓으면

$$\int f(g(x))g'(x)\,dx=\int f(t)\,dt$$

↳ $g(x)=t$로 놓으면 $g'(x)=\frac{dt}{dx}$이므로 $g'(x)\,dx=dt$

가 성립한다. 이와 같이 미분가능한 함수를 다른 변수로 치환하여 적분하는 방법을 치환적분법이라 한다.

5. 분수함수의 부정적분

(1) $\frac{f'(x)}{f(x)}$ 꼴의 부정적분

$$\int\frac{f'(x)}{f(x)}\,dx=\int\frac{1}{t}\,dt=\ln|t|+C=\ln|f(x)|+C$$

↳ $f(x)=t$로 놓으면 $f'(x)=\frac{dt}{dx}$이므로 $f'(x)\,dx=dt$

(2) $\frac{f'(x)}{f(x)}$ 꼴이 아닌 유리함수의 부정적분

주어진 유리함수를 간단한 유리함수의 합 또는 차로 나타내어 적분할 수 있다.

① (분자의 차수)≥(분모의 차수)인 경우 ⇨ 분자를 분모로 나누어 몫과 나머지의 꼴로 나타낸 후 부정적분을 구한다.

② (분자의 차수)<(분모의 차수)이고 분모가 인수분해되는 경우 ⇨ 부분분수로 변형한 후 부정적분을 구한다.

참고 $\frac{1}{(x+a)(x+b)}$ 꼴

⇨ $\frac{1}{(x+a)(x+b)}=\frac{1}{b-a}\left(\frac{1}{x+a}-\frac{1}{x+b}\right)$ (단, $a\neq b$)

$\frac{px+q}{(x+a)(x+b)}$ 꼴

⇨ $\frac{px+q}{(x+a)(x+b)}=\frac{A}{x+a}+\frac{B}{x+b}$로 놓고 x에 대한 항등식임을 이용하여 A, B의 값을 구한다.

6. 부분적분법

미분가능한 두 함수 $f(x)$, $g(x)$에 대하여

$$\int f(x)g'(x)\,dx=f(x)g(x)-\int f'(x)g(x)\,dx$$

가 성립한다. 이와 같이 적분하는 방법을 부분적분법이라 한다.

참고 1. 부분적분법을 이용할 때는 미분하면 그 결과가 간단해지는 함수를 $f(x)$, 적분하기 쉬운 함수를 $g'(x)$로 놓으면 계산이 편리하다.

로	로그함수 $\ln x$, $\log x$	미분하기 쉽다. ↕ 적분하기 쉽다.
다	다항함수 x, x^2, …	
삼	삼각함수 $\sin x$, $\cos x$	
지	지수함수 e^x, a^x	

2. 부분적분법을 한 번 적용하여 적분이 되지 않는 경우에는 부분적분법을 한 번 더 적용한다.

중요개념문제

01

[2016학년도 교육청]

연속함수 $f(x)$의 도함수 $f'(x)$가

$$f'(x)=\begin{cases} \dfrac{1}{x^2} & (x<-1) \\ 3x^2+1 & (x>-1) \end{cases}$$

이고 $f(-2)=\frac{1}{2}$일 때, $f(0)$의 값은? [3점]

① 1 ② 2 ③ 3 ④ 4 ⑤ 5

02

[2016학년도 교육청]

함수 $f(x)$가 모든 실수에서 연속일 때, 도함수 $f'(x)$가

$$f'(x)=\begin{cases} e^{x-1} & (x<1) \\ \dfrac{1}{x} & (x>1) \end{cases}$$

이다. $f(-1)=e+\frac{1}{e^2}$일 때, $f(e)$의 값은? [3점]

① $e-2$ ② $e-1$ ③ e ④ $e+1$ ⑤ $e+2$

03

함수 $f(x)=\int \frac{2x}{\sqrt{x^2+1}}\,dx$에 대하여 $f(0)=2$일 때, $f(1)$의 값은? [3점]

① $\sqrt{2}$ ② $\sqrt{3}$ ③ 2 ④ $2\sqrt{2}$ ⑤ $2\sqrt{3}$

04

함수 $f(x)=\int \frac{\cos x}{1+\sin x}\,dx$에 대하여 $f(0)=0$일 때, $f\left(\frac{\pi}{2}\right)$의 값은? [3점]

① 0 ② $\ln 2$ ③ $\ln 3$ ④ $2\ln 2$ ⑤ $\ln 5$

05

함수 $f(x)=\int \frac{2}{x(x+2)}\,dx$에 대하여 $f(1)=\ln 2$일 때, $f(-3)$의 값은? [3점]

① $\ln 2$ ② $\ln 3$ ③ $2\ln 2$ ④ $\ln 5$ ⑤ $\ln 6$

06

함수 $f(x)=\int (x+1)e^x\,dx$에 대하여 $f(0)=0$일 때, $f(-1)$의 값은? [3점]

① $-e^2$ ② $-e$ ③ -1 ④ $-\frac{1}{e}$ ⑤ $-\frac{1}{e^2}$

유형따라잡기

기출유형 01 함수 $y=x^n$ (n은 실수)의 부정적분

함수 $f(x)=\int \frac{x^4+1}{x^2}dx$에 대하여 $f(1)=-1$일 때, $f(3)$의 값은? [3점]

① $\frac{16}{3}$ ② $\frac{19}{3}$ ③ $\frac{22}{3}$ ④ $\frac{25}{3}$ ⑤ $\frac{28}{3}$

Act ①
$n\neq-1$일 때,
$\int x^n dx=\frac{1}{n+1}x^{n+1}+C$
임을 이용한다.

해결의 실마리

$\frac{1}{x^p}$ 또는 $\sqrt[q]{x}$의 부정적분은 ⇨ $\frac{1}{x^p}=x^{-p}$, $\sqrt[q]{x}=x^{\frac{1}{q}}$으로 변형한 후 다음을 이용한다.

(1) $n\neq-1$일 때, $\int x^n dx=\frac{1}{n+1}x^{n+1}+C$

(2) $n=-1$일 때, $\int x^{-1}dx=\int \frac{1}{x}dx=ln|x|+C$

01

함수 $f(x)=\int x^2\sqrt{x}\,dx$에 대하여 $f(0)=1$일 때, $7f(1)$의 값은? [3점]

① 5 ② 6 ③ 7
④ 8 ⑤ 9

02

[2019학년도 교육청]

함수 $f(x)$의 도함수가 $f'(x)=\frac{1}{x}$이고 $f(1)=10$일 때, $f(e^3)$의 값을 구하시오. [3점]

03

함수 $f(x)$에 대하여 $f'(x)=\frac{(2x-1)^2}{x^2}$일 때, $f(2)-f(-2)$의 값을 구하시오. [4점]

04

모든 실수 x에서 연속인 함수 $f(x)$에 대하여

$$f'(x)=\begin{cases} 3\sqrt{x} & (x>1) \\ 6x & (x<1) \end{cases}$$

이다. $f(4)=15$일 때, $f(-2)$의 값을 구하시오. [4점]

기출유형 02 지수함수의 부정적분

함수 $f(x)$가 $f'(x)=4^x-2^x$, $f(1)=0$을 만족시킬 때, $f(2)$의 값은? [3점]

① $\frac{1}{\ln 2}$ ② $\frac{2}{\ln 2}$ ③ $\frac{3}{\ln 2}$ ④ $\frac{4}{\ln 2}$ ⑤ $\frac{5}{\ln 2}$

Act ①
$\int a^x dx=\frac{a^x}{\ln a}+C$임을 이용한다.

해결의 실마리

지수함수의 부정적분은 ⇨ 지수법칙, 인수분해 공식, 곱셈 공식을 이용하여 피적분함수를 변형한다.

(1) $\int e^x dx=e^x+C$

(2) $\int a^x dx=\frac{a^x}{\ln a}+C$ (단, $a>0$, $a\neq1$)

05

함수 $y=f(x)$가 $f'(x)=2e^{2x}-3e^x$, $f(0)=0$을 만족시킬 때, 방정식 $f(x)=0$의 모든 해의 합은? [3점]

① $\ln 2$ ② $\ln 3$ ③ $2\ln 2$
④ $\ln 6$ ⑤ $2\ln 3$

06

곡선 $y=f(x)$ 위의 임의의 점 (x, y)에서의 접선의 기울기가 $3^x\ln 3-1$이다. 이 곡선이 점 $(0, 4)$를 지날 때, $f(1)$의 값은? [3점]

① 3 ② 4 ③ 5
④ 6 ⑤ 7

07

함수 $f(x)=x\ln x-x$에 대하여 $f'(x)$의 역함수를 $g(x)$라 한다. $g(x)$의 한 부정적분을 $G(x)$라 하고 $G(0)=2$일 때, $G(\ln 8)$의 값을 구하시오. [4점]

08

미분가능한 함수 $f(x)$에 대하여 $F'(x)=f(x)$인 함수 $F(x)$가 다음 조건을 만족시킬 때, $f(\ln 4)$의 값을 구하시오. [4점]

(가) $F(x)=xf(x)-xe^x+e^x$
(나) $F(1)=e$

기출유형 03 삼각함수의 부정적분

함수 $f(x)=\int \frac{\cos^2 x}{1-\sin x}dx$에 대하여 $f\left(\frac{\pi}{2}\right)=\frac{\pi}{2}$일 때, $f(\pi)$의 값은? [3점]

① π^2　② $\pi-1$　③ 0　④ $\pi+1$　⑤ π

Act ①
$\cos^2 x=1-\sin^2 x$임을 이용하여 주어진 식을 적분하기 쉬운 꼴로 변형한다.

해결의 실마리

삼각함수를 포함한 피적분함수가 간단히 적분되지 않는 경우에는 ⇨ 삼각함수 사이의 관계, 삼각함수의 덧셈정리 등을 이용하여 피적분함수를 적분하기 쉬운 꼴로 변형한 후 적분한다.

(1) 삼각함수 사이의 관계

- $\sin^2 x+\cos^2 x=1$
- $1+\tan^2 x=\sec^2 x$
- $1+\cot^2 x=\csc^2 x$

(2) 삼각함수의 덧셈정리로부터 얻어지는 결과

- $\sin^2 x=\frac{1-\cos 2x}{2}$
- $\cos^2 x=\frac{1+\cos 2x}{2}$

09

함수 $f(x)=\int \cos(\pi+x)dx$에 대하여 $f\left(\frac{\pi}{2}\right)=f'\left(\frac{\pi}{3}\right)$일 때, $f\left(\frac{\pi}{6}\right)$의 값은? [3점]

① $-\frac{3}{2}$　② $-\frac{1}{2}$　③ 0

④ $\frac{1}{2}$　⑤ $\frac{3}{2}$

10

실수 전체의 집합에서 미분가능한 함수 $f(x)$에 대하여

$$f'(x)=\begin{cases} \cos x & (x>0) \\ \sin x+a & (x<0) \end{cases}$$

이다. $f(\pi)=\pi$일 때, $f(-\pi)$의 값을 구하시오. (단, a는 상수이다.) [3점]

친절한 해설 47쪽

기출유형 04 치환적분법

함수 $f(x)=\int x\sqrt{x^2+1}\,dx$에 대하여 $f(0)=\frac{1}{3}$일 때, $f(2\sqrt{2})$의 값은? [3점]

① 6 ② 6 ③ 9 ④ 12 ⑤ 15

Act ①
$x^2+1=t$로 놓고 치환적분법을 이용한다.

해결의 실마리

$\int f(g(x))g'(x)dx=\int f(t)dt$ ⇨ $g(x)=t$로 치환한다.

11

함수 $f(x)$에 대하여 $f'(x)=2x\sqrt{x^2+1}$이고 $f(0)=-\frac{1}{3}$일 때, $f(2\sqrt{2})$의 값을 구하시오. [3점]

12

함수 $f(x)=\int (x+1)\sqrt{x+1}\,dx$에 대하여 $f(0)=\frac{3}{5}$일 때, $f(3)$의 값은? [3점]

① 11 ② 12 ③ 13
④ 14 ⑤ 15

13

함수 $f(x)=\int 2xe^{x^2-1}\,dx$에 대하여 $f(1)=1$일 때, $f(\sqrt{2})$의 값은? [3점]

① e^{-2} ② e^{-1} ③ 1
④ e ⑤ e^2

14

미분가능한 함수 $f(x)$가

$$\lim_{h\to 0}\frac{f(x+h))-f(x)}{h}=3\cos 3x$$

를 만족시키고 $f\left(\frac{\pi}{3}\right)=0$일 때, $f\left(\frac{\pi}{6}\right)$의 값을 구하시오. [3점]

기출유형 05 분수함수의 부정적분 – $\frac{f'(x)}{f(x)}$ 꼴인 경우

함수 $f(x)$가 모든 실수 x에 대하여 $f'(x)=\frac{2x}{x^2+1}$, $f(0)=1$일 때, $f(\sqrt{e^2-1})$의 값은? [3점]

① 2 ② e ③ 3 ④ e^2 ⑤ 4

Act ①
$\int \frac{f'(x)}{f(x)}dx=\ln|f(x)|+C$
임을 이용한다.

해결의 실마리

$\frac{f'(x)}{f(x)}$ 꼴의 부정적분 ⇨ $\int \frac{f'(x)}{f(x)}dx=ln|f(x)|+C$

15

함수 $f(x)=\int \frac{2x-4}{x^2-4x+5}dx$에 대하여 $y=f(x)$의 그래프가 점 $(2,\ 0)$을 지날 때, $f(4)$의 값은? [3점]

① $\ln 2$ ② $\ln 3$ ③ $2\ln 2$
④ $\ln 5$ ⑤ $\ln 6$

16

연속함수 $y=f(x)$가 모든 실수 x에 대하여 다음 조건을 만족시킬 때, $\lim_{x \to -\infty} f(x)$의 값을 구하시오. [4점]

(가) $\int \frac{f'(x)}{f(x)}dx=kx\ (k>0)$
(나) $f(x)>0$
(다) $f(0)=1$

17

[2017학년도 교육청]

연속함수 $f(x)$가 다음 조건을 만족시킨다.

(가) $x\neq 0$인 실수 x에 대하여
$\{f(x)\}^2 f'(x)=\frac{2x}{x^2+1}$
(나) $f(0)=0$

$\{f(1)\}^3$의 값은? [4점]

① $2\ln 2$ ② $3\ln 2$ ③ $1+2\ln 2$
④ $4\ln 2$ ⑤ $1+3\ln 2$

친절한 해설 48쪽

기출유형 06 분수함수의 부정적분 – $\frac{f'(x)}{f(x)}$ 꼴이 아닌 경우

함수 $f(x)=\int \frac{6}{x^2-9}\,dx$에 대하여 $f(0)=0$일 때, $f(1)$의 값은? [3점]

① $-\ln 6$ ② $-\ln 5$ ③ $-2\ln 2$ ④ $-\ln 3$ ⑤ $-\ln 2$

Act ①
$\frac{1}{(x+a)(x+b)}=\frac{1}{b-a}\left(\frac{1}{x+a}-\frac{1}{x+b}\right)$임을 이용하여 피적분함수를 유리함수의 차로 나타내어 적분한다.

해결의 실마리

$\frac{f'(x)}{f(x)}$ 꼴이 아닌 분수함수의 부정적분

① (분자의 차수)$\geq$(분모의 차수)인 경우 ⇨ 분자를 분모로 나누어 몫과 나머지의 꼴로 나타낸 후 부정적분을 구한다.

② (분자의 차수)$<$(분모의 차수)이고 분모가 인수분해되는 경우 ⇨ 부분분수로 변형한 후 부정적분을 구한다.

18

함수 $f(x)=\int \frac{(x+1)(x-3)}{x^2}\,dx$에 대하여 $f(1)=4$일 때, $f(3)$의 값은? [3점]

① $4+\ln 3$ ② $3+2\ln 3$ ③ $4-\ln 3$
④ $3+\ln 3$ ⑤ $4-2\ln 3$

19

함수 $f(x)=\int \frac{1}{x^2-x-2}\,dx$에 대하여 $f\left(\frac{1}{2}\right)=0$일 때, $f(0)$의 값은? [3점]

① $\frac{1}{5}\ln 3$ ② $\frac{1}{4}\ln 3$ ③ $\frac{1}{3}\ln 2$
④ $\frac{1}{2}\ln 2$ ⑤ $\ln 2$

20

함수 $f(x)$에 대하여 $f'(x)=\frac{2}{9x^2-1}$이고 $f(0)=0$일 때, $f(-1)$의 값은? [3점]

① $\ln 2$ ② $\ln 3$ ③ $2\ln 2$
④ $\ln 5$ ⑤ $\ln 6$

21

등식 $\int \frac{3x-4}{x^2-x-6}\,dx=\ln|x+a|+b\ln|x+2|+C$가 성립할 때, 두 상수 a, b에 대하여 $b-a$의 값을 구하시오. [4점]

기출유형 07 부분적분법

함수 $f(x)$에 대하여 $f'(x)=4x\ln x+2x$이고 $f(1)=0$일 때, $f(\sqrt{e})$의 값은? [3점]

① $\frac{1}{4}e$ ② $\frac{1}{2}e$ ③ $\frac{3}{4}e$ ④ e ⑤ $\frac{5}{4}e$

Act 1
$u(x)=\ln x$, $v'(x)=x$로 놓고 부분적분법을 이용한다.

해결의 실마리

곱해져 있는 두 함수 중에서 미분한 결과가 간단해지는 함수를 $f(x)$, 적분하기 쉬운 함수를 $g'(x)$로 놓고

⇨ $\int f(x)g'(x)\,dx=f(x)g(x)-\int f'(x)g(x)\,dx$임을 이용한다.

22

점 (0, 3)을 지나는 곡선 $y=f(x)$ 위의 임의의 점 $(x, f(x))$에서의 접선의 기울기가 $(x-1)e^x$이다. 이 곡선이 점 $(1, k)$를 지날 때, 상수 k의 값은? [3점]

① $-e+1$ ② $-e+2$ ③ $-e+3$
④ $-e+4$ ⑤ $-e+5$

23

미분가능한 함수 $f(x)$에 대하여 $f'(x)=(x-1)e^x$이고 $f(x)$의 극솟값이 0일 때, $f(2)$의 값은? [3점]

① $e-1$ ② e ③ $e+1$
④ $2e-1$ ⑤ $2e$

24

양의 실수 전체의 집합에서 미분가능한 함수 $f(x)$가

$$f(x)+xf'(x)=(3x+2)e^x,\ f(1)=2e$$

를 만족시킬 때, $f(2)$의 값은? [4점]

① $\frac{2}{5}e^2$ ② $\frac{2}{3}e^2$ ③ e^2
④ $\frac{3}{2}e^2$ ⑤ $\frac{5}{2}e^2$

25

[2015학년도 교육청]

구간 $(0, \infty)$에서 연속인 함수 $f(x)$의 한 부정적분을 $F(x)$라 할 때, 함수 $F(x)$가 다음 조건을 만족시킨다.

(가) 모든 양수 x에 대하여 $F(x)+xf(x)=(2x+2)e^x$
(나) $F(1)=2e$

$F(3)$의 값은? [4점]

① $\frac{1}{4}e^3$ ② $\frac{1}{2}e^3$ ③ e^3
④ $2e^3$ ⑤ $4e^3$

Very Important Test

친절한 해설 50쪽

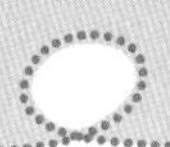

01

함수 $f(x)=\int x\sqrt{x}\,dx$에 대하여 $f(0)=2$일 때, $5f(1)$의 값은? [3점]

① 8 ② 9 ③ 10 ④ 11 ⑤ 12

02

$x>0$에서 정의된 함수

$$f(x)=\int \frac{x}{\sqrt{x+1}}\,dx-\int \frac{1}{\sqrt{x+1}}\,dx$$

에 대하여 $f(1)=1$일 때, $f(4)$의 값은? [3점]

① $\frac{5}{3}$ ② 2 ③ $\frac{7}{3}$ ④ $\frac{8}{3}$ ⑤ 3

03

함수 $f(x)=\int (e^x-x)dx$에 대하여 $f(1)=e$일 때, $f(0)$의 값은? [3점]

① $\frac{1}{2}$ ② 1 ③ $\frac{3}{2}$ ④ 2 ⑤ $\frac{5}{2}$

04

부정적분 $\int 5^{2x}dx=a\times 5^{2x}+C$를 만족시키는 상수 a의 값은? (단, C는 적분상수) [3점]

① $\frac{1}{2\ln 5}$ ② $\frac{1}{\ln 5}$ ③ 1 ④ $\ln 5$ ⑤ $2\ln 5$

05

함수 $f(x)$에 대하여 $\int \{2f(x)+3\}dx=x^2\ln x+C$일 때, $f(3)$의 값은? (단, C는 적분상수) [3점]

① $\ln 3$ ② $2\ln 2$ ③ $3\ln 3$ ④ $5\ln 5$ ⑤ $6\ln 6$

06

두 점 $(1,\ 1)$, $(e,\ e)$를 지나는 곡선 $y=f(x)$ 위의 임의의 점 $(x,\ y)$에서의 접선의 기울기가 $k\ln x$일 때, 상수 k의 값은? [3점]

① $e-1$ ② 1 ③ e ④ $e+1$ ⑤ $2e$

07

함수 $f(x)=\int(\cos x-3\sin x)dx$에 대하여 $f(0)=5$일 때, $f\left(\frac{\pi}{2}\right)$의 값을 구하시오. [3점]

08

함수 $f(x)=\int\frac{1}{1-\sin^2 x}\,dx$에 대하여 $f(0)=1$일 때, $f\left(\frac{\pi}{4}\right)$의 값을 구하시오. [3점]

09

모든 실수에서 미분가능한 함수 $f(x)$와 그 부정적분 중의 하나인 $F(x)$에 대하여 $F(x)=xf(x)+x\cos x-\sin x$, $f(\pi)=1$일 때, $f(0)$의 값은? [3점]

① -1　② $-\frac{1}{2}$　③ 0
④ $\frac{1}{2}$　⑤ 1

10

함수 $f(x)=(ax-3)^7$의 한 부정적분을 $F(x)$라 하자. $F(x)$의 최고차항의 계수가 16일 때, 상수 a의 값을 구하시오. [3점]

11

곡선 $y=f(x)$ 위의 점 $(x,\ y)$에서의 접선의 기울기는 $\frac{1}{x\ln x}$이다. 이 곡선이 점 $(e,\ 1)$을 지날 때, $f\left(\frac{1}{e}\right)$의 값을 구하시오. (단, e는 자연로그의 밑이다.) [3점]

12

함수 $f(x)=\int\frac{2x+2}{x^2+2x-1}\,dx$에 대하여 $f(0)=0$일 때, $f(1)$의 값은? [3점]

① $\ln 2$　② $\ln 3$　③ $2\ln 2$
④ $\ln 5$　⑤ $\ln 6$

13

함수 $f(x)=\int \ln x\,dx$에 대하여 $f(e)=2$일 때, $f(3)$의 값은? [3점]

① $3\ln 3-2$ ② $3\ln 3-1$ ③ $3\ln 3$
④ $3\ln 3+1$ ⑤ $3\ln 3+2$

14

함수 $f(x)$에 대하여 $f'(x)=\ln x$이고 $f(e)=0$일 때, $f(1)$의 값은? [3점]

① -1 ② -2 ③ 3
④ e ⑤ e^2

15

곡선 $y=f(x)$ 위의 점 $(x,\ y)$에서의 접선의 기울기는 $\frac{x}{e^x}$이고 곡선 $y=f(x)$가 원점을 지날 때, $f(1)$의 값은? [3점]

① $-\frac{2}{e}-2$ ② $-\frac{2}{e}-1$ ③ $-\frac{2}{e}$
④ $-\frac{2}{e}+1$ ⑤ $-\frac{2}{e}+2$

16

실수 전체의 집합에서 미분가능한 함수 $f(x)$가 상수 a에 대하여 다음 조건을 만족시킨다. 두 유리수 p, q에 대하여 $f(a)=p+q\sqrt{7}$일 때, $p+q$의 값을 구하시오. [4점]

(가) $\lim_{x\to 0}\frac{f(x)}{x}=2$
(나) $f'(x)=(x+1)\sqrt{x^2+2x+a}$

17

양의 실수를 정의역으로 하는 두 함수 $f(x)=x$, $h(x)=\ln x$에 대하여 다음 두 조건을 모두 만족하는 함수 $g(x)$가 있다. 이때 $g(e)$의 값을 구하시오. [4점]

(가) $f'(x)g(x)+f(x)g'(x)=h(x)$
(나) $g(1)=-1$

09 정적분

참 중요한 학습 point

기출 best

best 1 여러 가지 함수의 정적분
best 2 정적분의 치환적분법
best 3 정적분의 부분적분법

기출 분석

유리함수, 무리함수, 지수함수, 로그함수, 삼각함수에 대한 정적분의 계산 문제, 그리고 치환적분법과 부분적분법을 이용한 정적분의 계산 문제, 정적분으로 정의된 함수에 대한 이해 문제가 출제된다. 계산에서 실수하지 않고 풀 수 있도록 충분히 연습해 두어야 한다.

level up

- 정적분의 부분적분법
- 정적분으로 정의된 함수

중요개념

1. 정적분의 정의

(1) 정적분의 정의

닫힌구간 $[\alpha, \beta]$에서 연속인 함수 $f(x)$의 한 부정적분을 $F(x)$라 하면

$$\int_a^b f(x)\,dx=\Big[F(x)\Big]_a^b=F(b)-F(a)$$

(2) 정적분의 성질

두 함수 $f(x)$, $g(x)$가 임의의 세 실수 a, b, c를 포함하는 닫힌구간에서 연속일 때

① $\int_a^b kf(x)\,dx=k\int_a^b f(x)\,dx$ (단, k는 상수)

② $\int_a^b \{f(x)\pm g(x)\}\,dx=\int_a^b f(x)\,dx\pm\int_a^b g(x)\,dx$ (복호동순)

③ $\int_a^c f(x)\,dx+\int_c^b f(x)\,dx=\int_a^b f(x)\,dx$

2. 여러 가지 함수의 정적분

(1) 구간에 따라 다르게 정의된 함수의 정적분

함수 $h(x)=\begin{cases} f(x) & (x\le c) \\ g(x) & (x\ge c)\end{cases}$가 닫힌구간 $[a, b]$에서 연속이고 $a<c<b$일 때

$$\int_a^b h(x)\,dx=\int_a^c f(x)\,dx+\int_c^b g(x)\,dx$$

(2) 절댓값 기호를 포함한 함수의 정적분

절댓값 기호 안의 식의 값이 0이 되게 하는 x의 값을 경계로 적분 구간을 나눈 다음

$\int_a^b f(x)\,dx=\int_a^c f(x)\,dx+\int_c^b f(x)\,dx$ 임을 이용하여 정적분의 값을 구한다.

(3) 우함수, 기함수의 정적분

함수 $f(x)$가 닫힌구간 $[-a, a]$에서 연속일 때

① $f(-x)=f(x)$이면 함수 $f(x)$를 우함수라 하고

$$\int_{-a}^a f(x)\,dx=2\int_0^a f(x)\,dx$$

② $f(-x)=-f(x)$이면 함수 $f(x)$를 기함수라 하고

$$\int_{-a}^a f(x)\,dx=0$$

3. 정적분의 치환적분법

구간 $[a, b]$에서 연속인 함수 $f(x)$에 대하여 미분가능한 함수 $x=g(t)$의 도함수 $g'(t)$가 구간 $[\alpha, \beta]$에서 연속이고, $a=g(\alpha)$, $b=g(\beta)$이면

$$\int_a^b f(x)\,dx=\int_\alpha^\beta f(g(t))g'(t)\,dt$$

주의 치환적분법을 이용한 정적분에서는 적분 구간이 바뀌는 것에 주의한다.

4. 정적분의 부분적분법

미분가능한 두 함수 $f(x)$, $g(x)$에 대하여 $f'(x)$, $g'(x)$가 닫힌구간 $[a, b]$에서 연속일 때

$$\int_a^b f(x)g'(x)\,dx=\Big[f(x)g(x)\Big]_a^b-\int_a^b f'(x)g(x)\,dx$$

5. 정적분으로 정의된 함수

(1) 정적분으로 정의된 함수의 미분

① $\frac{d}{dx}\int_a^x f(t)\,dt=f(x)$ (단, a는 상수)

② $\frac{d}{dx}\int_x^{x+a} f(t)\,dt=f(x+a)-f(x)$ (단, a는 상수)

(2) 정적분으로 정의된 함수의 극한

① $\lim_{x\to 0}\frac{1}{x}\int_a^{x+a} f(t)\,dt=f(a)$

② $\lim_{x\to 0}\frac{1}{x-a}\int_a^x f(t)\,dt=f(a)$

중요개념문제

01
[2016학년도 수능]

$\int_{0}^{e} \frac{5}{x+e} dx$의 값은? [3점]

① ln 2 ② 2ln 2 ③ 3ln 2
④ 4ln 2 ⑤ 5ln 2

02
[2019학년도 수능 모의평가]

$\int_{1}^{\sqrt{2}} x^3\sqrt{x^2-1}\, dx$의 값은? [3점]

① $\frac{7}{15}$ ② $\frac{8}{15}$ ③ $\frac{3}{5}$
④ $\frac{2}{3}$ ⑤ $\frac{11}{15}$

03
[2018학년도 수능 모의평가]

$\int_{1}^{e} \frac{3(\ln x)^2}{x} dx$의 값은? [3점]

① 1 ② $\frac{1}{2}$ ③ $\frac{1}{3}$
④ $\frac{1}{4}$ ⑤ $\frac{1}{5}$

04
[2019학년도 수능 모의평가]

$\int_{0}^{\frac{\pi}{2}} (\cos x+3\cos^3 x)\, dx$의 값을 구하시오. [3점]

05
[2019학년도 수능]

$\int_{0}^{\pi} x\cos(\pi-x)\, dx$의 값을 구하시오. [3점]

06
[2018학년도 수능 모의평가]

양의 실수 전체의 집합에서 연속인 함수 $f(x)$가
$\int_{1}^{x} f(t)\, dt=x^2-a\sqrt{x}$ $(x>0)$을 만족시킬 때, $f(1)$의 값은? (단, a는 상수이다.) [3점]

① 1 ② $\frac{3}{2}$ ③ 2
④ $\frac{5}{2}$ ⑤ 3

기출유형 01 정적분의 계산

[2016학년도 수능 모의평가]

$\int_1^{16} \frac{1}{\sqrt{x}}\,dx$의 값을 구하시오. [3점]

Act ①
$\sqrt[q]{x}=x^{\frac{1}{q}}$으로 변형한 후
$\int_a^b x^n dx=\left[\frac{1}{n+1}x^{n+1}\right]_a^b$
(단, $n\neq-1$)임을 이용한다.

해결의 실마리

(1) 함수 $y=x^n$의 정적분 : $\frac{1}{x^p}$ 또는 $\sqrt[q]{x}$의 정적분은 $\frac{1}{x^p}=x^{-p}$, $\sqrt[q]{x}=x^{\frac{1}{q}}$으로 변형한 후 다음을 이용한다.

$\int_a^b x^n\,dx=\left[\frac{1}{n+1}x^{n+1}\right]_a^b$ (단, $n\neq-1$), $\int_a^b \frac{1}{x}dx=\left[\ln|x|\right]_a^b$

(2) 무리함수의 정적분 : $\sqrt[p]{x^q}$ (p, q는 자연수)를 $x^{\frac{q}{p}}$으로 변형한 후 $\int_a^b x^n\,dx$를 이용한다.

(3) 지수함수의 정적분 : $\int_\alpha^\beta e^x dx=\left[e^x\right]_\alpha^\beta$, $\int_\alpha^\beta a^x\,dx=\left[\frac{a^x}{\ln a}\right]_\alpha^\beta$

(4) 삼각함수의 정적분 : $\int_\alpha^\beta \sin x\,dx=\left[-\cos x\right]_\alpha^\beta$, $\int_\alpha^\beta \cos x\,dx=\left[\sin x\right]_\alpha^\beta$

01

[2020학년도 수능 모의평가]

$\int_0^{\ln 3} e^{x+3}\,dx$의 값은? [3점]

① $\frac{e^3}{2}$　② e^3　③ $\frac{3}{2}e^3$
④ $2e^3$　⑤ $\frac{5}{2}e^3$

02

[2015학년도 수능]

$\int_0^1 3\sqrt{x}\,dx$의 값은? [3점]

① 1　② 2　③ 3
④ 4　⑤ 5

03

[2016학년도 교육청]

$\int_1^5 \left(\frac{1}{x+1}+\frac{1}{x}\right)dx=\ln a$일 때, 실수 a의 값을 구하시오.
[3점]

04

[2013학년도 교육청]

$\int_0^{\frac{\pi}{4}} \sin 2x\,dx$의 값은? [3점]

① $\frac{1}{2}$　② 1　③ $\frac{3}{2}$
④ 2　⑤ $\frac{5}{2}$

기출유형 02 정적분의 치환적분법 - 유리함수, 무리함수

$\int_0^1 \frac{2x+4}{x^2+4x+5}dx$의 값은? [3점]

① $\ln 2$ ② $\ln 3$ ③ $2\ln 2$ ④ $\ln 5$ ⑤ $\ln 6$

Act ①
$x^2+4x+5=t$로 놓고 치환적분법을 이용한다.

해결의 실마리

(1) 피적분함수가 $\frac{f'(x)}{f(x)}$ 꼴인 경우 ⇨ $f(x)=t$로 치환한다.

(2) 피적분함수가 $\sqrt{f(x)}$ 꼴인 경우 ⇨ $f(x)=t$로 치환한다.

05

[2019학년도 교육청]

$\int_0^{\sqrt{3}} 2x\sqrt{x^2+1}\,dx$의 값은? [3점]

① 4 ② $\frac{13}{3}$ ③ $\frac{14}{3}$
④ 5 ⑤ $\frac{16}{3}$

06

[2014학년도 수능 모의평가]

함수 $f(x)=\frac{1}{1+x}$에 대하여

$$F(x)=\int_0^x tf(x-t)dt \ (x\geq 0)$$

일 때, $F'(a)=\ln 10$을 만족시키는 상수 a의 값을 구하시오. [4점]

07

[2019학년도 수능]

$x>0$에서 정의된 연속함수 $f(x)$가 모든 양수 x에 대하여

$$2f(x)+\frac{1}{x^2}f\left(\frac{1}{x}\right)=\frac{1}{x}+\frac{1}{x^2}$$

을 만족시킬 때, $\int_{\frac{1}{2}}^2 f(x)\,dx$의 값은? [4점]

① $\frac{\ln 2}{3}+\frac{1}{2}$ ② $\frac{2\ln 2}{3}+\frac{1}{2}$ ③ $\frac{\ln 2}{3}+1$
④ $\frac{2\ln 2}{3}+1$ ⑤ $\frac{2\ln 2}{3}+\frac{3}{2}$

기출유형 03 정적분의 치환적분법 - 지수함수, 로그함수

[2015학년도 수능 모의평가]

$\int_{e}^{e^3} \frac{\ln x}{x} dx$의 값은? [3점]

① 1 ② 2 ③ 3 ④ 4 ⑤ 5

Act ①
$\ln x = t$로 놓고 치환적분법을 이용한다.

해결의 실마리

(1) 피적분함수가 지수함수일 때

① $a^{f(x)}$과 $f'(x)$의 곱의 꼴로 되어 있으면 $f(x)=t$로 치환한다.

② $f(a^x)$과 a^x의 곱의 꼴로 되어 있으면 a^x에 대한 식을 t로 치환한다.

(2) 피적분함수가 로그함수일 때 ⇨ $f(\ln x)$와 $\frac{1}{x}$의 곱의 꼴로 되어 있으면 $\ln x=t$로 치환한다.

08

정적분 $\int_{1}^{e^2} \frac{3}{x(1+\ln x)^2} dx$의 값은? [3점]

① 1 ② 2 ③ e
④ $e+1$ ⑤ $3e$

09

[2007학년도 수능]

1보다 큰 실수 a에 대하여 $f(a)=\int_{1}^{a} \frac{\sqrt{\ln x}}{x} dx$라 할 때, $f(a^4)$과 같은 것은? [3점]

① $4f(a)$ ② $8f(a)$ ③ $12f(a)$
④ $16f(a)$ ⑤ $20f(a)$

10

$a>1$인 실수 a에 대하여 $f(a)=\int_{1}^{a} \frac{\ln x}{x} dx$라 할 때, $f(a^4)=kf(a)$이다. 이때 k의 값을 구하시오. [4점]

친절한 해설 54쪽

기출유형 04 정적분의 치환적분법 — 삼각함수

$\int_{0}^{\frac{\pi}{2}} \sin^3 x \cos x \, dx$의 값은? [3점]

① $\frac{1}{8}$ ② $\frac{1}{4}$ ③ $\frac{1}{3}$ ④ $\frac{1}{2}$ ⑤ $\frac{2}{3}$

Act ①
피적분함수가 $f(\sin x)\cos x$ 꼴인 경우 $\sin x = t$로 치환한다.

해결의 실마리

(1) 피적분함수가 $f(\cos x)\sin x$ 꼴인 경우 ⇨ $\cos x = t$로 치환한다.
(2) 피적분함수가 $f(\sin x)\cos x$ 꼴인 경우 ⇨ $\sin x = t$로 치환한다.

11

$\int_{0}^{\pi} (1-\cos^3 x)\cos x \sin x \, dx$의 값은? [3점]

① $-\frac{2}{5}$ ② $-\frac{1}{5}$ ③ 0
④ $\frac{1}{5}$ ⑤ $\frac{2}{5}$

12

$\int_{0}^{\frac{\pi}{2}} (\sin x-1)\sin 2x \, dx$의 값은? [3점]

① $-\frac{2}{3}$ ② $-\frac{1}{3}$ ③ 0
④ $\frac{1}{3}$ ⑤ $\frac{2}{3}$

13

[2014학년도 교육청]

$\int_{e^2}^{e^3} \frac{a+\ln x}{x} dx = \int_{0}^{\frac{\pi}{2}} (1+\sin x)\cos x \, dx$가 성립할 때, 상수 a의 값은? [4점]

① -2 ② -1 ③ 0
④ 1 ⑤ 2

기출유형 05 정적분의 부분적분법

[2020학년도 수능 모의평가]

$\int_{1}^{e} x^3 \ln x \, dx$의 값은? [3점]

① $\frac{3e^4}{16}$　② $\frac{3e^4+1}{16}$　③ $\frac{3e^4+2}{16}$　④ $\frac{3e^4+3}{16}$　⑤ $\frac{3e^4+4}{16}$

Act ①
$u(x)=\ln x$, $v'(x)=x^3$으로 놓고 부분적분법을 이용한다.

해결의 실마리

곱의 꼴이면서 치환적분법을 이용할 수 없는 경우 또는 쉽게 적분이 되지 않는 함수가 주어진 경우에는

부분적분법 $\int_{a}^{b} u(x)v'(x)\,dx = \Big[u(x)v(x)\Big]_{a}^{b} - \int_{a}^{b} u'(x)v(x)\,dx$를 이용한다.

이때 미분하기 쉬운 것을 $u(x)$로, 적분하기 쉬운 것을 $v'(x)$로 놓는다.

14

[2020학년도 수능]

$\int_{e}^{e^2} \frac{\ln x - 1}{x^2}\,dx$의 값은? [3점]

① $\frac{e+2}{e^2}$　② $\frac{e+1}{e^2}$　③ $\frac{1}{e}$
④ $\frac{e-1}{e^2}$　⑤ $\frac{e-2}{e^2}$

15

[2017학년도 교육청]

$\int_{0}^{1} xe^x dx$의 값은? [3점]

① 1　② 2　③ e
④ $1+e$　⑤ $2e$

16

[2020학년도 수능 모의평가]

두 함수 $f(x)$, $g(x)$는 실수 전체의 집합에서 도함수가 연속이고 다음 조건을 만족시킨다.

(가) 모든 실수 x에 대하여 $f(x)g(x)=x^4-1$이다.
(나) $\int_{-1}^{1} \{f(x)\}^2 g'(x)dx = 120$

$\int_{-1}^{1} x^3 f(x)\,dx$의 값은? [4점]

① 12　② 15　③ 18
④ 21　⑤ 24

기출유형 06 정적분으로 정의된 함수

[2019학년도 교육청]

실수 전체의 집합에서 연속인 함수 $f(x)$가 $\int_a^x f(t)\,dt=(x+a-4)e^x$을 만족시킬 때, $f(a)$의 값은? (단, a는 상수이다.) [3점]

① e　② e^2　③ e^3　④ e^4　⑤ e^5

Act ①
적분 구간에 변수가 있으면 $\int_a^a f(t)dt=0$임을 이용하여 $F(x)$를 결정한 후 양변을 미분하여 $f(x)$를 구한다.

해결의 실마리

(1) 정적분으로 정의된 함수의 미분

① $\frac{d}{dx}\int_a^x f(t)dt=f(x)$ (단, a는 상수)　② $\frac{d}{dx}\int_x^{x+a} f(t)dt=f(x+a)-f(x)$ (단, a는 상수)

(2) 정적분으로 정의된 함수의 극한

① $\lim_{x\to 0}\frac{1}{x}\int_a^{x+a} f(t)dt=f(a)$　② $\lim_{x\to a}\frac{1}{x-a}\int_a^x f(t)dt=f(a)$

17

[2019학년도 교육청]

실수 전체의 집합에서 미분가능한 함수 $f(x)$가 $xf(x)=3^x+a+\int_0^x tf'(t)\,dt$를 만족시킬 때, $f(a)$의 값은? (단, a는 상수이다.) [3점]

① $\frac{\ln 2}{6}$　② $\frac{\ln 2}{3}$　③ $\frac{\ln 2}{2}$
④ $\frac{\ln 3}{3}$　⑤ $\frac{\ln 3}{2}$

18

[2018학년도 교육청]

실수 전체의 집합에서 연속인 함수 $f(x)$가 모든 실수 x에 대하여 $x\int_0^x f(t)\,dt-\int_0^x tf(t)\,dt=ae^{2x}-4x+b$를 만족시킬 때, $f(a)f(b)$의 값을 구하시오. (단, a, b는 상수이다.) [4점]

19

구간 $[0, \pi]$에서 연속인 함수 $f(x)$에 대하여 $f(x)=1+2\sin 2x+\int_0^\pi f(t)\,dt$일 때, $f\left(\frac{\pi}{2}\right)$의 값은? [3점]

① $\frac{\pi}{1-\pi}$　② $\frac{2-\pi}{1+\pi}$　③ $\frac{2+\pi}{1+\pi}$
④ $\frac{1}{1-\pi}$　⑤ $\frac{2\pi}{1-\pi}$

20

[2017학년도 교육청]

함수 $f(x)$가 $f(x)=e^x+\int_0^1 tf(t)\,dt$를 만족시킬 때, $f(\ln 10)$의 값을 구하시오. [4점]

Very Important Test

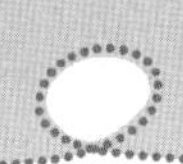

01

정적분 $\int_{0}^{1}(\sqrt{x}+1)^{2}dx$의 값은? [3점]

① $\frac{3}{2}$　② $\frac{11}{6}$　③ $\frac{13}{6}$
④ $\frac{5}{2}$　⑤ $\frac{17}{6}$

02

$\int_{0}^{1}\frac{e^{2x}}{e^{x}+1}dx-\int_{0}^{1}\frac{1}{e^{x}+1}dx$의 값은? [3점]

① $e-2$　② $e-1$　③ e
④ $e+1$　⑤ $e+2$

03

$\int_{0}^{\frac{\pi}{2}}|\cos 2x|dx$의 값은? [3점]

① 1　② 2　③ 3
④ 4　⑤ 5

04

$\int_{0}^{2}x|x^{2}-1|^{3}dx$의 값은? [3점]

① $\frac{37}{4}$　② $\frac{19}{2}$　③ $\frac{39}{4}$
④ 10　⑤ $\frac{41}{4}$

05

연속함수 $y=f(x)$의 그래프가 y축에 대하여 대칭이고, 모든 실수 a에 대하여 $\int_{a-1}^{a+1}f(a-x)dx=24$일 때, $\int_{0}^{1}f(x)dx$의 값을 구하시오. [4점]

06

연속함수 $f(x)$가 $f(x)+f(-x)=x^{2}+\cos x$를 만족시킬 때, 정적분 $\int_{-\frac{\pi}{2}}^{\frac{\pi}{2}}f(x)dx$의 값은? [4점]

① $\frac{\pi^{3}}{24}-1$　② $\frac{\pi^{3}}{24}+1$　③ $\frac{\pi^{3}}{6}-1$
④ $\frac{\pi^{3}}{6}+1$　⑤ $\frac{\pi^{3}}{4}+1$

07

$\int_{0}^{\frac{\pi}{4}}(x+2)\sin 2x\,dx$의 값은? [3점]

① 0　　② $\frac{1}{2}$　　③ 1
④ $\frac{3}{2}$　　⑤ 2

08

$\int_{1}^{2}2x^3e^{x^2}dx$의 값은? [3점]

① $2e^3$　　② $3e^3$　　③ $2e^4$
④ $3e^4$　　⑤ $4e^4$

09

연속함수 $f(x)$가 모든 실수 x에 대하여
$\int_{0}^{x}f(t)dt=e^x+ax+a$를 만족시킬 때, $f(\ln 2)$의 값은?
(단, a는 상수) [3점]

① 1　　② 2　　③ e
④ 3　　⑤ $2e$

1등급 level up

10

다음 조건을 만족시키는 함수 $f(x)$에 대하여 $\int_{2017}^{2018}f(x)dx$의 값은 $\frac{\ln q}{1+\ln p}$이다. $p+q$의 값을 구하시오. [4점]

(가) $1\le x\le 4$일 때, $f(x)=\frac{1}{x(1+\ln x)^2}$
(나) 임의의 실수 x에 대하여 $f(x)=f(x+4)$

11

연속함수 $f(x)$가 $\int_{0}^{x}tf(x-t)dt=-4\sin 3x+ax$를 만족시킬 때, 상수 a의 값을 구하시오. [4점]

10 정적분의 활용

참 중요한 학습 point

best 1 정적분과 급수의 합
best 2 두 곡선 사이의 넓이
best 3 평면 위의 점이 움직인 거리

기출 분석

정적분과 급수의 합, 곡선과 좌표축 사이의 넓이, 두 곡선 사이의 넓이, 입체도형의 부피, 평면 위의 점이 움직인 거리, 곡선의 길이가 출제된다. 입체도형의 부피, 평면 위의 점이 움직인 거리는 4점으로 출제되지만 계산 문제이므로 실수하지 않도록 충분히 연습한다.

level up

- 정적분과 급수의 합
- 두 곡선 사이의 넓이

중요개념

1. 정적분과 급수의 합 사이의 관계

함수 $f(x)$가 닫힌구간 $[a,\ b]$에서 연속일 때

$$\int_a^b f(x)\,dx=\lim_{n\to\infty}\sum_{k=1}^{n}f(x_k)\Delta x$$

(단, $\Delta x=\dfrac{b-a}{n}$, $x_k=a+k\Delta x$)

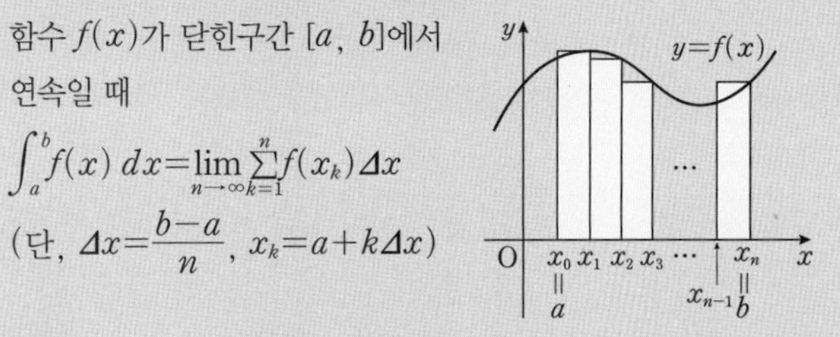

참고

$$\lim_{n\to\infty}\sum_{k=1}^{n}f\left(a+\frac{b-a}{n}k\right)\frac{b-a}{n}=\int_a^b f(x)dx$$

① $\displaystyle\lim_{n\to\infty}\sum_{k=1}^{n}f\left(a+\frac{b-a}{n}k\right)\times\frac{b-a}{n}=\int_a^b f(x)\,dx$

② $\displaystyle\lim_{n\to\infty}\sum_{k=1}^{n}f\left(a+\frac{p}{n}k\right)\times\frac{p}{n}=\int_a^{a+p}f(x)\,dx=\int_0^p f(a+x)\,dx$

③ $\displaystyle\lim_{n\to\infty}\sum_{k=1}^{n}f\left(a+\frac{p}{n}k\right)\times\frac{q}{n}=q\int_0^1 f(a+px)\,dx$

④ $\displaystyle\lim_{n\to\infty}\sum_{k=1}^{n}f\left(\frac{k}{n}\right)\times\frac{1}{n}=\int_0^1 f(x)\,dx$

2. 곡선과 좌표축 사이의 넓이

(1) 함수 $f(x)$가 닫힌구간 $[a,\ b]$에서 연속일 때, 곡선 $y=f(x)$와 x축 및 두 직선 $x=a$, $x=b$로 둘러싸인 도형의 넓이 S는

$$S=\int_a^b |f(x)|\,dx$$

(2) 함수 $g(y)$가 닫힌구간 $[c,\ d]$에서 연속일 때, 곡선 $x=g(y)$와 y축 및 두 직선 $y=c$, $y=d$로 둘러싸인 도형의 넓이 S는

$$S=\int_c^d |g(y)|\,dy$$

3. 두 곡선 사이의 넓이

(1) 두 함수 $f(x)$, $g(x)$가 닫힌구간 $[a,\ b]$에서 연속일 때, 두 곡선 $y=f(x)$, $y=g(x)$ 및 두 직선 $x=a$, $x=b$로 둘러싸인 도형의 넓이 S는

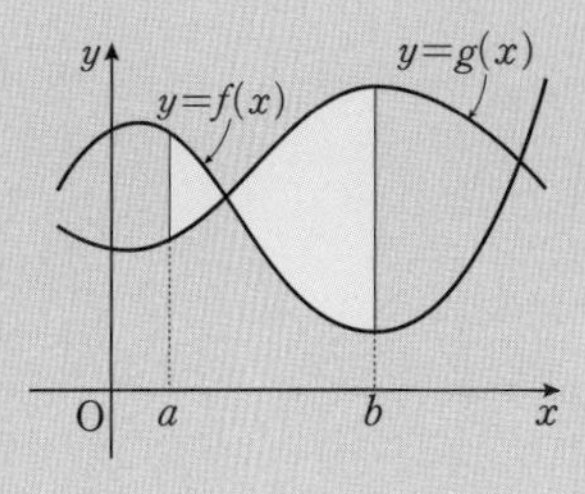

$$S=\int_a^b |f(x)-g(x)|\,dx$$

(2) 두 함수 $f(y)$, $g(y)$가 닫힌구간 $[c,\ d]$에서 연속일 때, 두 곡선 $x=f(y)$, $x=g(y)$ 및 두 직선 $y=c$, $y=d$로 둘러싸인 도형의 넓이 S는

$$S=\int_c^d |f(y)-g(y)|\,dy$$

4. 입체도형의 부피

닫힌구간 $[a,\ b]$에서 x좌표가 x인 점을 지나고 x축에 수직인 평면으로 잘랐을 때의 단면의 넓이가 $S(x)$인 입체도형의 부피 V는

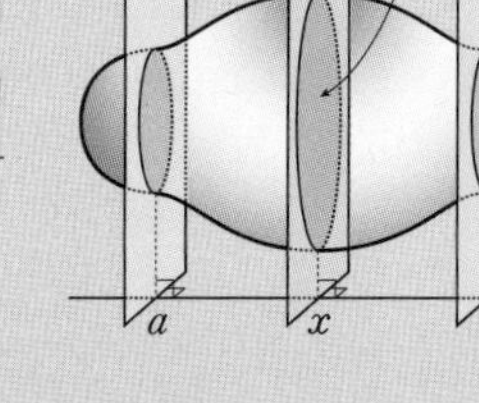

$$V=\int_a^b S(x)\,dx$$

5. 평면 위의 점이 움직인 거리, 곡선의 길이

(1) 평면 위의 점이 움직인 거리

좌표평면 위를 움직이는 점 P의 시각 t에서의 위치 $(x,\ y)$가 $x=f(t)$, $y=g(t)$일 때, 시각 $t=a$에서 $t=b$까지 점 P가 움직인 거리 s는

$$s=\int_a^b\sqrt{\left(\frac{dx}{dt}\right)^2+\left(\frac{dy}{dt}\right)^2}dt=\int_a^b\sqrt{\{f'(t)\}^2+\{g'(t)\}^2}dt$$

(2) 곡선의 길이

① 곡선 $x=f(t)$, $y=g(t)$ $(a\le t\le b)$의 길이 l은

$$l=\int_a^b\sqrt{\left(\frac{dx}{dt}\right)^2+\left(\frac{dy}{dt}\right)^2}dt=\int_a^b\sqrt{\{f'(t)\}^2+\{g'(t)\}^2}dt$$

② 곡선 $y=f(x)$ $(a\le x\le b)$의 길이 l은

$$l=\int_a^b\sqrt{1+\{f'(x)\}^2}\,dx$$

중요개념문제

01
[2015학년도 수능]

함수 $f(x)=\frac{1}{x}$에 대하여 $\lim_{n\to\infty}\sum_{k=1}^{n} f\left(1+\frac{2k}{n}\right)\frac{2}{n}$의 값은? [3점]

① $\ln 2$ ② $\ln 3$ ③ $2\ln 2$
④ $\ln 5$ ⑤ $\ln 6$

02
[2019학년도 수능 모의평가]

그림과 같이 곡선 $y=2^x-1$, $y=\left|\sin\frac{\pi}{2}x\right|$가 원점 O와 점 (1, 1)에서 만난다. 두 곡선 $y=2^x-1$, $y=\left|\sin\frac{\pi}{2}x\right|$로 둘러싸인 부분의 넓이는? [3점]

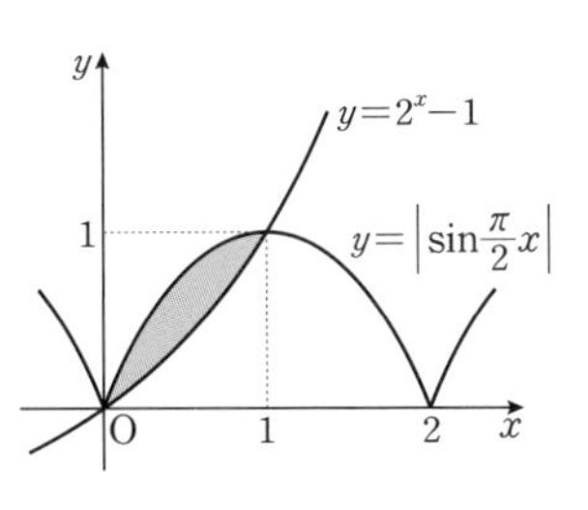

① $-\frac{1}{\pi}+\frac{1}{\ln 2}-1$ ② $\frac{2}{\pi}-\frac{1}{\ln 2}+1$
③ $\frac{2}{\pi}+\frac{1}{2\ln 2}-1$ ④ $\frac{1}{\pi}-\frac{1}{2\ln 2}+1$
⑤ $\frac{1}{\pi}+\frac{1}{\ln 2}-1$

03
[2017학년도 수능]

그림과 같이 곡선 $y=\sqrt{x}+1$과 x축, y축 및 직선 $x=1$로 둘러싸인 도형을 밑면으로 하는 입체도형이 있다. 이 입체도형을 x축에 수직인 평면으로 자른 단면이 모두 정사각형일 때, 이 입체도형의 부피는? [3점]

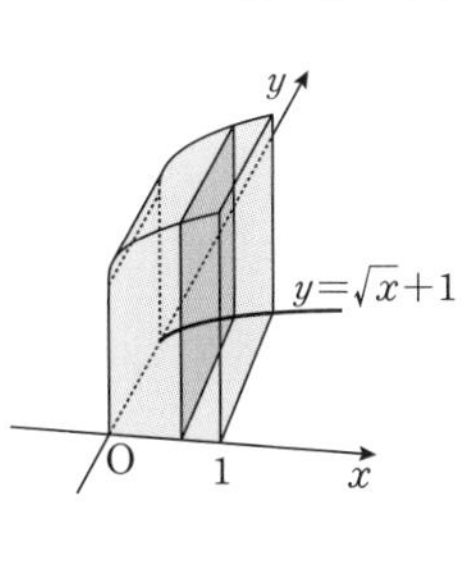

① $\frac{7}{3}$ ② $\frac{5}{2}$ ③ $\frac{8}{3}$
④ $\frac{17}{6}$ ⑤ 3

04

좌표평면 위를 움직이는 점 P의 시각 t에서의 위치 $(x,\ y)$가 $x=\sin t+\sqrt{3}\cos t$, $y=\cos t-\sqrt{3}\sin t$일 때, 시각 $t=0$에서 $t=\pi$까지 점 P가 움직인 거리는? [4점]

① $\frac{\pi}{2}$ ② π ③ $\frac{3}{2}\pi$
④ 2π ⑤ $\frac{5}{2}\pi$

05
[2019학년도 수능 모의평가]

$x=0$에서 $x=\ln 2$까지의 곡선 $y=\frac{1}{8}e^{2x}+\frac{1}{2}e^{-2x}$의 길이는?

[3점]

① $\frac{1}{2}$ ② $\frac{9}{16}$ ③ $\frac{5}{8}$
④ $\frac{11}{16}$ ⑤ $\frac{3}{4}$

유형따라잡기

기출유형 01 정적분과 급수의 합 사이의 관계

[2008학년도 수능]

함수 $f(x)=x^3+x$일 때, $\lim_{n\to\infty}\frac{1}{n}\sum_{k=1}^{n}f\left(1+\frac{2k}{n}\right)$의 값을 구하시오. [3점]

Act ①

$\lim_{n\to\infty}\sum_{k=1}^{n}f\left(a+\frac{p}{n}k\right)\times\frac{p}{n}$

$=\int_{a}^{a+p}f(x)dx$임을 이용하여 주어진 식을 정적분으로 나타낸다.

해결의 실마리

급수 $\lim_{n\to\infty}\sum_{k=1}^{n}f\left(a+\frac{p}{n}k\right)\times\frac{p}{n}$를 정적분으로 나타낼 때는

① $a+\frac{p}{n}k=x_k$, $\frac{p}{n}=\Delta x$로 놓는다.

② $x_k\to x$, $\Delta x\to dx$, $\lim_{n\to\infty}\sum_{k=1}^{n}\to\int_{x_0}^{x_n}$으로 변형시킨다.

$$\lim_{n\to\infty}\sum_{k=1}^{n}f\left(a+\frac{b-a}{n}k\right)\frac{b-a}{n}=\int_{a}^{b}f(x)dx$$

01

[2020학년도 수능 모의평가]

함수 $f(x)=4x^4+4x^3$에 대하여 $\lim_{n\to\infty}\sum_{k=1}^{n}\frac{1}{n+k}f\left(\frac{k}{n}\right)$의 값은? [4점]

① 1 ② 2 ③ 3 ④ 4 ⑤ 5

02

[2017학년도 수능 모의평가]

함수 $f(x)=4x^2+6x+32$에 대하여 $\lim_{n\to\infty}\sum_{k=1}^{n}\frac{k}{n^2}f\left(\frac{k}{n}\right)$의 값을 구하시오. [4점]

03

[2019학년도 교육청]

함수 $f(x)=\sin(3x)$에 대하여 $\lim_{n\to\infty}\sum_{k=1}^{n}\frac{\pi}{n}f\left(\frac{k\pi}{n}\right)$의 값은? [3점]

① $\frac{2}{3}$ ② 1 ③ $\frac{4}{3}$ ④ $\frac{5}{3}$ ⑤ 2

04

[2018학년도 교육청]

함수 $f(x)=\ln x$에 대하여 $\lim_{n\to\infty}\sum_{k=1}^{n}\frac{k}{n^2}f\left(1+\frac{k}{n}\right)=\frac{q}{p}$일 때, $p+q$의 값을 구하시오. (단, p와 q는 서로소인 자연수이다.) [4점]

기출유형 02 곡선과 좌표축 사이의 넓이

두 곡선 $y=e^{x}$, $y=e^{-x}$과 직선 $x=1$로 둘러싸인 도형의 넓이는? [3점]

① $e+\frac{1}{e}$　② $e-\frac{1}{e}$　③ $e+\frac{1}{e}-1$　④ $e-\frac{1}{e}+1$　⑤ $e+\frac{1}{e}-2$

Act ①
넓이는 양수이므로 닫힌구간 $[a, b]$에서 $f(x)\geq 0$이면 $S=\int_{a}^{b}f(x)dx$, $f(x)\leq 0$이면 $S=-\int_{a}^{b}f(x)dx$임을 이용한다.

해결의 실마리

(1) 곡선 $y=f(x)$와 x축 및 두 직선 $x=a$, $x=b$로 둘러싸인 도형의 넓이 S는 ⇨ $S=\int_{a}^{b}|f(x)|dx$

(2) 곡선 $x=g(y)$와 y축 및 두 직선 $y=c$, $y=d$로 둘러싸인 도형의 넓이 S는 ⇨ $S=\int_{c}^{d}|g(y)|dy$

05
[2019학년도 교육청]

모든 실수 x에 대하여 $f(x)>0$인 연속함수 $f(x)$에 대하여 $\int_{3}^{5}f(x)dx=36$일 때, 곡선 $y=f(2x+1)$과 x축 및 두 직선 $x=1$, $x=2$로 둘러싸인 부분의 넓이는? [3점]

① 16　② 18　③ 20
④ 22　⑤ 24

06
[2018학년도 교육청]

곡선 $y=\frac{1}{x}$과 두 직선 $x=1$, $x=2$ 및 x축으로 둘러싸인 부분의 넓이를 S라 하자. 곡선 $y=\frac{1}{x}$과 두 직선 $x=1$, $x=a$ 및 x축으로 둘러싸인 부분의 넓이가 $2S$가 되도록 하는 모든 양수 a의 값의 합은? [4점]

① $\frac{15}{4}$　② $\frac{17}{4}$　③ $\frac{19}{4}$
④ $\frac{21}{4}$　⑤ $\frac{23}{4}$

07
[2019학년도 교육청]

함수 $f(x)=\frac{2x-2}{x^{2}-2x+2}$에 대하여 곡선 $y=f(x)$와 x축 및 y축으로 둘러싸인 영역을 A, 곡선 $y=f(x)$와 x축 및 직선 $x=3$으로 둘러싸인 영역을 B라 하자. 영역 A의 넓이와 영역 B의 넓이의 합은? [4점]

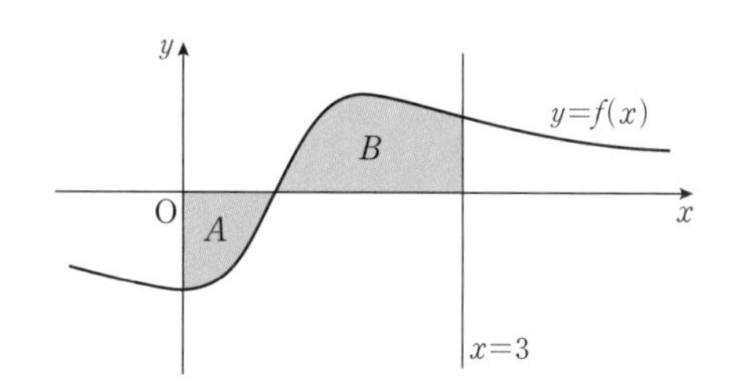

① $2\ln 2$　② $\ln 6$　③ $3\ln 2$
④ $\ln 10$　⑤ $\ln 12$

기출유형 03 두 곡선 사이의 넓이

[2016학년도 수능 모의평가]

닫힌구간 $[0,\ 4]$에서 정의된 함수 $f(x)=2\sqrt{2}\sin\frac{\pi}{4}x$의 그래프가 그림과 같고, 직선 $y=g(x)$가 $y=f(x)$의 그래프 위의 점 $\mathrm{A}(1,\ 2)$를 지난다. 직선 $y=g(x)$가 x축에 평행할 때, 곡선 $y=f(x)$와 직선 $y=g(x)$에 의해 둘러싸인 부분의 넓이는? [3점]

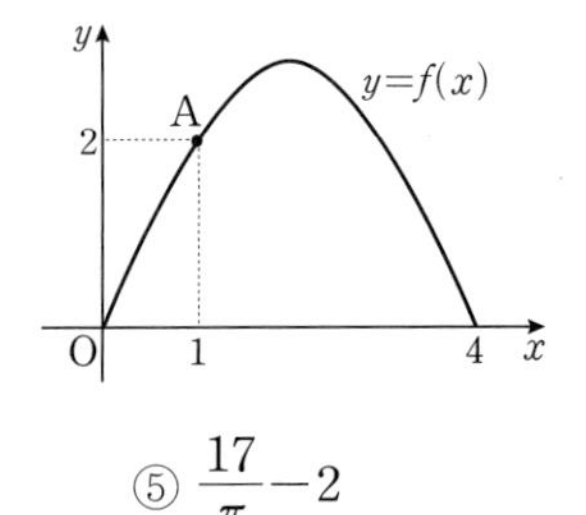

① $\frac{16}{\pi}-4$ ② $\frac{17}{\pi}-4$ ③ $\frac{18}{\pi}-4$ ④ $\frac{16}{\pi}-2$ ⑤ $\frac{17}{\pi}-2$

Act ①
곡선과 직선의 교점의 x좌표를 구한 후 $\{$(위쪽 그래프의 식)$-$(아래쪽 그래프의 식)$\}$의 정적분의 값을 구한다.

해결의 실마리

두 함수 $f(x)$, $g(x)$가 구간 $[a,\ b]$에서 연속일 때, 두 곡선 $y=f(x)$, $y=g(x)$ 및 두 직선 $x=a$, $x=b$로 둘러싸인 도형의 넓이 S는

$\Rightarrow S=\int_a^b |f(x)-g(x)|dx=\int_a^c \{f(x)-g(x)\}dx+\int_c^b \{g(x)-f(x)\}dx$

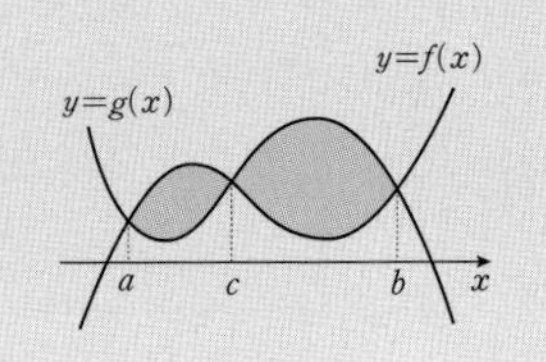

08

[2019학년도 교육청]

두 곡선 $y=(\sin x)\ln x$, $y=\frac{\cos x}{x}$와 두 직선 $x=\frac{\pi}{2}$, $x=\pi$로 둘러싸인 부분의 넓이는? [4점]

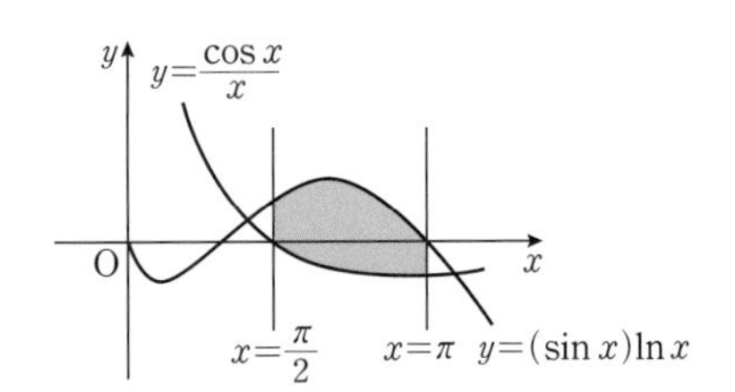

① $\frac{1}{4}\ln\pi$ ② $\frac{1}{2}\ln\pi$ ③ $\frac{3}{4}\ln\pi$
④ $\ln\pi$ ⑤ $\frac{5}{4}\ln\pi$

09

[2018학년도 수능 모의평가]

실수 전체의 집합에서 미분가능한 함수 $f(x)$가 $f(0)=0$이고 모든 실수 x에 대하여 $f'(x)>0$이다. 곡선 $y=f(x)$ 위의 점 $\mathrm{A}(t,\ f(t))$ $(t>0)$에서 x축에 내린 수선의 발을 B라 하고, 점 A를 지나고 점 A에서의 접선과 수직인 직선이 x축과 만나는 점을 C라 하자. 모든 양수 t에 대하여 삼각형 ABC의 넓이가 $\frac{1}{2}(e^{3t}-2e^{2t}+e^t)$일 때, 곡선 $y=f(x)$와 x축 및 직선 $x=1$로 둘러싸인 부분의 넓이는? [4점]

① $e-2$ ② e ③ $e+2$
④ $e+4$ ⑤ $e+6$

친절한 해설 60쪽

기출유형 04 입체도형의 부피

[2019학년도 교육청]

그림과 같이 두 곡선 $y=2\sqrt{2x}+1$, $y=\sqrt{2x}$와 y축 및 직선 $x=2$로 둘러싸인 도형을 밑면으로 하는 입체도형이 있다. 이 입체도형을 x축에 수직인 평면으로 자른 단면이 모두 정사각형일 때, 이 입체도형의 부피를 V라 하자. $30V$의 값을 구하시오. [4점]

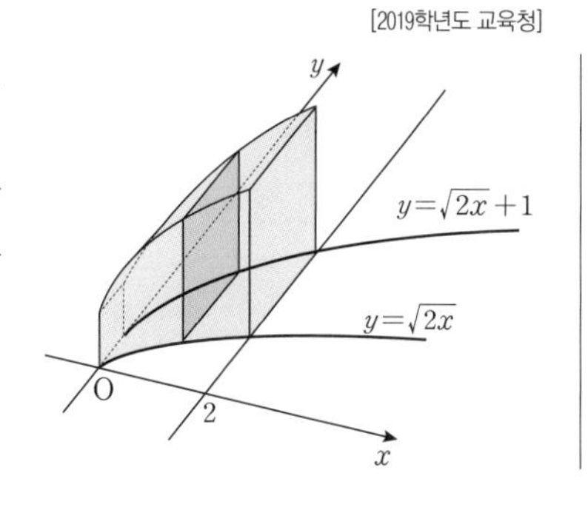

Act ①

닫힌구간 $[a, b]$에서 x좌표가 x인 점을 지나고 x축에 수직인 평면으로 잘랐을 때의 단면의 넓이가 $S(x)$인 입체도형의 부피는 $\int_a^b S(x)dx$임을 이용한다.

해결의 실마리

닫힌구간 $[a, b]$에서 x좌표가 x인 점을 지나고 x축에 수직인 평면으로 잘랐을 때의 단면의 넓이가 $S(x)$인 입체도형의 부피 V는

⇨ $V=\int_a^b S(x)dx$

10

[2020학년도 수능]

그림과 같이 양수 k에 대하여 곡선 $y=\sqrt{\dfrac{e^x}{e^x+1}}$과 x축, y축 및 직선 $x=k$로 둘러싸인 부분을 밑면으로 하고 x축에 수직인 평면으로 자른 단면이 모두 정사각형인 입체도형의 부피가 $\ln 7$일 때, k의 값은? [3점]

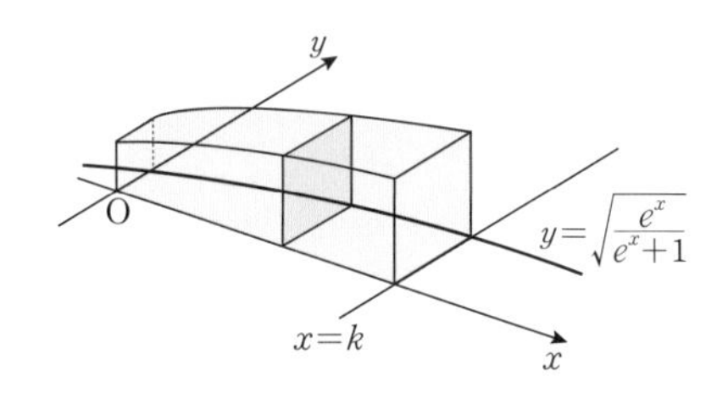

① $\ln 11$　② $\ln 13$　③ $\ln 15$
④ $\ln 17$　⑤ $\ln 19$

11

[2020학년도 수능 모의평가]

그림과 같이 양수 k에 대하여 함수 $f(x)=2\sqrt{x}e^{kx^2}$의 그래프와 x축 및 두 직선 $x=\dfrac{1}{\sqrt{2k}}$, $x=\dfrac{1}{\sqrt{k}}$로 둘러싸인 부분을 밑면으로 하고 x축에 수직인 평면으로 자른 단면이 모두 정삼각형인 입체도형의 부피가 $\sqrt{3}(e^2-e)$일 때, k의 값은? [4점]

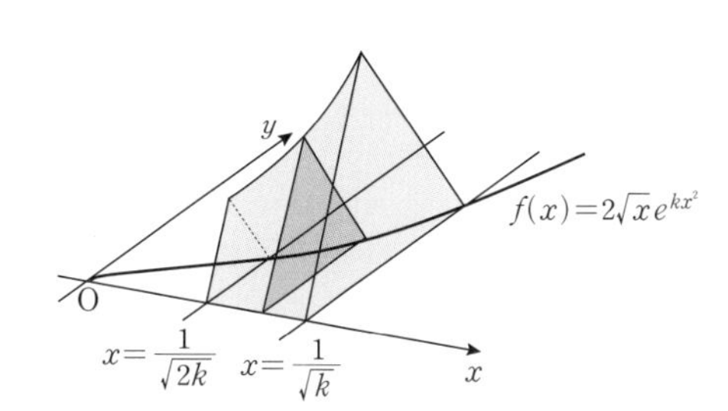

① $\dfrac{1}{12}$　② $\dfrac{1}{6}$　③ $\dfrac{1}{4}$
④ $\dfrac{1}{3}$　⑤ $\dfrac{1}{2}$

기출유형 05 평면 위의 점이 움직인 거리

좌표평면 위를 움직이는 점 P의 시각 t에서의 위치 $(x,\ y)$가 $x=e^t\cos t$, $y=e^t\sin t$일 때, $t=0$에서 $t=\ln 3$까지 점 P가 움직인 거리는? [4점]

① $2\sqrt{2}$ ② $3\sqrt{2}-1$ ③ $2\sqrt{2}+1$ ④ $3\sqrt{2}$ ⑤ $3\sqrt{2}+1$

Act ①

좌표평면 위를 움직이는 점 P의 시각 t에서의 위치 $(x,\ y)$가 $x=f(t)$, $y=g(t)$일 때, 시각 $t=a$에서 $t=b$까지 점 P가 움직인 거리는 $\int_a^b \sqrt{\{f'(t)\}^2+\{g'(t)\}^2}dt$임을 이용한다.

해결의 실마리

좌표평면 위를 움직이는 점 P의 시각 t에서의 위치 (x, y)가 $x=f(t)$, $y=g(t)$일 때, 시각 $t=a$에서 $t=b$까지 점 P가 움직인 거리 s는

⇨ $s=\int_a^b \sqrt{\{f'(t)\}^2+\{g'(t)\}^2}\,dt$

참고 점 P의 속도 v는 $v=(f'(t),\ g'(t))$, 속력 $|v|$는 $|v|=\sqrt{\{f'(t)\}^2+\{g'(t)\}^2}$

12
[2010학년도 수능]

좌표평면 위를 움직이는 점 P의 시각 t에서의 위치 $(x,\ y)$가 $\begin{cases} x=4(\cos t+\sin t) \\ y=\cos 2t \end{cases}$ $(0\le t\le 2\pi)$이다. 점 P가 $t=0$에서 $t=2\pi$까지 움직인 거리(경과 거리)를 $a\pi$라 할 때, a^2의 값을 구하시오. [4점]

13
[2018학년도 수능 모의평가]

좌표평면에서 점 P는 시각 $t=0$일 때 $(0,\ -1)$에서 출발하여 시각 t에서의 속도가 $v=(2t,\ 2\pi\sin 2\pi t)$이고, 점 Q는 시각 $t=0$일 때 출발하여 시각 t에서의 위치가 $\mathrm{Q}(4\sin 2\pi t,\ |\cos 2\pi t|)$이다. 출발한 후 두 점 P, Q가 만나는 횟수는? [4점]

① 1 ② 2 ③ 3
④ 4 ⑤ 5

친절한 해설 61쪽

기출유형 06 곡선의 길이

곡선 $x=1-t^2$, $y=2t^2$의 $t=0$에서 $t=2$까지의 길이는? [3점]

① $\sqrt{5}$ ② $2\sqrt{5}$ ③ $3\sqrt{5}$ ④ $4\sqrt{5}$ ⑤ $5\sqrt{5}$

Act ①
곡선 $x=f(t)$, $y=g(t)$ $(a\le t\le b)$의 길이는 $\int_a^b \sqrt{\{f'(t)\}^2+\{g'(t)\}^2}\,dt$임을 이용한다.

해결의 실마리

(1) 매개변수로 나타낸 곡선 $x=f(t)$, $y=g(t)$ $(a\le t\le b)$의 길이 l은 ⇨ $l=\int_a^b \sqrt{\{f'(t)\}^2+\{g'(t)\}^2}\,dt$

(2) 곡선 $y=f(x)$ $(a\le x\le b)$의 길이 l은 ⇨ $l=\int_a^b \sqrt{1+\{f'(x)\}^2}\,dx$

참고 곡선 $y=f(x)$ $(a\le x\le b)$는 $x=t$, $y=f(t)$ $(a\le t\le b)$인 곡선으로 볼 수 있다.

$$l=\int_a^b \sqrt{\left(\frac{dx}{dt}\right)^2+\left(\frac{dy}{dt}\right)^2}\,dt=\int_a^b \sqrt{1+\{f'(t)\}^2}\,dt=\int_a^b \sqrt{1+\{f'(x)\}^2}\,dx$$

14

곡선 $x=3\cos t$, $y=3\sin t$의 $t=0$에서 $t=2\pi$까지의 길이는 $a\pi$이다. 유리수 a의 값을 구하시오. [3점]

15

곡선 $x=e^t\sin t$, $y=e^t\cos t$의 $t=0$에서 $t=2\pi$까지의 길이는? [3점]

① $\frac{1}{2}(e^{2\pi}-1)$ ② $\frac{\sqrt{2}}{2}(e^{2\pi}-1)$ ③ $e^{2\pi}-1$
④ $\sqrt{2}(e^{2\pi}-1)$ ⑤ $2(e^{2\pi}-1)$

16

$1\le x\le e$에서 곡선 $y=\frac{1}{4}x^2-\frac{1}{2}\ln x$의 길이는? [3점]

① $\frac{1}{4}(e^2+1)$ ② $\frac{1}{2}(e^2+1)$ ③ e^2+1
④ $2(e^2+1)$ ⑤ $4(e^2+1)$

17

곡선 $y=\frac{2}{3}x^{\frac{3}{2}}$의 $x=0$에서 $x=a$까지의 길이가 $\frac{14}{3}$일 때, 양수 a의 값은? [3점]

① 1 ② 2 ③ 3
④ 4 ⑤ 5

Very Important Test

01

함수 $f(x)=3x^2+1$에 대하여 $\lim_{n\to\infty}\sum_{k=1}^{n}\frac{1}{n}f\left(\frac{2k}{n}\right)$의 값은? [3점]

① $\frac{9}{2}$ ② 5 ③ $\frac{11}{2}$
④ 6 ⑤ $\frac{13}{2}$

02

곡선 $y=\frac{\ln x}{x}$ $(x>0)$와 x축 및 두 직선 $x=e$, $x=e^2$으로 둘러싸인 도형의 넓이는? [3점]

① $\frac{1}{2}$ ② 1 ③ $\frac{3}{2}$
④ 2 ⑤ $\frac{5}{2}$

03

곡선 $y=e^x$과 x축, y축 및 직선 $x=\ln 5$로 둘러싸인 도형의 넓이를 직선 $x=k$가 이등분할 때, 상수 k의 값은? [3점]

① $\ln 2$ ② $\ln 3$ ③ $2\ln 2$
④ $\ln 5$ ⑤ $\ln 6$

04

곡선 $y=\ln x$와 이 곡선 위의 점 $(e, 1)$에서의 접선 및 x축으로 둘러싸인 도형의 넓이는? [4점]

① $\frac{e}{2}-1$ ② $\frac{e}{2}$ ③ $\frac{e}{2}+1$
④ $e+\frac{1}{2}$ ⑤ $e+1$

05

높이가 9인 입체도형의 밑면으로부터 x인 지점에서 밑면에 평행한 평면으로 자른 단면의 넓이가 $\sqrt{9-x}$일 때, 이 입체도형의 부피는? [3점]

① 16 ② 17 ③ 18
④ 19 ⑤ 20

06

곡선 $y=\frac{x}{\sqrt{x^3+1}}$ $(x>0)$와 x축 및 두 직선 $x=1$, $x=2$로 둘러싸인 도형을 밑면으로 하는 입체도형이 있다. 이 입체도형을 x축에 수직인 평면으로 자른 단면이 정사각형일 때, 이 입체도형의 부피는 $\frac{1}{p}\ln\frac{q}{2}$이다. $p+q$의 값을 구하시오. [4점]

07

좌표평면 위를 움직이는 점 P의 시각 t에서의 위치 $(x,\ y)$가 $x=e^t(\sin 2t+\cos 2t)$, $y=e^t(\sin 2t-\cos 2t)$일 때, $t=1$에서 $t=2$까지 점 P가 움직인 거리는? [4점]

① $\frac{1}{10}(e^2-e)$　② $\frac{\sqrt{10}}{10}(e^2-e)$　③ e^2-e

④ $\sqrt{10}(e^2-e)$　⑤ $10(e^2-e)$

08

$0\le t\le\frac{\pi}{2}$에서 곡선 $x=2\cos^3 t$, $y=2\sin^3 t$의 길이는? [3점]

① $2\sqrt{2}$　② 3　③ $\sqrt{10}$

④ $\sqrt{11}$　⑤ $2\sqrt{3}$

1등급 level up

09

함수 $f(x)=\sin\frac{\pi}{2}x$에 대하여

$\lim_{n\to\infty}\sum_{k=1}^{n}\frac{\pi}{n}f\left(\frac{k}{2n}\right)f\left(1+\frac{k}{2n}\right)$의 값을 구하시오. [4점]

10

좌표평면 위를 움직이는 점 P의 시각 t에서의 위치 $(x,\ y)$가 $x=4(\cos t+\sin t)$, $y=\cos 2t$이고, $t>0$에서 최초로 점 P의 y좌표가 1이 되는 시각을 $t=a$라 한다. $t=0$에서 $t=a$까지 점 P가 움직인 거리를 $a\pi$라 할 때, a의 값을 구하시오. [4점]

memo

조금이라도 달라지고 싶다면
지금 이 순간부터 변해야 한다.
-프레드 스미스

당신이 친구들이 보고 싶으면
친구들이 당신에게 관심을 가지게 하려 하지 말고
당신이 먼저 친구들에게 관심을 가져라.
- 데일 카네기

좋은 기회를 만나지 못한 사람은 아무도 없다.
다만 그것을 붙잡지 못했을 뿐이다.
- 앤드루 카네기

연마 수학 탄탄한 기본기 체계적 연마

참 중요한 3·4점

정답과 해설

미적분

참 중요한 3·4점

정답과 해설

미적분

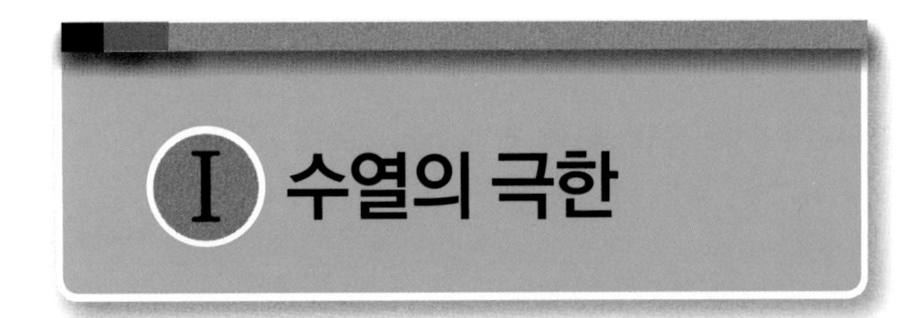

01 수열의 극한

p. 7

01. ③	02. 4	03. 12	04. ①	05. 5
06. 3				

01 $\lim_{n\to\infty}\frac{3n^2+n+1}{2n^2+1}=\lim_{n\to\infty}\frac{3+\frac{1}{n}+\frac{1}{n^2}}{2+\frac{1}{n^2}}$

$=\frac{3+0+0}{2+0}=\frac{3}{2}$ 답 ③

02 $\lim_{n\to\infty}(\sqrt{n^2+8n+10}-n)$

$=\lim_{n\to\infty}\frac{(\sqrt{n^2+8n+10}-n)(\sqrt{n^2+8n+10}+n)}{\sqrt{n^2+8n+10}+n}$

$=\lim_{n\to\infty}\frac{8n+10}{\sqrt{n^2+8n+10}+n}$

$=\lim_{n\to\infty}\frac{8+\frac{10}{n}}{\sqrt{1+\frac{8}{n}+\frac{10}{n^2}}+1}=4$ 답 4

03 $\lim_{n\to\infty}\frac{an^2+bn+7}{3n+1}$의 극한값이 0이 아니므로 $a=0$이어야 한다.

이때의 극한값은

$\lim_{n\to\infty}\frac{bn+7}{3n+1}=\lim_{n\to\infty}\frac{b+\frac{7}{n}}{3+\frac{1}{n}}=\frac{b}{3}=4$

이므로 $b=12$

$\therefore a+b=12$ 답 12

04 $\frac{1}{a_n}=b_n$이라 하면 $a_n=\frac{1}{b_n}$이고 $\lim_{n\to\infty}b_n=0$이므로

$\lim_{n\to\infty}\frac{-2a_n+1}{a_n+3}=\lim_{n\to\infty}\frac{\frac{-2+b_n}{b_n}}{\frac{1+3b_n}{b_n}}=\lim_{n\to\infty}\frac{-2+b_n}{1+3b_n}$

$=\frac{-2+0}{1+3\times0}=-2$ 답 ①

[다른 풀이]

$\lim_{n\to\infty}\frac{-2a_n+1}{a_n+3}=\lim_{n\to\infty}\frac{-2+\frac{1}{a_n}}{1+\frac{3}{a_n}}$

$=\frac{-2+0}{1+3\times0}=-2$

05 부등식 $\frac{10}{2n^2+3n}<a_n<\frac{10}{2n^2+n}$의 양변에 n^2을 곱하면

$\frac{10n^2}{2n^2+3n}<n^2a_n<\frac{10n^2}{2n^2+n}$

$\lim_{n\to\infty}\frac{10n^2}{2n^2+3n}=\lim_{n\to\infty}\frac{10n^2}{2n^2+n}=5$

이므로 수열의 극한의 대소 관계에 의하여

$\lim_{n\to\infty}n^2a_n=5$ 답 5

06 $\lim_{n\to\infty}\frac{3\times9^n-13}{9^n}=\lim_{n\to\infty}\left\{3-13\left(\frac{1}{9}\right)^n\right\}=3$ 답 3

유형따라잡기 pp. 8~15

기출유형 01 4	01. 3	02. ②	03. ③	
기출유형 02 3	04. 3	05. 2	06. 98	07. 18
기출유형 03 ⑤	08. ③	09. 4	10. ②	11. ④
기출유형 04 ③	12. 12	13. 3	14. 6	15. 12
기출유형 05 ③	16. 35	17. 6	18. ①	19. 33
기출유형 06 ④	20. ③	21. ⑤	22. ③	
기출유형 07 3	23. ①	24. ⑤	25. ⑤	26. 16
기출유형 08 ③	27. 7	28. ③	29. ①	

기출유형 01

Act① 두 수열 $\{a_n\}$, $\{b_n\}$이 모두 수렴하므로 극한에 대한 기본 성질을 이용한다.

$\lim_{n\to\infty}\frac{3a_nb_n}{a_n+b_n}=\frac{3\lim_{n\to\infty}a_n\times\lim_{n\to\infty}b_n}{\lim_{n\to\infty}a_n+\lim_{n\to\infty}b_n}=\frac{3\times2\times4}{2+4}=4$ 답 4

01 **Act① 수열 $\{a_n\}$이 수렴하므로 $\lim_{n\to\infty}a_n=\alpha$로 놓고 극한에 대한 기본 성질을 이용한다.**

수열 $\{a_n\}$이 수렴하므로 $\lim_{n\to\infty}a_n=\alpha$라 하면

$\lim_{n\to\infty}\frac{6+2a_n}{3a_n-1}=\frac{6+2\alpha}{3\alpha-1}=\frac{3}{2}$

$12+4\alpha=9\alpha-3$, $5\alpha=15$

$\therefore \alpha=3$ 답 3

02 **Act① 두 수열 $\{a_n\}$, $\{b_n\}$이 모두 수렴하므로 $\lim_{n\to\infty}b_n=\beta$로 놓고 극한에 대한 기본 성질을 이용한다.**

두 수열 $\{a_n\}$, $\{b_n\}$이 모두 수렴하므로 $\lim_{n\to\infty}b_n=\beta$라 하면

$\lim_{n\to\infty}\frac{3a_n}{b_n+4}=\frac{3\lim_{n\to\infty}a_n}{\lim_{n\to\infty}b_n+\lim_{n\to\infty}4}=\frac{3\times2}{\beta+4}=\frac{6}{\beta+4}=3$

따라서 $3\beta+12=6$이므로 $\beta=-2$ 답 ②

03 **Act① 수열의 극한에 대한 기본 성질을 이용하여 [보기]의 참,**

거짓을 판단한다.

ㄱ. 대우명제 '수열 $\{a_n\}$이 수렴하면 수열 $\{a_n^2\}$이 수렴한다.'가 참이므로 주어진 명제는 참이다. (참)

ㄴ. $\lim_{n\to\infty}(a_n+b_n)=\alpha$, $\lim_{n\to\infty}(a_n-b_n)=\beta$라 하자.

$$\lim_{n\to\infty}a_n=\lim_{n\to\infty}\left(\frac{a_n+b_n}{2}+\frac{a_n-b_n}{2}\right)$$
$$=\lim_{n\to\infty}\frac{a_n+b_n}{2}+\lim_{n\to\infty}\frac{a_n-b_n}{2}=\frac{\alpha+\beta}{2}$$
$$\lim_{n\to\infty}b_n=\lim_{n\to\infty}\left(\frac{a_n+b_n}{2}-\frac{a_n-b_n}{2}\right)$$
$$=\lim_{n\to\infty}\frac{a_n+b_n}{2}-\lim_{n\to\infty}\frac{a_n-b_n}{2}=\frac{\alpha-\beta}{2}$$
$$\lim_{n\to\infty}a_n^2=\lim_{n\to\infty}\left(\frac{\alpha+\beta}{2}\right)^2,\ \lim_{n\to\infty}b_n^2=\lim_{n\to\infty}\left(\frac{\alpha-\beta}{2}\right)^2$$

따라서 수열 $\{a_n^2\}$, $\{b_n^2\}$은 수렴한다. (참)

ㄷ. [반례] $a_n=(-1)^n$, $b_n=(-1)^{n+1}$ (거짓)

따라서 옳은 것은 ㄱ, ㄴ이다. 답 ③

기출유형 02

Act① $\frac{\infty}{\infty}$ 꼴의 극한은 분모의 최고차항으로 분모, 분자를 나누어 그 극한값을 구한다.

$$\lim_{n\to\infty}\frac{6n^2-3}{2n^2+5n}=\lim_{n\to\infty}\frac{6-\frac{3}{n^2}}{2+\frac{5}{n}}=\frac{6-0}{2+0}=3$$ 답 3

04 **Act① $\frac{\infty}{\infty}$ 꼴의 극한은 분모의 최고차항으로 분모, 분자를 나누어 그 극한값을 구한다.**

$$\lim_{n\to\infty}\frac{3n^2+5}{n^2+2n}=\lim_{n\to\infty}\frac{3+\frac{5}{n^2}}{1+\frac{2}{n}}=\frac{3+0}{1+0}=3$$ 답 3

05 **Act① $\frac{\infty}{\infty}$ 꼴의 극한은 분모의 최고차항으로 분모, 분자를 나누어 그 극한값을 구한다.**

$$\lim_{n\to\infty}\frac{3+\sqrt{4n^2+1}}{n-2}=\lim_{n\to\infty}\frac{\frac{3}{n}+\sqrt{4+\frac{1}{n^2}}}{1-\frac{2}{n}}=\frac{0-\sqrt{4+0}}{1-0}=2$$ 답 2

06 **Act① 이차방정식 $ax^2+bx+c=0$의 두 근의 합은 $-\frac{b}{a}$이고 두 근의 곱은 $\frac{c}{a}$임을 이용한다.**

이차방정식의 근과 계수의 관계에서

$\alpha_n+\beta_n=10n$, $\alpha_n\beta_n=n^2+1$이므로

$$\lim_{n\to\infty}\left(\frac{\beta_n}{\alpha_n}+\frac{\alpha_n}{\beta_n}\right)=\lim_{n\to\infty}\frac{\alpha_n^2+\beta_n^2}{\alpha_n\beta_n}$$
$$=\lim_{n\to\infty}\frac{(\alpha_n+\beta_n)^2-2\alpha_n\beta_n}{\alpha_n\beta_n}$$
$$=\lim_{n\to\infty}\frac{98n^2-2}{n^2+1}=98$$ 답 98

07 **Act① 이웃한 두 항의 차가 일정한 수열은 등비수열임을 이용한다.**

수열 $\{a_n\}$은 첫째항이 1이고 공차가 3인 등차수열이므로

$a_n=1+(n-1)\times3=3n-2$

$$\lim_{n\to\infty}\frac{a_na_{n+1}}{1+2+3+\cdots+n}=\lim_{n\to\infty}\frac{(3n-2)(3n+1)}{\frac{n(n+1)}{2}}$$
$$=\lim_{n\to\infty}\frac{2(3n-2)(3n+1)}{n(n+1)}$$
$$=\lim_{n\to\infty}\frac{2\times\left(3-\frac{2}{n}\right)\times\left(3+\frac{1}{n}\right)}{1\times\left(1+\frac{1}{n}\right)}$$
$$=\frac{2\times(3-0)+(3+0)}{1\times(1+0)}=18$$ 답 18

기출유형 03

Act① $\infty-\infty$ 꼴의 극한은 무리식이면 분모 또는 분자를 유리화한다.

$$\lim_{n\to\infty}(\sqrt{n^2+8n+15}-n)=\lim_{n\to\infty}\frac{8n+15}{\sqrt{n^2+8n+15}+n}$$
$$=\lim_{n\to\infty}\frac{8+\frac{15}{n}}{\sqrt{1+\frac{8}{n}+\frac{15}{n^2}}+1}$$
$$=4$$ 답 ⑤

08 **Act① $\infty-\infty$ 꼴의 극한은 무리식이면 분모 또는 분자를 유리화하고 다항식이면 최고차항으로 묶는다.**

$$\lim_{n\to\infty}(\sqrt{n^2+2n}-n)=\lim_{n\to\infty}\frac{(\sqrt{n^2+2n}-n)(\sqrt{n^2+2n}+n)}{\sqrt{n^2+2n}+n}$$
$$=\lim_{n\to\infty}\frac{2n}{\sqrt{n^2+2n}+n}$$
$$=\lim_{n\to\infty}\frac{2}{\sqrt{1+\frac{2}{n}}+1}=1$$ 답 ③

09 **Act① $\infty-\infty$ 꼴의 극한은 무리식이면 분모 또는 분자를 유리화하고 다항식이면 최고차항으로 묶는다.**

$$\lim_{n\to\infty}\frac{4}{\sqrt{n^2+2n+3}-n}$$
$$=\lim_{n\to\infty}\frac{4(\sqrt{n^2+2n+3}+n)}{(\sqrt{n^2+2n+3}-n)(\sqrt{n^2+2n+3}+n)}$$
$$=\lim_{n\to\infty}\frac{4\sqrt{n^2+2n+3}+4n}{2n+3}$$
$$=\lim_{n\to\infty}\frac{4\sqrt{1+\frac{2}{n}+\frac{3}{n^2}}+4}{2+\frac{3}{n}}=4$$ 답 4

10 **Act① 첫째항 a, 공차가 d인 등차수열의 일반항은 $a_n=a+(n-1)d$임을 이용한다.**

등차수열 $\{a_n\}$의 첫째항을 a, 공차를 d라 하자.

$a_3=a+2d=5$, $a_6=a+5d=11$이므로

$a=1$, $d=2$, $a_n=2n-1$

$$\lim_{n\to\infty}\sqrt{n}(\sqrt{a_{n+1}}-\sqrt{a_n})$$
$$=\lim_{n\to\infty}\sqrt{n}(\sqrt{2n+1}-\sqrt{2n-1})$$
$$=\lim_{n\to\infty}\frac{\sqrt{n}(\sqrt{2n+1}-\sqrt{2n-1})(\sqrt{2n+1}+\sqrt{2n-1})}{\sqrt{2n+1}+\sqrt{2n-1}}$$
$$=\lim_{n\to\infty}\frac{2\sqrt{n}}{\sqrt{2n+1}+\sqrt{2n-1}}$$
$$=\lim_{n\to\infty}\frac{2}{\sqrt{2+\frac{1}{n}}+\sqrt{2-\frac{1}{n}}}=\frac{\sqrt{2}}{2}$$
답 ②

11 **Act① 원과 직선의 교점의 좌표 $(a_n, \sqrt{n})$을 원의 방정식에 대입하여 a_n을 n의 식으로 나타낸다.**

1사분면에서의 교점은 x좌표가 a_n이고 y좌표가 $\sqrt{n}$이므로 $(a_n, \sqrt{n})$이다.

점 $(a_n, \sqrt{n})$은 원 $x^2+y^2=4n^2$ 위의 점이므로

$(a_n)^2+(\sqrt{n})^2=4n^2$

$a_n>0$이므로 $a_n=\sqrt{4n^2-n}$

$$\lim_{n\to\infty}(2n-a_n)=\lim_{n\to\infty}(2n-\sqrt{4n^2-n})$$
$$=\lim_{n\to\infty}\frac{n}{2n+\sqrt{4n^2-n}}=\frac{1}{4}$$
답 ④

기출유형 04

Act① $\frac{\infty}{\infty}$ 꼴의 극한값이 0이 아닌 실수이면 분자, 분모의 차수가 같음을 이용한다.

$a\neq0$이면 주어진 수열은 발산하므로 $a=0$

$$\lim_{n\to\infty}\frac{an^2+bn-2}{5n+1}=\lim_{n\to\infty}\frac{bn-2}{5n+1}$$
$$=\lim_{n\to\infty}\frac{b-\frac{2}{n}}{5+\frac{1}{n}}=\frac{b}{5}=\frac{3}{10}$$

이므로 $b=\frac{3}{2}$

$\therefore\ a+b=0+\frac{3}{2}=\frac{3}{2}$

답 ③

12 **Act① $\frac{\infty}{\infty}$ 꼴의 극한값이 0이 아닌 실수이면 분자, 분모의 차수가 같음을 이용한다.**

$a\neq0$이면 주어진 수열은 발산하므로 $a=0$

$$\lim_{n\to\infty}\frac{an^2+bn+7}{3n+1}=\lim_{n\to\infty}\frac{bn+7}{3n+1}$$
$$=\lim_{n\to\infty}\frac{b+\frac{7}{n}}{3+\frac{1}{n}}=\frac{b}{3}=4$$

이므로 $b=12$

$\therefore\ a+b=0+12=12$

답 12

13 **Act① $\frac{\infty}{\infty}$ 꼴의 극한값이 0이 아닌 실수이면 분자, 분모의 차수가 같음을 이용한다.**

$a\neq0$이면 주어진 수열은 발산하므로 $a=0$

$$\lim_{n\to\infty}\frac{an^3+bn^2+5}{(n-2)^2}=\lim_{n\to\infty}\frac{bn^2+5}{n^2-4n+4}$$
$$=\lim_{n\to\infty}\frac{b+\frac{5}{n^2}}{1-\frac{4}{n}+\frac{4}{n^2}}=\frac{b}{1}=3$$

이므로 $b=3$

$\therefore\ a+b=0+3=3$

답 3

14 **Act① $\infty-\infty$ 꼴의 무리식의 극한은 무리식을 유리화한다.**

$$\lim_{n\to\infty}(\sqrt{n^2+an}-n+a)$$
$$=\lim_{n\to\infty}\frac{n^2+an-(n-a)^2}{\sqrt{n^2+an}+n-a}=\lim_{n\to\infty}\frac{3an-a^2}{\sqrt{n^2+an}+n-a}$$
$$=\lim_{n\to\infty}\frac{3a-\frac{a^2}{n}}{\sqrt{1+\frac{a}{n}}+1-\frac{a}{n}}=\frac{3a}{2}=9$$

$\therefore\ a=6$

답 6

15 **Act① $\infty-\infty$ 꼴의 무리식의 극한은 무리식을 유리화한다.**

$$\lim_{n\to\infty}(\sqrt{an^2+2n}-bn)$$
$$=\lim_{n\to\infty}\frac{(\sqrt{an^2+2n}-bn)(\sqrt{an^2+2n}+bn)}{\sqrt{an^2+2n}+bn}$$
$$=\lim_{n\to\infty}\frac{(a-b^2)n^2+2n}{\sqrt{an^2+2n}+bn}$$
$$=\lim_{n\to\infty}\frac{(a-b^2)n+2}{\sqrt{a+\frac{2}{n}}+b}=\frac{1}{3}$$

위 식의 극한값이 존재하므로

$a-b^2=0$, $\frac{2}{\sqrt{a}+b}=\frac{1}{3}$, $\frac{2}{|b|+b}=\frac{1}{3}$

이때 $b\leq0$이면 만족할 수 없으므로 $b>0$이다.

$\therefore\ \frac{2}{2b}=\frac{1}{3}$

따라서 $a=9$, $b=3$이므로

$a+b=12$

답 12

기출유형 05

Act① 수렴하는 수열의 극한의 기본 성질을 이용할 수 있도록 식을 변형한다.

$$\lim_{n\to\infty}na_n=\lim_{n\to\infty}\left\{(2n+1)a_n\times\frac{n}{2n+1}\right\}$$
$$=\lim_{n\to\infty}(2n+1)a_n\times\lim_{n\to\infty}\frac{n}{2n+1}$$
$$=12\times\frac{1}{2}=6$$

답 ③

16 **Act① 수렴하는 수열의 극한의 기본 성질을 이용할 수 있도록 식을 변형한다.**

$$\lim_{n\to\infty}\frac{(10n+1)b_n}{a_n}=\lim_{n\to\infty}\left\{\frac{(n^2+1)b_n}{(n+1)a_n}\times\frac{(n+1)(10n+1)}{n^2+1}\right\}$$
$$=\lim_{n\to\infty}\frac{(n^2+1)b_n}{(n+1)a_n}\times\lim_{n\to\infty}\frac{(n+1)(10n+1)}{n^2+1}$$
$$=\frac{7}{2}\times\frac{10}{1}=35$$

답 35

17 **Act①** **수렴하는 수열의 극한의 기본 성질을 이용할 수 있도록 식을 변형한다.**

$\frac{\sqrt{9n^2+n}-n}{a_n}$의 분모, 분자를 각각 n으로 나누면

$$\lim_{n\to\infty}\frac{\sqrt{9n^2+n}-n}{a_n}=\lim_{n\to\infty}\frac{\sqrt{9+\frac{1}{n}}-1}{\frac{a_n}{n}}$$

$$=\frac{\lim_{n\to\infty}\left(\sqrt{9+\frac{1}{n}}-1\right)}{\lim_{n\to\infty}\frac{a_n}{n}}=\frac{2}{\frac{1}{3}}=6$$

답 6

18 **Act①** **수렴하는 수열의 극한의 기본 성질을 이용할 수 있도록 식을 변형한다.**

$\frac{1+a_n}{a_n}=\frac{1}{a_n}+1=n^2+2$

$\frac{1}{a_n}=n^2+1$이므로 $a_n=\frac{1}{n^2+1}$

$\lim_{n\to\infty}n^2a_n=\lim_{n\to\infty}\frac{n^2}{n^2+1}=\lim_{n\to\infty}\frac{1}{1+\frac{1}{n^2}}=\frac{1}{1+0}=1$

답 ①

19 **Act①** **수렴하는 수열의 극한의 기본 성질을 이용할 수 있도록 식을 변형한다.**

$a_n+2b_n=c_n$ …… ㉠, $2a_n+b_n=d_n$ …… ㉡이라 하면

$\lim_{n\to\infty}c_n=\lim_{n\to\infty}(a_n+2b_n)=9$, $\lim_{n\to\infty}d_n=\lim_{n\to\infty}(2a_n+b_n)=90$

$2\times$㉡$-$㉠에서 $3a_n=2d_n-c_n$이므로 $a_n=\frac{1}{3}(2d_n-c_n)$

$2\times$㉠$-$㉡에서 $3b_n=2c_n-d_n$이므로 $b_n=\frac{1}{3}(2c_n-d_n)$

따라서 $a_n+b_n=\frac{1}{3}(c_n+d_n)$이므로

$$\lim_{n\to\infty}(a_n+b_n)=\lim_{n\to\infty}\frac{1}{3}(c_n+d_n)$$

$$=\frac{1}{3}\left(\lim_{n\to\infty}c_n+\lim_{n\to\infty}d_n\right)$$

$$=\frac{1}{3}\times(9+90)=33$$

답 33

[다른 풀이]

$\lim_{n\to\infty}(a_n+2b_n)=9$, $\lim_{n\to\infty}(2a_n+b_n)=90$에서

$\lim_{n\to\infty}(a_n+2b_n)+\lim_{n\to\infty}(2a_n+b_n)$

$=\lim_{n\to\infty}\{(a_n+2b_n)+(2a_n+b_n)\}$

$=\lim_{n\to\infty}3(a_n+b_n)$

이므로

$\lim_{n\to\infty}3(a_n+b_n)=9+90=99$

$\therefore \lim_{n\to\infty}(a_n+b_n)=\frac{1}{3}\lim_{n\to\infty}3(a_n+b_n)$

$=\frac{1}{3}\times99=33$

기출유형 06

Act① $a_n\le c_n\le b_n$**이고** $\lim_{n\to\infty}a_n=\lim_{n\to\infty}b_n=\alpha$ (α**는 실수)이면** $\lim_{n\to\infty}c_n=\alpha$**임을 이용한다.**

문제에 주어진 식의 양변을 제곱하고 n^2으로 나누면

$\frac{9n^2+4}{n^2}<\frac{a_n}{n}<\frac{9n^2+12n+4}{n^2}$

$\lim_{n\to\infty}\frac{9n^2+4}{n^2}=\lim_{n\to\infty}\frac{9n^2+12n+4}{n^2}$이므로 수열의 극한의 대소 관계에 의하여

$\lim_{n\to\infty}\frac{a_n}{n}=9$

답 ④

20 **Act①** $a_n\le c_n\le b_n$**이고** $\lim_{n\to\infty}a_n=\lim_{n\to\infty}b_n=\alpha$ (α**는 실수)이면** $\lim_{n\to\infty}c_n=\alpha$**임을 이용한다.**

$\log_3 3n^2<\log_3 a_n<\log_3 3(n+1)^2$

$3n^2<a_n<3(n+1)^2$

$\frac{3n^2}{n^2}<\frac{a_n}{n^2}<\frac{3(n+1)^2}{n^2}$

$\lim_{n\to\infty}\frac{3n^2}{n^2}\le\lim_{n\to\infty}\frac{a_n}{n^2}\le\lim_{n\to\infty}\frac{3(n+1)^2}{n^2}$

$\lim_{n\to\infty}\frac{3n^2}{n^2}=\lim_{n\to\infty}\frac{3(n+1)^2}{n^2}=3$이므로 수열의 극한의 대소 관계에 의하여

$\lim_{n\to\infty}\frac{a_n}{n^2}=3$

답 ③

21 **Act①** $a_n\le c_n\le b_n$**이고** $\lim_{n\to\infty}a_n=\lim_{n\to\infty}b_n=\alpha$ (α**는 실수)이면** $\lim_{n\to\infty}c_n=\alpha$**임을 이용한다.**

이차방정식 $x^2-(n+1)x+a_n=0$의 판별식을 D_1이라 하면

$D_1=(n+1)^2-4a_n\ge0$에서 $a_n\le\frac{(n+1)^2}{4}$

또 이차방정식 $x^2-nx+a_n=0$의 판별식을 D_2라 하면

$D_2=n^2-4a_n<0$에서 $a_n>\frac{n^2}{4}$

즉 $\frac{n^2}{4}<a_n\le\frac{(n+1)^2}{4}$이므로

$\frac{n^2}{4n^2}<\frac{a_n}{n^2}\le\frac{(n+1)^2}{4n^2}$

$\lim_{n\to\infty}\frac{n^2}{4n^2}<\lim_{n\to\infty}\frac{a_n}{n^2}\le\lim_{n\to\infty}\frac{(n+1)^2}{4n^2}$

$\lim_{n\to\infty}\frac{n^2}{4n^2}=\lim_{n\to\infty}\frac{(n+1)^2}{4n^2}=\frac{1}{4}$이므로 수열의 극한의 대소 관계에 의하여

$\lim_{n\to\infty}\frac{a_n}{n^2}=\frac{1}{4}$

답 ⑤

22 **Act①** $a_n\le c_n\le b_n$**이고** $\lim_{n\to\infty}a_n=\lim_{n\to\infty}b_n=\alpha$ (α**는 실수)이면** $\lim_{n\to\infty}c_n=\alpha$**임을 이용한다.**

조건 (가)에서 각 변을 4^n으로 나누면

$1<\frac{a_n}{4^n}<1+\frac{1}{4^n}$

$\lim_{n\to\infty}1=\lim_{n\to\infty}\left(1+\frac{1}{4^n}\right)=1$이므로

$\lim_{n\to\infty}\frac{a_n}{4^n}=1$ …… ㉠

조건 (나)에서

$$2+2^2+3^2+\cdots+2^n=\frac{2(2^n-1)}{2-1}=2^{n+1}-2$$

$2^{n+1}-2<b_n<2^{n+1}$의 각 변을 2^n으로 나누면

$$2-\frac{2}{2^n}<\frac{b_n}{2^n}<2$$

$\lim_{n\to\infty}\left(2-\frac{2}{2^n}\right)=2$이므로

$\lim_{n\to\infty}\frac{b_n}{2^n}=2$ …… ㉡

㉠, ㉡에서

$$\lim_{n\to\infty}\frac{4a_n+b_n}{2a_n+2^nb_n}=\lim_{n\to\infty}\frac{\frac{4a_n+b_n}{4^n}}{\frac{2a_n+2^nb_n}{4^n}}$$

$$=\lim_{n\to\infty}\frac{4\times\frac{a_n}{4^n}+\frac{b_n}{2^n}\times\frac{1}{2^n}}{2\times\frac{a_n}{4^n}+\frac{b^n}{2^n}}$$

$$=\frac{4}{2+2}=1$$

답 ③

기출유형 07

Act① $\lim_{n\to\infty}\frac{c^n+d^n}{a^n+b^n}$ 꼴의 극한은 분모에서 밑의 절댓값이 가장 큰 항으로 분모, 분자를 각각 나눈다.

$$\lim_{n\to\infty}\frac{3\times5^n+2^n}{5^n-2^n}=\lim_{n\to\infty}\frac{3+\left(\frac{2}{5}\right)^n}{1-\left(\frac{2}{5}\right)^n}=3$$

답 3

23 **Act① $\lim_{n\to\infty}\frac{c^n+d^n}{a^n+b^n}$ 꼴의 극한은 분모에서 밑의 절댓값이 가장 큰 항으로 분모, 분자를 각각 나눈다.**

$$\lim_{n\to\infty}\frac{a\times4^{n+1}-1}{2^{2n-1}+3^{n+1}}=\lim_{n\to\infty}\frac{4a-\left(\frac{1}{4}\right)^n}{\frac{1}{2}+3\left(\frac{3}{4}\right)^n}=8a=4$$

$\therefore\ a=\frac{1}{2}$

답 ①

24 **Act① 일반항 a_n을 주어진 조건식에 대입하여 a_1의 값을 구한다.**

$a_n=a_1\times3^{n-1}$이므로

$$\lim_{n\to\infty}\frac{a_n-2}{3^{n+1}+2a_n}=\lim_{n\to\infty}\frac{a_1\times3^{n-1}-2}{3^{n+1}+2a_1\times3^{n-1}}$$

$$=\lim_{n\to\infty}\frac{a_1-\frac{2}{3^{n-1}}}{9+2a_1}=\frac{a_1}{9+2a_1}=\frac{2}{5}$$

이므로

$5a_1=18+4a_1$ $\quad\therefore\ a_1=18$

답 ⑤

25 **Act① 극한에 대한 기본 성질을 이용하여 a의 값을 구한 후 $\lim_{n\to\infty}\frac{c^n+d^n}{a^n+b^n}$ 꼴의 극한을 이용한다.**

$\lim_{n\to\infty}\frac{3n-1}{n+1}=\lim_{n\to\infty}\frac{3-\frac{1}{n}}{1+\frac{1}{n}}=3$이므로 $a=3$

$$\lim_{n\to\infty}\frac{a^{n+2}+1}{a^n-1}=\lim_{n\to\infty}\frac{3^{n+2}+1}{3^n-1}$$

$$=\lim_{n\to\infty}\frac{3^2+\frac{1}{3^n}}{1-\frac{1}{3^n}}=9$$

답 ⑤

26 **Act① 곡선 위의 두 점 사이의 거리를 구한 후 $\lim_{n\to\infty}\frac{c^n+d^n}{a^n+b^n}$ 꼴의 극한을 이용하여 푼다.**

$P_n(4^n,\ 2^n)$, $P_{n+1}(4^{n+1},\ 2^{n+1})$에서

$$L_n=\sqrt{(4^{n+1}-4^n)^2+(2^{n+1}-2^n)^2}$$
$$=\sqrt{(3\times4^n)^2+(2^n)^2}$$
$$=\sqrt{9\times16^n+4^n}$$

이므로

$$\lim_{n\to\infty}\left(\frac{L_{n+1}}{L_n}\right)^2=\lim_{n\to\infty}\left(\frac{\sqrt{9\times16^{n+1}+4^{n+1}}}{\sqrt{9\times16^n+4^n}}\right)^2$$

$$=\lim_{n\to\infty}\frac{9\times16^{n+1}+4^{n+1}}{9\times16^n+4^n}$$

$$=\lim_{n\to\infty}\frac{9\times16+4\times\left(\frac{1}{4}\right)^n}{9+\left(\frac{1}{4}\right)^n}$$

$$=\frac{9\times16+4\times0}{9+0}=16$$

답 16

기출유형 08

Act① 등비수열 $\{r^n\}$의 수렴 조건은 $-1<r\le1$임을 이용한다.

등비수열 $\left\{\left(\frac{2x-1}{3}\right)^n\right\}$이 수렴하려면 $-1<\frac{2x-1}{3}\le1$이어야 한다.

$-3<2x-1\le3$, $-2<2x\le4$, $-1<x\le2$

따라서 정수 x는 0, 1, 2이므로 구하는 합은 3이다.

답 ③

27 **Act① 등비수열 $\{ar^{n-1}\}$의 수렴 조건은 $a=0$ 또는 $-1<r\le1$임을 이용한다.**

$\frac{x(x-3)^n}{3^{n-1}}=3x\left(\frac{x-3}{3}\right)^n$이므로 첫째항이 $x(x-3)$이고 공비가 $\frac{x-3}{3}$인 등비수열이다.

주어진 등비수열이 수렴하려면 $x(x-3)=0$ 또는 $-1<\frac{x-3}{3}\le1$이어야 한다.

(i) $x(x-3)=0$에서 $x=0$ 또는 $x=3$

(ii) $-1<\frac{x-3}{3}\le1$에서 $-3<x-3\le3$, $0<x\le6$

(i), (ii)에서 $0\le x\le6$

따라서 정수 x의 개수는 0, 1, 2, 3, 4, 5, 6의 7이다.

답 7

28 **Act① 등비수열 $\{r^n\}$의 수렴 조건은 $-1<r\le1$임을 이용한다.**

주어진 등비수열이 수렴하려면

$-1<4\sin x-3\le1$

$\frac{1}{2} \le \sin x \le 1$ (단, $0 \le x < 2\pi$)

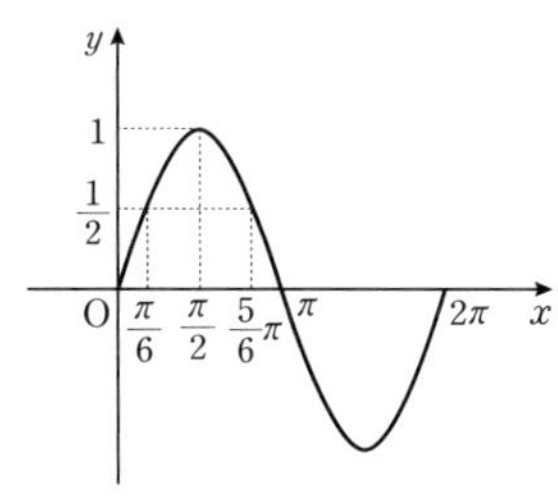

$\frac{\pi}{6} < x < \frac{5}{6}\pi$이므로 $\alpha = \frac{\pi}{6}$이고 $\beta = \frac{5}{6}\pi$이다.

$\therefore \beta - \alpha = \frac{2}{3}\pi$ 답 ③

29 **Act ①** **등비수열이 수렴할 조건을 이용하여 주어진 조건을 만족시키는 값을 구한다.**

(i) $0 < \frac{m}{5} < 1$, 즉 $0 < m < 5$이면

$\lim_{n\to\infty}\left(\frac{m}{5}\right)^n = 0$이므로

$$\lim_{n\to\infty}\frac{\left(\frac{m}{5}\right)^{n+1}+2}{\left(\frac{m}{5}\right)^n+1} = \frac{0+2}{0+1} = 2$$

자연수 m의 값은 1, 2, 3, 4

(ii) $\frac{m}{5} = 1$, 즉 $m = 5$이면 $\lim_{n\to\infty}\left(\frac{m}{5}\right)^n = 1$이므로

$$\lim_{n\to\infty}\frac{\left(\frac{m}{5}\right)^{n+1}+2}{\left(\frac{m}{5}\right)^n+1} = \frac{1+2}{1+1} = \frac{3}{2}$$

이 되어 주어진 조건을 만족시키지 않는다.

(iii) $\frac{m}{5} > 1$, 즉 $m > 5$이면 $\lim_{n\to\infty}\left(\frac{m}{5}\right)^n = \infty$이므로

$$\lim_{n\to\infty}\frac{\left(\frac{m}{5}\right)^{n+1}+2}{\left(\frac{m}{5}\right)^n+1} = \lim_{n\to\infty}\frac{\frac{m}{5}+2\times\frac{1}{\left(\frac{m}{5}\right)^n}}{1+\frac{1}{\left(\frac{m}{5}\right)^n}} = \frac{\frac{m}{5}+0}{1+0} = \frac{m}{5}$$

즉 $\frac{m}{5} = 2$에서 $m = 10$

따라서 $\lim_{n\to\infty}\frac{\left(\frac{m}{5}\right)^{n+1}+2}{\left(\frac{m}{5}\right)^n+1} = 2$가 되도록 하는 자연수 m은 1, 2, 3, 4, 10으로 그 개수는 5이다. 답 ①

VIT Very Important Test pp. 16~17

01. ①	02. ①	03. ②	04. 4	05. ③
06. 2	07. ①	08. ④	09. 3	10. 9
11. 54	12. ①			

01

$$\lim_{n\to\infty}\frac{\sqrt{n+1}-\sqrt{n-1}}{\sqrt{n+2}-\sqrt{n}}$$

$$= \lim_{n\to\infty}\frac{2(\sqrt{n+2}+\sqrt{n})}{2(\sqrt{n+1}+\sqrt{n-1})}$$

$$= \lim_{n\to\infty}\frac{\sqrt{1+\frac{2}{n}}+1}{\sqrt{1+\frac{1}{n}}+\sqrt{1-\frac{1}{n}}} = 1$$

답 ①

02

극한값이 존재하므로 $a = 0$

$$\lim_{n\to\infty}\frac{an^2+bn+1}{2n-3} = \lim_{n\to\infty}\frac{bn+1}{2n-3}$$

$$= \lim_{n\to\infty}\frac{b+\frac{1}{n}}{2-\frac{3}{n}}$$

$$= \frac{b}{2} = 2,\ b = 4$$

$\therefore a + b = 4$ 답 ①

03

자연수 n에 대하여

$\sqrt{4n^2} < \sqrt{4n^2+2n+1} < \sqrt{4n^2+4n+1}$이므로

$2n < \sqrt{4n^2+2n+1} < 2n+1$

여기서 $\sqrt{4n^2+2n+1}$의 정수 부분은 $2n$이므로 소수 부분은

$a_n = \sqrt{4n^2+2n+1} - 2n$

$$\therefore \lim_{n\to\infty}a_n = \lim_{n\to\infty}(\sqrt{4n^2+2n+1}-2n)$$

$$= \lim_{n\to\infty}\frac{2n+1}{\sqrt{4n^2+2n+1}+2n}$$

$$= \lim_{n\to\infty}\frac{2+\frac{1}{n}}{\sqrt{4+\frac{2}{n}+\frac{1}{n^2}}+2} = \frac{1}{2}$$

답 ②

04

$(3n+2)a_n = b_n$으로 놓으면 $a_n = \frac{b_n}{3n+2}$

이때 $\lim_{n\to\infty}b_n = 6$이므로

$$\lim_{n\to\infty}\frac{2n^2+3}{n-1}a_n = \lim_{n\to\infty}\left(\frac{2n^2+3}{n-1}\times\frac{b_n}{3n+2}\right)$$

$$= \lim_{n\to\infty}\left(\frac{2n^2+3}{3n^2-n-2}\times b_n\right)$$

$$= \lim_{n\to\infty}\frac{2+\frac{3}{n^2}}{3-\frac{1}{n}-\frac{2}{n^2}}\times\lim_{n\to\infty}b_n$$

$$= \frac{2}{3}\times 6 = 4$$

답 4

05

$(n^2+4n+3)a_n = b_n$이라 하면

$a_n = \frac{b_n}{n^2+4n+3}$이고 $\lim_{n\to\infty}b_n = 4$

$$\therefore \lim_{n\to\infty}(2n^2+3n)a_n=\lim_{n\to\infty}\frac{(2n^2+3)b_n}{n^2+4n+3}$$
$$=\lim_{n\to\infty}\frac{2+\frac{3}{n^2}}{1+\frac{4}{n}+\frac{3}{n^2}}\times\lim_{n\to\infty}b_n$$
$$=2\times4=8$$

답 ③

06

$5n^2+2n-2<a_n<5n^2+2n+3$에서

$2n-2<a_n-5n^2<2n+3$

$$\frac{2n-2}{n}<\frac{a_n-5n^2}{n}<\frac{2n+3}{n}$$

이때 $\lim_{n\to\infty}\frac{2n-2}{n}=\lim_{n\to\infty}\frac{2-\frac{2}{n}}{1}=2$,

$$\lim_{n\to\infty}\frac{2n+3}{n}=\lim_{n\to\infty}\frac{2+\frac{3}{n}}{1}=2$$

이므로 수열의 극한의 대소 관계에 의하여

$$\lim_{n\to\infty}\frac{a_n-5n^2}{n}=2$$

답 2

07

$S_n=n\times2^n$이므로 $n\geq2$일 때

$$a_n=S_n-S_{n-1}$$
$$=n\times2^n-(n-1)\times2^{n-1}$$
$$=(n+1)\times2^{n-1}$$

이때 $a_1=S_1=2$이므로

$a_n=(n+1)\times2^{n-1}\ (n\geq1)$

$$\therefore \lim_{n\to\infty}\frac{S_n}{a_n}=\lim_{n\to\infty}\frac{n\times2^n}{(n+1)\times2^{n-1}}$$
$$=\lim_{n\to\infty}\frac{2n}{n+1}$$
$$=\lim_{n\to\infty}\frac{2}{1+\frac{1}{n}}=2$$

답 ①

08

(i) $|x|<1$일 때, $\lim_{n\to\infty}x^n=0$이므로

$$f(x)=\lim_{n\to\infty}\frac{x^{n+1}-1}{x^n+1}=-1$$

$$\therefore f\left(\frac{1}{2}\right)=-1$$

(ii) $|x|>1$일 때, $\lim_{n\to\infty}x^n=\infty$이므로

$$f(x)=\lim_{n\to\infty}\frac{x^{n+1}-1}{x^n+1}$$
$$=\lim_{n\to\infty}\frac{x-\frac{1}{x^n}}{1+\frac{1}{x^n}}=x$$

$$\therefore f(2)=2$$

(i), (ii)에서 $f\left(\frac{1}{2}\right)+f(2)=1$

답 ④

09

주어진 등비수열의 공비가 $-1+\log_2 x$이므로 수렴하려면

$-1<-1+\log_2 x\leq1$, $0<\log_2 x\leq2$

즉 $1<x\leq4$이고 정수 x의 개수는 3이다.

답 3

10

$3^{n+1}-2^n<(2^{n+1}+3^{n-1})a_n<2^n+3^{n+1}$에서

$$\frac{3^{n+1}-2^n}{2^{n+1}+3^{n-1}}<a_n<\frac{2^n+3^{n+1}}{2^{n+1}+3^{n-1}}$$

이때

$$\lim_{n\to\infty}\frac{3^{n+1}-2^n}{2^{n+1}+3^{n-1}}=\lim_{n\to\infty}\frac{9-2\times\left(\frac{2}{3}\right)^{n-1}}{4\times\left(\frac{2}{3}\right)^{n-1}+1}=9$$

$$\lim_{n\to\infty}\frac{2^n+3^{n+1}}{2^{n+1}+3^{n-1}}=\lim_{n\to\infty}\frac{2\times\left(\frac{2}{3}\right)^{n-1}+9}{4\times\left(\frac{2}{3}\right)^{n-1}+1}=9$$

이므로 수열의 극한의 대소 관계에 의하여

$\lim_{n\to\infty}a_n=9$

답 9

11

$$\lim_{n\to\infty}(\sqrt{an^2+bn}-3n)$$
$$=\lim_{n\to\infty}\frac{(\sqrt{an^2+bn}-3n)(\sqrt{an^2+bn}+3n)}{\sqrt{an^2+bn}+3n}$$
$$=\lim_{n\to\infty}\frac{(a-9)n^2+bn}{\sqrt{an^2+bn}+3n}=\lim_{n\to\infty}\frac{(a-9)n+b}{\sqrt{a+\frac{b}{n}}+3}\quad\cdots\cdots ㉠$$

㉠에서 $a-9\neq0$이면 발산하므로

$a-9=0\qquad\therefore a=9$

$a=9$를 ㉠에 대입하면

$$\lim_{n\to\infty}\frac{b}{\sqrt{9+\frac{b}{n}}+3}=\frac{b}{3+3}=\frac{b}{6}$$

즉 $\frac{b}{6}=1$이므로 $b=6$

$\therefore ab=54$

답 54

12

주어진 부등식의 각 변을 유리화하면

$\sqrt{n+3}-\sqrt{n+2}<a_n<\sqrt{n+2}-\sqrt{n+1}$

위의 부등식에 $n=1, 2, 3, \cdots, n$을 차례로 대입하면

$\sqrt{4}-\sqrt{3}<a_1<\sqrt{3}-\sqrt{2}$

$\sqrt{5}-\sqrt{4}<a_2<\sqrt{4}-\sqrt{3}$

$\sqrt{6}-\sqrt{5}<a_3<\sqrt{5}-\sqrt{4}$

$\vdots$

$\sqrt{n+3}-\sqrt{n+2}<a_n<\sqrt{n+2}-\sqrt{n+1}$

이때 각 변끼리 더하면

$$\sqrt{n+3}-\sqrt{3}<\sum_{k=1}^{n}a_k<\sqrt{n+2}-\sqrt{2}$$

$$\frac{\sqrt{n+3}-\sqrt{3}}{\sqrt{n+1}}<\frac{\sum_{k=1}^{n}a_k}{\sqrt{n+1}}<\frac{\sqrt{n+2}-\sqrt{2}}{\sqrt{n+1}}$$

이때 $\lim_{n\to\infty}\frac{\sqrt{n+3}-\sqrt{3}}{\sqrt{n+1}}=1$, $\lim_{n\to\infty}\frac{\sqrt{n+2}-\sqrt{2}}{\sqrt{n+1}}=1$이므로

수열의 극한의 대소 관계에 의하여

$$\lim_{n\to\infty}\frac{a_1+a_2+a_3+\cdots+a_n}{\sqrt{n+1}}=\lim_{n\to\infty}\frac{\sum_{k=1}^{n}a_k}{\sqrt{n+1}}=1$$ 답 ①

02 급수

p. 19

01. 1	**02.** ③	**03.** 26	**04.** ①	**05.** ⑤
06. ⑤				

01 $\sum_{n=1}^{\infty}\frac{2}{(n+1)(n+2)}=\sum_{n=1}^{\infty}2\left(\frac{1}{n+1}-\frac{1}{n+2}\right)$

$=\lim_{n\to\infty}\sum_{k=1}^{n}2\left(\frac{1}{k+1}-\frac{1}{k+2}\right)$

$=\lim_{n\to\infty}2\left(\frac{1}{2}-\frac{1}{n+2}\right)=1$ 답 1

02 $\sum_{n=1}^{\infty}\left(a_n-\frac{3n+1}{n}\right)$이 수렴하므로

$\lim_{n\to\infty}\left(a_n-\frac{3n+1}{n}\right)=0$

$a_n-\frac{3n+1}{n}=b_n$이라 하면

$\lim_{n\to\infty}b_n=0$이고 $a_n=b_n+\frac{3n+1}{n}$이므로

$\lim_{n\to\infty}a_n=\lim_{n\to\infty}\left(b_n+\frac{3n+1}{n}\right)$

$=\lim_{n\to\infty}b_n+\lim_{n\to\infty}\frac{3n+1}{n}$

$=0+3=3$ 답 ③

03 $\sum_{n=1}^{\infty}a_n=4$, $\sum_{n=1}^{\infty}b_n=-3$이므로

$\sum_{n=1}^{\infty}(5a_n-2b_n)=5\sum_{n=1}^{\infty}a_n-2\sum_{n=1}^{\infty}b_n$

$=20+6=26$ 답 26

04 등비수열 $\{a_n\}$의 공비를 r라 하면

$r=\frac{a_2}{a_1}=\frac{1}{3}$이므로 $a_n=3\times\left(\frac{1}{3}\right)^{n-1}$

$\therefore \sum_{n=1}^{\infty}(a_n)^2=\sum_{n=1}^{\infty}\left\{9\times\left(\frac{1}{9}\right)^{n-1}\right\}=\frac{9}{1-\frac{1}{9}}=\frac{81}{8}$ 답 ①

05 주어진 등비수열의 공비는 $\frac{x}{5}$이므로 등비급수가 수렴하는 x의 범위는

$-1<\frac{x}{5}<1 \quad \therefore -5<x<5$

따라서 모든 정수 x의 개수는 9이다. 답 ⑤

06 A_1의 넓이는 $a_1=\frac{1}{2}\cdot2^2=2$

A_2의 넓이는 $a_2=\frac{1}{2}\cdot1^2=\frac{1}{2}$

A_3의 넓이는 $a_3=\frac{1}{2}\cdot\left(\frac{1}{2}\right)^2=\frac{1}{8}$

⋮

따라서 직각이등변삼각형 A_n의 넓이는 첫째항이 2, 공비가 $\frac{1}{4}$인 등비수열이므로 모든 직각이등변삼각형의 넓이의 합은

$\sum_{n=1}^{\infty}a_n=\frac{2}{1-\frac{1}{4}}=\frac{8}{3}$ 답 ⑤

유형따라잡기

pp. 20~25

기출유형 01 1	**01.** ②	**02.** ①	**03.** ①	**04.** ②
기출유형 02 ④	**05.** 13	**06.** ③	**07.** ④	**08.** ②
기출유형 03 2	**09.** 54	**10.** 70	**11.** ②	
기출유형 04 ③	**12.** ③	**13.** 16	**14.** ①	
기출유형 05 ②	**15.** 15	**16.** 15	**17.** ③	
기출유형 06 19	**18.** ⑤			

기출유형 01

Act① $\frac{1}{AB}=\frac{1}{B-A}\left(\frac{1}{A}-\frac{1}{B}\right)$**임을 이용하여 부분합** S_n**을 구한 후** $\lim_{n\to\infty}S_n$**의 값을 구한다.**

주어진 급수의 제n항을 a_n이라 하면

$a_n=\frac{1}{n(n+1)}=\frac{1}{n}-\frac{1}{n+1}$

제n항까지의 부분합을 S_n이라 하면

$S_n=\frac{1}{1\cdot2}+\frac{1}{2\cdot3}+\frac{1}{3\cdot4}+\cdots+\frac{1}{n(n+1)}$

$=\left(1-\frac{1}{2}\right)+\left(\frac{1}{2}-\frac{1}{3}\right)+\left(\frac{1}{3}-\frac{1}{4}\right)+\cdots+\left(\frac{1}{n}-\frac{1}{n+1}\right)$

$=1-\frac{1}{n+1}$

$\therefore \lim_{n\to\infty}S_n=\lim_{n\to\infty}\left(1-\frac{1}{n+1}\right)=1$ 답 1

01 **Act①** $\frac{1}{AB}=\frac{1}{B-A}\left(\frac{1}{A}-\frac{1}{B}\right)$**임을 이용하여 부분합** S_n**을 구한 후** $\lim_{n\to\infty}S_n$**의 값을 구한다.**

$a_n=5+2(n-1)=2n+3$이므로

$\sum_{n=1}^{\infty}\frac{2}{(2n+3)(2n+5)}$

$=\lim_{n\to\infty}\sum_{k=1}^{n}\frac{2}{(2k+5)-(2k+3)}\left(\frac{1}{2k+3}-\frac{1}{2k+5}\right)$

$=\lim_{n\to\infty}\sum_{k=1}^{n}\left(\frac{1}{2k+3}-\frac{1}{2k+5}\right)$

$=\lim_{n\to\infty}\left\{\left(\frac{1}{5}-\frac{1}{7}\right)+\left(\frac{1}{7}-\frac{1}{9}\right)+\cdots+\left(\frac{1}{2n+3}-\frac{1}{2n+5}\right)\right\}$

$=\lim_{n\to\infty}\left(\frac{1}{5}-\frac{1}{2n+5}\right)=\frac{1}{5}$ 답 ②

02 **Act ①** $a^m b^n$ (a, b는 소수)의 양의 약수의 개수는 $(m+1)(n+1)$이다.

$3^n \cdot 5^{n+1}$의 모든 양의 약수의 개수는 $a_n=(n+1)(n+2)$이므로

$$\sum_{n=1}^{\infty}\frac{1}{a_n}=\sum_{n=1}^{\infty}\frac{1}{(n+1)(n+2)}$$
$$=\sum_{n=1}^{\infty}\left(\frac{1}{n+1}-\frac{1}{n+2}\right)$$
$$=\lim_{n\to\infty}\sum_{k=1}^{n}\left(\frac{1}{k+1}-\frac{1}{k+2}\right)$$
$$=\lim_{n\to\infty}\left\{\left(\frac{1}{2}-\frac{1}{3}\right)+\left(\frac{1}{3}-\frac{1}{4}\right)+\cdots+\left(\frac{1}{n+1}-\frac{1}{n+2}\right)\right\}$$
$$=\lim_{n\to\infty}\left(\frac{1}{2}-\frac{1}{n+2}\right)=\frac{1}{2}$$

답 ①

03 **Act ①** 로그의 진수 부분을 인수분해한 후 $\sum_{k=1}^{n}\log a_k=\log a_1+\log a_2+\log a_3+\cdots+\log a_n$ $=\log(a_1a_2a_3\cdots a_n)$임을 이용하여 부분합 S_n을 구한다.

$$\sum_{n=2}^{\infty}\log\left(1-\frac{1}{n^2}\right)$$
$$=\lim_{n\to\infty}\sum_{k=2}^{n}\log\frac{k^2-1}{k^2}$$
$$=\lim_{n\to\infty}\sum_{k=2}^{n}\log\left(\frac{k-1}{k}\times\frac{k+1}{k}\right)$$
$$=\lim_{n\to\infty}\left\{\log\left(\frac{1}{2}\times\frac{3}{2}\right)+\log\left(\frac{2}{3}\times\frac{4}{3}\right)+\cdots+\log\left(\frac{n-1}{n}\times\frac{n+1}{n}\right)\right\}$$
$$=\lim_{n\to\infty}\left\{\log\left(\frac{1}{2}\times\frac{3}{2}\times\frac{2}{3}\times\frac{4}{3}\times\cdots\times\frac{n-1}{n}\times\frac{n+1}{n}\right)\right.$$
$$=\lim_{n\to\infty}\log\frac{n+1}{2n}=\log\frac{1}{2}=-\log 2$$

답 ①

04 **Act ①** $\frac{1}{AB}=\frac{1}{B-A}\left(\frac{1}{A}-\frac{1}{B}\right)$임을 이용하여 부분합 S_n을 구한 후 $\lim_{n\to\infty}S_n$의 값을 구한다.

$a_n=2n$이므로 $a_{2n}=4n$, $a_{2n-1}=4n-2$

$$b_n=\frac{\sum_{k=1}^{n}a_{2k}}{\sum_{k=1}^{n}a_{2k-1}}=\frac{\sum_{k=1}^{n}4k}{\sum_{k=1}^{n}(4k-2)}=1+\frac{1}{n}$$

$$b_{n+1}-b_n=\frac{1}{n+1}-\frac{1}{n}$$

$$\sum_{n=1}^{\infty}(b_{n+1}-b_n)=\sum_{n=1}^{\infty}\left(\frac{1}{n+1}-\frac{1}{n}\right)$$
$$=\lim_{n\to\infty}\left\{\left(\frac{1}{2}-1\right)+\left(\frac{1}{3}-\frac{1}{2}\right)+\cdots+\left(\frac{1}{n+1}-\frac{1}{n}\right)\right\}$$
$$=-\lim_{n\to\infty}\left\{\left(1-\frac{1}{2}\right)+\left(\frac{1}{2}-\frac{1}{3}\right)+\cdots+\left(\frac{1}{n}-\frac{1}{n+1}\right)\right\}$$
$$=-\lim_{n\to\infty}\left(1-\frac{1}{n+1}\right)=-1$$

답 ②

기출유형 02

Act ① 급수 $\sum_{n=1}^{\infty}a_n$이 수렴하면 $\lim_{n\to\infty}a_n=0$임을 이용한다.

급수 $\sum_{n=1}^{\infty}(a_n-2)$가 수렴하면 $\lim_{n\to\infty}(a_n-2)=0$이므로

$\lim_{n\to\infty}a_n=2$

$$\therefore \lim_{n\to\infty}\frac{a_n+2}{2a_n-1}=\frac{2+2}{2\times2-1}=\frac{4}{3}$$

답 ④

05 **Act ①** 급수 $\sum_{n=1}^{\infty}a_n$이 수렴하면 $\lim_{n\to\infty}a_n=0$임을 이용한다.

급수 $\sum_{n=1}^{\infty}(a_n-5)$가 수렴하면 $\lim_{n\to\infty}(a_n-5)=0$이므로

$\lim_{n\to\infty}a_n=5$

$\therefore \lim_{n\to\infty}(2a_n+3)=2\lim_{n\to\infty}a_n+3=2\times5+3=13$

답 13

06 **Act ①** 급수 $\sum_{n=1}^{\infty}a_n$이 수렴하면 $\lim_{n\to\infty}a_n=0$임을 이용한다.

급수 $\sum_{n=1}^{\infty}(2a_n-3)$이 수렴하면 $\lim_{n\to\infty}(2a_n-3)=0$이므로

$\lim_{n\to\infty}2a_n=3$, $\lim_{n\to\infty}a_n=\frac{3}{2}$

즉 $r=\frac{3}{2}$이므로

$$\lim_{n\to\infty}\frac{r^{n+2}-1}{r^n+1}=\lim_{n\to\infty}\frac{\left(\frac{3}{2}\right)^{n+2}-1}{\left(\frac{3}{2}\right)^n+1}$$
$$=\lim_{n\to\infty}\frac{\frac{9}{4}-\left(\frac{2}{3}\right)^n}{1+\left(\frac{2}{3}\right)^n}=\frac{\frac{9}{4}-0}{1+0}=\frac{9}{4}$$

답 ③

07 **Act ①** 급수 $\sum_{n=1}^{\infty}a_n$이 수렴하면 $\lim_{n\to\infty}a_n=0$임을 이용한다.

급수 $\sum_{n=1}^{\infty}\left(7-\frac{a_n}{2^n}\right)$이 수렴하면 $\lim_{n\to\infty}\left(7-\frac{a_n}{2^n}\right)=0$이므로

$\lim_{n\to\infty}\frac{a_n}{2^n}=7$

$b_n=\frac{a_n}{2^n}$이라 하면

$$\lim_{n\to\infty}\frac{a_n}{2^{n+1}}=\frac{1}{2}\lim_{n\to\infty}\frac{a_n}{2^n}=\frac{1}{2}\lim_{n\to\infty}b_n=\frac{1}{2}\times7=\frac{7}{2}$$

답 ④

08 **Act ①** 급수 $\sum_{n=1}^{\infty}a_n$이 수렴하면 $\lim_{n\to\infty}a_n=0$임을 이용한다.

급수 $\sum_{n=1}^{\infty}\frac{2^na_n-2^{n+1}}{2^n+1}$이 수렴하면 $\lim_{n\to\infty}\frac{2^na_n-2^{n+1}}{2^n+1}=0$이므로

$\frac{2^na_n-2^{n+1}}{2^n+1}=b_n$이라 하면 $\lim_{n\to\infty}b_n=0$

$a_n=\frac{(2^n+1)b_n+2^{n+1}}{2^n}$이므로

$$\lim_{n\to\infty}a_n=\lim_{n\to\infty}\frac{(2^n+1)b_n+2^{n+1}}{2^n}$$
$$=\lim_{n\to\infty}\left\{\left(1+\frac{1}{2^n}\right)b_n+2\right\}=2$$

답 ②

기출유형 03

Act ① 두 급수 $\sum_{n=1}^{\infty}a_n$, $\sum_{n=1}^{\infty}b_n$이 모두 수렴하므로 $\sum_{n=1}^{\infty}a_n=\alpha$, $\sum_{n=1}^{\infty}b_n=\beta$로 놓고 급수의 성질을 이용한다.

$\sum_{n=1}^{\infty} a_n = \alpha$, $\sum_{n=1}^{\infty} b_n = \beta$ (α, β는 실수)로 놓으면

$\sum_{n=1}^{\infty}(a_n+b_n)=\sum_{n=1}^{\infty}a_n+\sum_{n=1}^{\infty}b_n=8$에서

$\alpha+\beta=8$ $\cdots\cdots$ ㉠

또, $\sum_{n=1}^{\infty}(3a_n-4b_n)=3\sum_{n=1}^{\infty}a_n-4\sum_{n=1}^{\infty}b_n=3$에서

$3\alpha-4\beta=3$ $\cdots\cdots$ ㉡

㉠, ㉡을 연립하여 풀면 $\alpha=5$, $\beta=3$

$\therefore \sum_{n=1}^{\infty}a_n-\sum_{n=1}^{\infty}b_n=\alpha-\beta=5-3=2$ 답 2

09 **Act①** **두 급수 $\sum_{n=1}^{\infty}a_n$, $\sum_{n=1}^{\infty}b_n$이 모두 수렴하므로 급수의 성질을 이용한다.**

$\sum_{n=1}^{\infty}(a_n+5b_n)=\sum_{n=1}^{\infty}a_n+5\sum_{n=1}^{\infty}b_n=4+5\times10=54$ 답 54

10 **Act①** **두 급수 $\sum_{n=1}^{\infty}(3a_n-2)$, $\sum_{n=1}^{\infty}(3b_n+2)$가 모두 수렴하므로 급수의 성질을 이용한다.**

$\sum_{n=1}^{\infty}(3a_n-2)=120$ $\cdots\cdots$ ㉠

$\sum_{n=1}^{\infty}(3b_n+2)=90$ $\cdots\cdots$ ㉡

두 급수가 수렴하므로 ㉠, ㉡을 더하면

$$\begin{aligned}\sum_{n=1}^{\infty}(3a_n-2)+\sum_{n=1}^{\infty}(3b_n+2)&=\sum_{n=1}^{\infty}\{(3a_n-2)+(3b_n+2)\}\\&=\sum_{n=1}^{\infty}(3a_n+3b_n)\\&=3\sum_{n=1}^{\infty}(a_n+b_n)=210\end{aligned}$$

$\therefore \sum_{n=1}^{\infty}(a_n+b_n)=70$ 답 70

11 **Act①** **두 급수 $\sum_{n=1}^{\infty}a_n$, $\sum_{n=1}^{\infty}b_n$이 모두 수렴하므로 $\sum_{n=1}^{\infty}a_n=\alpha$, $\sum_{n=1}^{\infty}b_n=\beta$로 놓고 급수의 성질을 이용한다.**

$\sum_{n=1}^{\infty}a_n=\alpha$, $\sum_{n=1}^{\infty}b_n=\beta$ (α, β는 실수)로 놓으면

$\sum_{n=1}^{\infty}(2a_n+b_n)=2\sum_{n=1}^{\infty}a_n+\sum_{n=1}^{\infty}b_n=8$에서

$2\alpha+\beta=8$ $\cdots\cdots$ ㉠

또, $\sum_{n=1}^{\infty}(3a_n+2b_n)=3\sum_{n=1}^{\infty}a_n+2\sum_{n=1}^{\infty}b_n=26$에서

$3\alpha+2\beta=26$ $\cdots\cdots$ ㉡

㉠, ㉡을 연립하여 풀면 $\alpha=-10$, $\beta=28$

$$\begin{aligned}\therefore \sum_{n=1}^{\infty}(a_n-b_n)&=\sum_{n=1}^{\infty}a_n-\sum_{n=1}^{\infty}b_n=\alpha-\beta\\&=(-10)-28=-38\end{aligned}$$

답 ②

기출유형 04

Act① **등비급수 $\sum_{n=1}^{\infty}ar^{n-1}$ $(a\neq0,\ |r|<1)$의 합은 $\frac{a}{1-r}$임을 이용한다.**

수열 $\{a_n\}$의 공비를 r_1, 수열 $\{b_n\}$의 공비를 r_2라 하면

$\sum_{n=1}^{\infty}a_n=4$에서 $\frac{1}{1-r_1}=4$, $r_1=\frac{3}{4}$

$\sum_{n=1}^{\infty}b_n=2$에서 $\frac{1}{1-r_2}=2$, $r_2=\frac{1}{2}$

따라서 $a_nb_n=\left(\frac{3}{4}\right)^{n-1}\left(\frac{1}{2}\right)^{n-1}=\left(\frac{3}{8}\right)^{n-1}$은 첫째항이 1이고 공비가 $\frac{3}{8}$인 등비수열이므로

$\sum_{n=1}^{\infty}a_nb_n=\frac{1}{1-\frac{3}{8}}=\frac{8}{5}$ 답 ③

12 **Act①** **등비급수 $\sum_{n=1}^{\infty}ar^{n-1}$ $(a\neq0,\ |r|<1)$의 합은 $\frac{1}{1-r}$임을 이용한다.**

수열 $\{a_n\}$은 첫째항이 3이고, 공비가 $\frac{1}{2}$인 등비수열이므로

$\sum_{n=1}^{\infty}a_n=\frac{3}{1-\frac{1}{2}}=6$ 답 ③

13 **Act①** **주어진 식을 연립하여 a_1, b_1의 값을 구한다.**

두 등비수열 $\{a_n\}$, $\{b_n\}$의 공비를 r $(-1<r<1)$라 하면

$\sum_{n=1}^{\infty}a_n=\frac{a_1}{1-r}=8$ $\cdots\cdots$ ㉠

$\sum_{n=1}^{\infty}b_n=\frac{b_1}{1-r}=6$

이때 $a_1-b_1=1$에서 $b_1=a_1-1$이므로

$\frac{a_1-1}{1-r}=6$ $\cdots\cdots$ ㉡

㉠÷㉡을 하면 $\frac{a_1}{a_1-1}=\frac{4}{3}$

$3a_1=4a_1-4$ $\therefore a_1=4$

$a_1=4$를 ㉠에 대입하면

$\frac{4}{1-r}=8$, $4=8-8r$ $\therefore b_1=3$

따라서 수열 $\{a_nb_n\}$은 첫째항이 $a_1b_1=4\times3=12$, 공비가 $r^2=\left(\frac{1}{2}\right)^2=\frac{1}{4}$인 등비수열이므로

$\sum_{n=1}^{\infty}a_nb_n=\frac{12}{1-\frac{1}{4}}=16$ 답 16

14 **Act①** **등비급수 $\sum_{n=1}^{\infty}ar^{n-1}$ $(a\neq0,\ |r|<1)$의 합은 $\frac{a}{1-r}$임을 이용하여 두 등비수열 $\{a_n\}$, $\{b_n\}$의 공비를 구한다.**

$\sum_{n=1}^{\infty}a_n=\alpha$, $\sum_{n=1}^{\infty}b_n=\beta$ (α, β는 실수)로 놓으면

$\sum_{n=1}^{\infty}(a_n+b_n)=\sum_{n=1}^{\infty}a_n+\sum_{n=1}^{\infty}b_n=\frac{9}{4}$에서 $\alpha+\beta=\frac{9}{4}$ $\cdots\cdots$ ㉠

$\sum_{n=1}^{\infty}(a_n-b_n)=\sum_{n=1}^{\infty}a_n-\sum_{n=1}^{\infty}b_n=\frac{3}{4}$에서 $\alpha-\beta=\frac{3}{4}$ $\cdots\cdots$ ㉡

㉠, ㉡을 연립하여 풀면 $\alpha=\frac{3}{2}$, $\beta=\frac{3}{4}$

첫째항이 1인 두 등비수열 $\{a_n\}$, $\{b_n\}$의 공비를 각각 r_1, r_2라 하면 조건 (나)에서

$\frac{1}{1-r_1}=\frac{3}{2}$, $\frac{1}{1-r_2}=\frac{3}{4}$

$\therefore r_1=\frac{1}{3},\ r_2=-\frac{1}{3}$

따라서 $a_n=\left(\frac{1}{3}\right)^{n-1},\ b_n=\left(-\frac{1}{3}\right)^{n-1}$이므로

$$\sum_{n=1}^{\infty}(a_n^2+b_n^2)=\sum_{n=1}^{\infty}\left\{\left(\frac{1}{9}\right)^{n-1}+\left(\frac{1}{9}\right)^{n-1}\right\}$$
$$=2\sum_{n=1}^{\infty}\left(\frac{1}{9}\right)^{n-1}$$
$$=\frac{2}{1-\frac{1}{9}}=\frac{9}{4}$$

답 ①

기출유형 05

Act① 등비급수 $\sum_{n=1}^{\infty}r^n$이 수렴하기 위한 조건은 $-1<r<1$임을 이용한다.

x가 정수일 때, 급수 $\sum_{n=1}^{\infty}\left(\frac{2x-1}{5}\right)^n$은 첫째항과 공비가 모두 $\frac{2x-1}{5}$인 등비급수이다.

그러므로 등비급수 $\sum_{n=1}^{\infty}\left(\frac{2x-1}{5}\right)^n$이 수렴하기 위한 조건은 $-1<\frac{2x-1}{5}<1$이다.

$-5<2x-1<5,\ -4<2x<6,\ -2<x<3$

따라서 정수 x의 개수는 4이다.

답 ②

15 **Act① 등비급수 $\sum_{n=1}^{\infty}r^n$이 수렴하기 위한 조건은 $-1<r<1$임을 이용한다.**

공비가 $\frac{2x-5}{7}$이므로 주어진 등비급수가 수렴하기 위해서는 $-1<\frac{2x-5}{7}<1$이다.

$-7<2x-5<7,\ -2<2x<12,\ -1<x<6$

따라서 정수 x는 0, 1, 2, 3, 4, 5이므로 그 합은 15

답 15

16 **Act① 등비급수 $\sum_{n=1}^{\infty}r^n$이 수렴하기 위한 조건은 $-1<r<1$임을 이용한다.**

$\sum_{n=1}^{\infty}\left(\frac{x}{3}\right)^n$에서 공비가 $\frac{x}{3}$이므로

$-1<\frac{x}{3}<1 \quad \therefore -3<x<3 \quad \cdots\cdots ㉠$

$\sum_{n=1}^{\infty}(2x-6)^{n-2}$에서 공비가 $2x-6$이므로

$-1<2x-6<1 \quad \therefore \frac{5}{2}<x<\frac{7}{2} \quad \cdots\cdots ㉡$

㉠, ㉡을 동시에 만족시키는 x의 값의 범위는

$\frac{5}{2}<x<3$

따라서 $a=\frac{5}{2},\ b=3$이므로

$2ab=15$

답 15

17 **Act① 공비를 r로 놓고 등비수열의 항 사이의 관계를 이용하여 [보기]의 참, 거짓을 판단한다.**

등비수열 $\{a^n\}$의 공비를 $r\ (r\neq0)$라 하면

ㄱ. $a_{101}=a_1r^{100}<0\ (\because a_1<0,\ r^{100}>0)$ (참)

ㄴ. [반례] $a_n=2^{n-3}$이면 $a_1<a_2<1$이지만 $\lim_{n\to\infty}a_n=\infty$이다. (거짓)

ㄷ. $a_1<a_1r<0$에서 $a_1<0$이고 각 변을 a_1으로 나누면 $0<r<1$이므로 $\frac{1}{1-r}>1$

$\therefore \sum_{n=1}^{\infty}a_n=\frac{a_1}{1-r}<a_1$ (참)

답 ③

기출유형 06

Act① 반복되는 규칙에서 첫째항 S_1과 공비를 구한 후 등비급수의 합 공식에 대입한다.

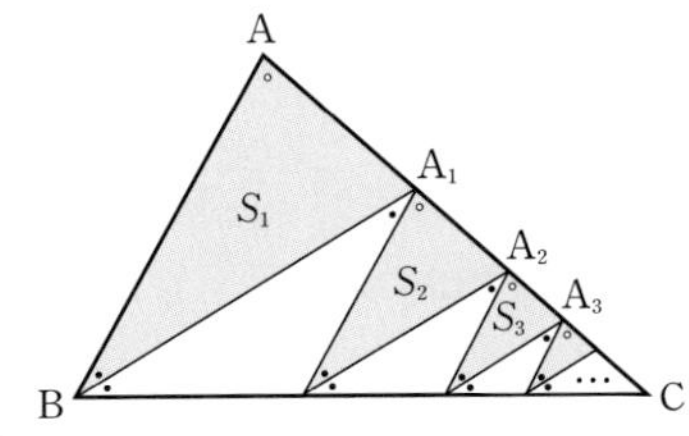

$\overline{AB}\,/\!/\,\overline{A_nB_n}$이므로 $\triangle A_{n-1}B_{n-1}A_n \backsim \triangle A_nB_nA_{n+1}$이다.

이때 $\triangle BB_1A_1$은 이등변삼각형이므로

$\overline{BB_1}=\overline{A_1B_1}=x$라 하면 $4:6=x:(6-x)$이므로

$x=\frac{12}{5}$이다.

따라서 $\triangle A_{n-1}B_{n-1}A_n,\ \triangle A_nB_nA_{n+1}$의 닮음비는

$4:\frac{12}{5}=1:\frac{3}{5}$이므로 $S_n:S_{n+1}=1:\left(\frac{3}{5}\right)^2$

$\overline{A_1B}=2\times4\times\frac{3}{5}\times\cos\frac{\pi}{6}=\frac{12\sqrt{3}}{5}$

$S_1=\frac{1}{2}\times4\times\frac{12\sqrt{3}}{5}\times\sin\frac{\pi}{6}=\frac{12\sqrt{3}}{5}$

$$\sum_{n=1}^{\infty}S_n=\frac{S_1}{1-\left(\frac{3}{5}\right)^2}=\frac{15\sqrt{3}}{4}$$

$\therefore p+q=19$

답 19

18 **Act① 반복되는 규칙에서 첫째항 S_1과 공비를 구한 후 등비급수의 합 공식에 대입한다.**

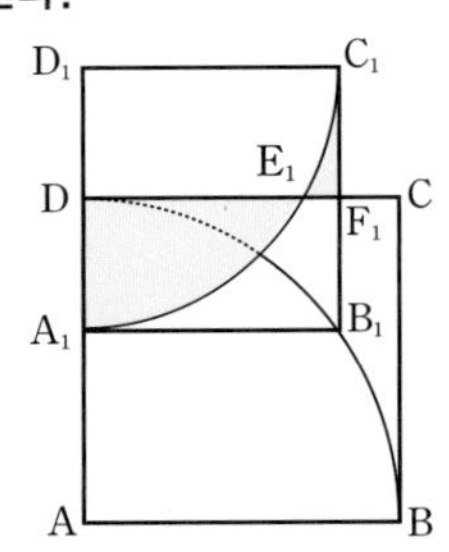

그림 R_1에서 $\overline{AA_1}=3,\ \overline{AB_1}=5$이므로 $\overline{A_1B_1}=4$

즉 $\overline{D_1E_1}=4,\ \overline{D_1D}=2$이므로

$\angle DD_1E_1=60°,\ \angle C_1D_1E_1=30°$

$\therefore S_1=\left(\frac{8}{3}\pi-2\sqrt{3}\right)+\left(8-2\sqrt{3}-\frac{4}{3}\pi\right)$

$=8-4\sqrt{3}+\frac{4}{3}\pi$

한편, 정사각형 $A_{n+1}B_{n+1}C_{n+1}D_{n+1}$의 한 변의 길이는 $A_nB_nC_nD_n$의 한 변의 길이의 $\frac{4}{5}$이므로 그림 R_{n+1}에서 새로 칠한 부분의 넓이는 그림 R_n에서 새로 색칠한 부분의 넓이의 $\frac{16}{25}$이다.

$$\therefore \lim_{n\to\infty} S_n = \frac{8-4\sqrt{3}+\frac{4}{3}\pi}{1-\frac{16}{25}}$$

$$= \frac{25}{9}\left(8-4\sqrt{3}+\frac{4}{3}\pi\right)$$

$$= \frac{100}{9}\left(2-\sqrt{3}+\frac{\pi}{3}\right)$$

답 ⑤

VIT Very Important Test pp. 26~27

01. ④	**02.** ②	**03.** ①	**04.** 10	**05.** ⑤
06. ②	**07.** ④	**08.** 6	**09.** ③	**10.** 5
11. 7				

01

$\frac{1}{(n+1)(n+2)} = \frac{1}{n+1} - \frac{1}{n+2}$이므로

제n항까지의 부분합 S_n은

$$S_n = \left(\frac{1}{2}-\frac{1}{3}\right)+\left(\frac{1}{3}-\frac{1}{4}\right)+\cdots+\left(\frac{1}{n+1}-\frac{1}{n+2}\right)$$

$$= \frac{1}{2}-\frac{1}{n+2}$$

$$\therefore \lim_{n\to\infty} S_n = \lim_{n\to\infty}\left(\frac{1}{2}-\frac{1}{n+2}\right) = \frac{1}{2}$$

답 ④

02

$$\sum_{n=1}^{\infty}\left(\frac{1}{2}\right)^n \sin\frac{n\pi}{2}$$

$$= \frac{1}{2}-\left(\frac{1}{2}\right)^3+\left(\frac{1}{2}\right)^5-\left(\frac{1}{2}\right)^7+\cdots$$

$$= \frac{\frac{1}{2}}{1-\left(-\frac{1}{4}\right)} = \frac{2}{5}$$

답 ②

03

$a_{n+2}=a_{n+1}+a_n$에서 $a_n=a_{n+2}-a_{n+1}$이므로

$$\sum_{n=1}^{\infty}\frac{a_n}{a_{n+1}a_{n+2}}$$

$$= \sum_{n=1}^{\infty}\frac{a_{n+2}-a_{n+1}}{a_{n+1}a_{n+2}}$$

$$= \sum_{n=1}^{\infty}\left(\frac{1}{a_{n+1}}-\frac{1}{a_{n+2}}\right)$$

$$= \lim_{n\to\infty}\sum_{k=1}^{n}\left(\frac{1}{a_{k+1}}-\frac{1}{a_{k+2}}\right)$$

$$= \lim_{n\to\infty}\left\{\left(\frac{1}{a_2}-\frac{1}{a_3}\right)+\left(\frac{1}{a_3}-\frac{1}{a_4}\right)+\cdots+\left(\frac{1}{a_{n+1}}-\frac{1}{a_{n+2}}\right)\right\}$$

$$= \lim_{n\to\infty}\left(\frac{1}{a_2}-\frac{1}{a_{n+2}}\right)$$

$a_1=2$, $a_2=3$, $a_{n+2}=a_{n+1}+a_n$에서 수열 $\{a_n\}$은 점점 증가하는 수열이므로 $\lim_{n\to\infty}\frac{1}{a_{n+2}}=0$

$$\therefore \sum_{n=1}^{\infty}\frac{a_n}{a_{n+1}a_{n+2}} = \lim_{n\to\infty}\left(\frac{1}{a_2}-\frac{1}{a_{n+2}}\right) = \frac{1}{a_2} = \frac{1}{3}$$

답 ①

04

급수 $\sum_{n=1}^{\infty}\left(5+\frac{an^2+bn+4}{2n+1}\right)$가 수렴하므로

$$\lim_{n\to\infty}\left(5+\frac{an^2+bn+4}{2n+1}\right)=0$$

$$\lim_{n\to\infty}\frac{an^2+bn+4}{2n+1}$$

$$= \lim_{n\to\infty}\left\{\left(5+\frac{an^2+bn+4}{2n+1}\right)-5\right\}$$

$$= \lim_{n\to\infty}\left(5+\frac{an^2+bn+4}{2n+1}\right)-5$$

$$= 0-5 = -5$$

즉 $\lim_{n\to\infty}\frac{an+b+\frac{4}{n}}{2+\frac{1}{n}} = -5$이므로

$a=0$, $b=-10$

$\therefore a-b = 0-(-10) = 10$

답 10

05

$\sum_{n=1}^{\infty}a_n=3$이므로 $\lim_{n\to\infty}a_n=0$이고

$\lim_{n\to\infty}S_n = \lim_{n\to\infty}S_{n+1} = \lim_{n\to\infty}S_{n-1} = 3$

$$\therefore \lim_{n\to\infty}\frac{2S_{n+1}+3S_{n-1}-a_n}{S_n}$$

$$= \frac{2\times3+3\times3-0}{3} = 5$$

답 ⑤

06

$\sum_{n=1}^{\infty}a_n=\alpha$, $\sum_{n=1}^{\infty}b_n=\beta$로 놓으면

$\sum_{n=1}^{\infty}(a_n-3b_n)=10$, $\sum_{n=1}^{\infty}(3a_n-2b_n)=9$에서

$\sum_{n=1}^{\infty}a_n-3\sum_{n=1}^{\infty}b_n=10$, $3\sum_{n=1}^{\infty}a_n-2\sum_{n=1}^{\infty}b_n=9$

$\alpha-3\beta=10$, $3\alpha-2\beta=9$

위의 두 식을 연립하여 풀면 $\alpha=1$, $\beta=-3$

$$\therefore \sum_{n=1}^{\infty}(a_n-b_n) = \sum_{n=1}^{\infty}a_n-\sum_{n=1}^{\infty}b_n$$

$$= \alpha-\beta = 4$$

답 ②

07

등비수열 $\{a_n\}$에서 첫째항을 a, 공비를 r라 하면

$\sum_{n=1}^{\infty}a_n=2$에서 $\frac{a}{1-r}=2$ ······ ㉠

$\sum_{n=1}^{\infty}a_n^2=\frac{4}{3}$에서 $\frac{a^2}{1-r^2}=\frac{4}{3}$ ······ ㉡

㉠, ㉡에서

$$\frac{a^2}{1-r^2}=\frac{a}{1-r}\times\frac{a}{1+r}=2\times\frac{a}{1+r}=\frac{4}{3}$$

$\therefore \frac{a}{1+r}=\frac{2}{3}$ …… ㉢

㉠, ㉢을 연립하여 풀면 $a=1$, $r=\frac{1}{2}$

$\therefore \sum_{n=1}^{\infty}{a_n}^3=\frac{a^3}{1-r^3}=\frac{1}{1-\left(\frac{1}{2}\right)^3}=\frac{8}{7}$

답 ④

08

$S=\frac{3}{1-\frac{1}{4}}=4$

$S_n=\frac{3\left\{1-\left(\frac{1}{4}\right)^n\right\}}{1-\frac{1}{4}}=4-\left(\frac{1}{4}\right)^{n-1}$이므로

$|S-S_n|=\left|4-\left\{4-\left(\frac{1}{4}\right)^{n-1}\right\}\right|$

$=\left(\frac{1}{4}\right)^{n-1}<\frac{1}{1000}$

$4^{n-1}>1000$

이때 $4^4=256$, $4^5=1024$이므로

$n-1\geq5$ $\therefore n\geq6$

따라서 구하는 자연수 n의 값은 6이다.

답 6

09

등비수열 $\{a_n\}$의 첫째항을 a, 공비를 r라 하면

$a_1+a_2=48$에서 $a+ar=48$

$\therefore a(1+r)=48$ …… ㉠

$a_2+a_3=16$에서 $ar+ar^2=16$

$\therefore ar(1+r)=16$ …… ㉡

㉡÷㉠을 하면 $r=\frac{1}{3}$

$r=\frac{1}{3}$을 ㉠에 대입하면

$\frac{4}{3}a=48$ $\therefore a=36$

$\therefore \sum_{n=1}^{\infty}a_n=\frac{36}{1-\frac{1}{3}}=54$

답 ③

10

수열 $\{a_n\}$은 첫째항이 3, 공비가 $\frac{1}{3}$인 등비수열이므로

$a_n=3\times\left(\frac{1}{3}\right)^{n-1}=\frac{1}{3^{n-2}}$

$\sum_{k=1}^{n}a_kb_k=-\frac{1}{4^n}$에서 $a_1b_1=-\frac{1}{4}$이므로

$b_1=\frac{1}{a_1}\times\left(-\frac{1}{4}\right)=\frac{1}{3}\times\left(-\frac{1}{4}\right)=-\frac{1}{12}$

$n\geq2$일 때,

$a_nb_n=\sum_{k=1}^{n}a_kb_k-\sum_{k=1}^{n-1}a_kb_k$

$=-\frac{1}{4^n}-\left(-\frac{1}{4^{n-1}}\right)=\frac{3}{4^n}$

즉 $b_n=\frac{1}{a_n}\times\frac{3}{4^n}=3^{n-2}\times\frac{3}{4^n}$

$=\frac{1}{4}\times\left(\frac{3}{4}\right)^{n-1}(n\geq2)$

$\therefore \sum_{n=1}^{\infty}b_n=-\frac{1}{12}+\sum_{n=1}^{\infty}\left\{\frac{1}{4}\times\left(\frac{3}{4}\right)^{n-1}\right\}$

$=-\frac{1}{12}+\frac{\frac{3}{16}}{1-\frac{3}{4}}=\frac{2}{3}$

따라서 $p=3$, $q=2$이므로 $p+q=5$

답 5

11

원 S_n의 반지름의 길이를 r_n이라 하면

$r_1=r$, $r_2=\frac{1}{2}r_1=\frac{1}{2}r$,

$r_3=\frac{1}{2}r_2=\left(\frac{1}{2}\right)^2r$, …

이므로 수열 $\{r_n\}$은 첫째항이 r, 공비가 $\frac{1}{2}$인 등비수열이다.

즉 $r_n=r\left(\frac{1}{2}\right)^{n-1}$

이때 원 S_n의 넓이는

$\pi{r_n}^2=\pi\left\{r\left(\frac{1}{2}\right)^{n-1}\right\}^2=\pi r^2\left(\frac{1}{4}\right)^{n-1}$

구하는 원의 넓이의 합은 첫째항이 πr^2이고, 공비가 $\frac{1}{4}$인 등비급수의 합이므로

$\frac{\pi r^2}{1-\frac{1}{4}}=\frac{4\pi r^2}{3}$

따라서 $p=3$, $q=4$이므로 $p+q=7$

답 7

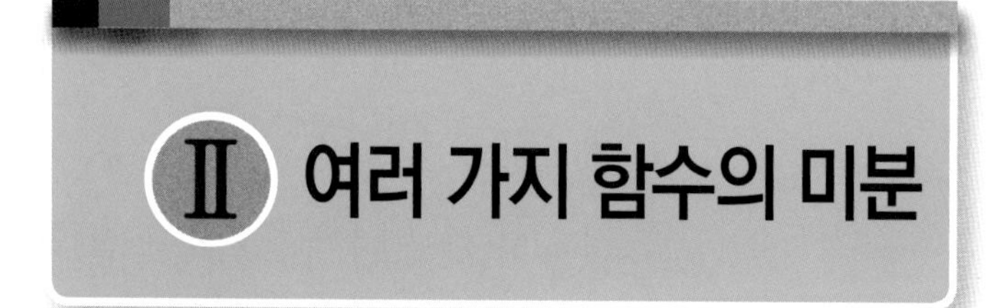

03 지수함수와 로그함수의 미분

p. 29

01. 5 **02.** ⑤ **03.** ③ **04.** ② **05.** ④
06. ②

01 $\lim_{x\to\infty}\frac{5^{x+1}-2^x}{5^x+3^x}=\lim_{x\to\infty}\frac{5-\left(\frac{2}{5}\right)^x}{1+\left(\frac{3}{5}\right)^x}=\frac{5-0}{1+0}=5$ 답 5

02 $\lim_{x\to0}(1+2x)^{\frac{1}{x}}=\lim_{x\to0}\left\{(1+2x)^{\frac{1}{2x}}\right\}^2=e^2$ 답 ⑤

03 $\lim_{x\to0}\frac{x^2+5x}{\ln(1+3x)}=\lim_{x\to0}\left\{\frac{3x}{\ln(1+3x)}\times\frac{x(x+5)}{3x}\right\}$

$=\lim_{x\to0}\left\{\frac{3x}{\ln(1+3x)}\times\frac{x+5}{3}\right\}$

$=1\times\frac{5}{3}=\frac{5}{3}$ 답 ③

04 $\lim_{x\to0}\frac{\log_3(4+x)-\log_3 4}{x}=\lim_{x\to0}\frac{\log_3\left(1+\frac{x}{4}\right)}{x}$

$=\lim_{x\to0}\frac{\log_3\left(1+\frac{x}{4}\right)}{\frac{x}{4}}\times\frac{1}{4}$

$=\frac{1}{\ln 3}\times\frac{1}{4}=\frac{1}{4\ln 3}$ 답 ②

05 곱의 미분법에 의하여

$f'(x)=e^x(2x+1)+e^x\times2$

$=e^x(2x+3)$

$\therefore f'(1)=5e$ 답 ④

06 함수 $f(x)$가 $x=0$에서 연속이므로

$a=\lim_{x\to0}f(x)=\lim_{x\to0}\frac{e^{3x}-1}{x(e^x+1)}$

$=\lim_{x\to0}\left(\frac{e^{3x}-1}{3x}\times\frac{3}{e^x+1}\right)=1\times\frac{3}{2}=\frac{3}{2}$ 답 ②

유형따라잡기 pp. 30~35

기출유형 01 1	01. 3	02. 1	03. ③	
기출유형 02 ⑤	04. ④	05. ②	06. ③	
기출유형 03 ④	07. ③	08. ④	09. ②	10. ①
기출유형 04 ②	11. ①	12. ④	13. ⑤	14. ⑤
기출유형 05 ③	15. 40	16. 14	17. 4	18. 2
기출유형 06 ①	19. 2	20. ⑤	21. ②	22. ②

기출유형 01

Act ① 분모에서 밑이 가장 큰 항으로 분모, 분자를 나누어 $0<a<1$일 때, $\lim_{x\to\infty}a^x=0$임을 이용한다.

분모와 분자를 각각 5^x으로 나누면

$\lim_{x\to\infty}\frac{1+5^x}{3^x+5^x}=\lim_{x\to\infty}\frac{\left(\frac{1}{5}\right)^x+1}{\left(\frac{3}{5}\right)^x+1}=\frac{0+1}{0+1}=1$ 답 1

01 **Act ①** 분모에서 밑이 가장 큰 항으로 분모, 분자를 나누어 $0<a<1$일 때, $\lim_{x\to\infty}a^x=0$임을 이용한다.

$\lim_{x\to\infty}\frac{3^{x+1}-2^x}{3^x+2^x}=\lim_{x\to\infty}\frac{3-\left(\frac{2}{3}\right)^x}{1+\left(\frac{2}{3}\right)^x}=\frac{3-0}{1+0}=3$ 답 3

02 **Act ①** $\lim_{x\to\infty}\{\log_a f(x)-\log_a g(x)\}=\lim_{x\to\infty}\log_a\frac{f(x)}{g(x)}$임을 이용한다.

$\lim_{x\to\infty}\{\log_3(3x+1)-\log_3(x+2)\}$

$=\lim_{x\to\infty}\log_3\frac{3x+1}{x+2}$

$=\lim_{x\to\infty}\log_3\frac{3+\frac{1}{x}}{1+\frac{2}{x}}=1$ 답 1

03 **Act ①** 지수함수와 로그함수의 극한의 성질을 이용하여 [보기]의 참, 거짓을 판단한다.

$f(x)=\frac{b^x+\log_a x}{a^x+\log_b x}$에 대하여

ㄱ. $1<a<b$이면

$x>1$인 임의의 x에 대하여

$b^x>a^x$, $\log_a x>\log_b x$이므로

$b^x+\log_a x>a^x+\log_b x$

따라서 $\frac{b^x+\log_a x}{a^x+\log_b x}>1$이므로 $f(x)>1$이다. (참)

ㄴ. $b<a<1$이면

$\lim_{x\to\infty}a^x=0$, $\lim_{x\to\infty}b^x=0$,

$\lim_{x\to\infty}\log_b x=-\infty$, $\lim_{x\to\infty}\log_a x=-\infty$

즉 $\lim_{x\to\infty}f(x)=\frac{\infty}{\infty}$ 꼴이 되므로 분모, 분자를 $\log_b x$로 나누면

$$\lim_{x\to\infty}f(x)=\lim_{x\to\infty}\frac{\frac{b^x}{\log_b x}+\frac{\log_a x}{\log_b x}}{\frac{a^x}{\log_b x}+1}$$

$$=\frac{0+\frac{\log_a x}{\log_b x}}{0+1}=\frac{\log x}{\log a}\times\frac{\log b}{\log x}$$

$=\log_a b$ (거짓)

ㄷ. $\lim_{x\to0+}a^x=1$, $\lim_{x\to0+}b^x=1$,

$\lim_{x\to0+}\log_a x=\pm\infty$, $\lim_{x\to0+}\log_b x=\pm\infty$

$f(x)$의 분모, 분자를 $\log_b x$로 나누면

$$\lim_{x\to0+}f(x)=\lim_{x\to0+}\frac{\frac{b^x}{\log_b x}+\frac{\log_a x}{\log_b x}}{\frac{a^x}{\log_b x}+1}$$

$$=\frac{0+\frac{\log_a x}{\log_b x}}{0+1}=\frac{\log x}{\log a}\times\frac{\log b}{\log x}$$

$=\log_a b$ (참)

답 ③

기출유형 02

Act① $\lim_{\bigstar\to0}(1+\bigstar)^{\frac{1}{\bigstar}}$을 포함한 꼴로 변형한다.

$$\lim_{x\to0}\left\{(1+x)^{\frac{1}{x}}\right\}^5=e^5$$

답 ⑤

04 **Act① 주어진 식을 간단히 하여 $\lim_{\bigstar\to0}(1+\bigstar)^{\frac{1}{\bigstar}}$을 포함한 꼴로 변형한다.**

$$\frac{1}{2}\left(1+\frac{1}{n}\right)\left(1+\frac{1}{n+1}\right)\left(1+\frac{1}{n+2}\right)\cdots\left(1+\frac{1}{2n}\right)$$

$$=\frac{1}{2}\cdot\frac{n+1}{n}\cdot\frac{n+2}{n+1}\cdot\frac{n+3}{n+2}\cdot\cdots\cdot\frac{2n+1}{2n}$$

$$=\frac{1}{2}\cdot\frac{2n+1}{n}=\frac{2n+1}{2n}$$

이므로

$$\lim_{n\to\infty}\left\{\frac{1}{2}\left(1+\frac{1}{n}\right)\left(1+\frac{1}{n+1}\right)\left(1+\frac{1}{n+2}\right)\cdots\left(1+\frac{1}{2n}\right)\right\}^n$$

$$=\lim_{n\to\infty}\left(\frac{2n+1}{2n}\right)^n=\lim_{n\to\infty}\left(1+\frac{1}{2n}\right)^n$$

$$=\lim_{n\to\infty}\left\{\left(1+\frac{1}{2n}\right)^{2n}\right\}^{\frac{1}{2}}=e^{\frac{1}{2}}=\sqrt{e}$$

답 ④

05 **Act① $f(a)$를 구한 후 주어진 식을 $\lim_{\bigstar\to0}(1+\bigstar)^{\frac{1}{\bigstar}}$을 포함한 꼴로 변형한다.**

두 곡선 $y=e^{x-1}$과 $y=a^x$이 만나는 점의 x좌표는 방정식 $e^{x-1}=a^x$의 해이다.

양변에 $\frac{e}{a^x}$를 곱하면 $\left(\frac{e}{a}\right)^x=e$

$x=\frac{1}{\ln\frac{e}{a}}$이므로 $f(a)=\frac{1}{\ln\frac{e}{a}}$

$a-e=t$라 하면 $a=t+e$이고,

$a\to e+$일 때 $t\to0+$이므로

$$\lim_{a\to e+}\frac{1}{(e-a)f(a)}=\lim_{a\to e+}\frac{\ln\frac{e}{a}}{e-a}=\lim_{t\to0+}\frac{\ln\frac{e}{t+e}}{-t}$$

$$=\lim_{t\to0+}\ln\left(1+\frac{t}{e}\right)^{\frac{1}{t}}$$

$$=\lim_{t\to0+}\ln\left\{\left(1+\frac{t}{e}\right)^{\frac{e}{t}}\right\}^{\frac{1}{e}}=\frac{1}{e}$$

답 ②

06 **Act① $\lim_{\bigstar\to0}(1+\bigstar)^{\frac{1}{\bigstar}}$을 포함한 꼴로 변형하여 [보기]의 참, 거짓을 판단한다.**

ㄱ. $\lim_{x\to\infty}f(x)=\lim_{x\to\infty}\left(\frac{x}{x-1}\right)^x=\lim_{x\to\infty}\left(1+\frac{1}{x-1}\right)^x$

$$=\lim_{x\to\infty}\left\{\left(1+\frac{1}{x-1}\right)^{x-1}\right\}^{\frac{x}{x-1}}$$

$=e^1=e$ (참)

ㄴ. ㄱ에서 $\lim_{x\to\infty}f(x)=e$이므로

$x+1=t$라 하면 $\lim_{x\to\infty}f(x+1)=\lim_{t\to\infty}f(t)=e$

수렴하는 함수의 곱은 수렴하므로

$\lim_{x\to\infty}f(x)f(x+1)=\lim_{x\to\infty}f(x)\times\lim_{x\to\infty}f(x+1)$

$=e\times e=e^2$ (참)

ㄷ. $\lim_{x\to\infty}f(kx)=\lim_{x\to\infty}\left(\frac{kx}{kx-1}\right)^{kx}=\lim_{x\to\infty}\left(1+\frac{1}{kx-1}\right)^{kx}$

$$=\lim_{x\to\infty}\left\{\left(1+\frac{1}{kx-1}\right)^{kx-1}\right\}^{\frac{kx}{kx-1}}$$

$$=\lim_{t\to\infty}\left\{\left(1+\frac{1}{t}\right)^t\right\}^{\frac{t+1}{t}}$$

$=e^1=e$ (거짓)

따라서 옳은 것은 ㄱ, ㄴ이다.

답 ③

기출유형 03

Act① $\lim_{x\to0}\frac{\ln(1+ax)}{ax}=1$을 이용할 수 있도록 주어진 식을 변형한다.

$$\lim_{x\to0}\frac{\ln(1+8x)}{2x}=\lim_{x\to0}\left\{\frac{\ln(1+8x)}{8x}\times4\right\}$$

$$=4\times\lim_{x\to0}\ln(1+8x)^{\frac{1}{8x}}$$

$=4\times\ln e=4$

답 ④

07 **Act① $\lim_{x\to0}\frac{e^{ax}-1}{ax}=1$을 이용할 수 있도록 주어진 식을 변형한다.**

$$\lim_{x\to0}\frac{6x}{e^{4x}-e^{2x}}=\lim_{x\to0}\frac{1}{\frac{e^{4x}-1}{6x}-\frac{e^{2x}-1}{6x}}$$

$$=\lim_{x\to0}\frac{1}{\frac{e^{4x}-1}{4x}\times\frac{4}{6}-\frac{e^{2x}-1}{2x}\times\frac{2}{6}}$$

$$=\frac{1}{\frac{2}{3}-\frac{1}{3}}=3$$

답 ③

08 **Act① $\lim_{x\to0}\frac{\ln(1+ax)}{ax}=1$, $\lim_{x\to0}\frac{e^{ax}-1}{ax}=1$을 이용할 수 있도록 주어진 식을 변형한다.**

$$\lim_{x\to0}\frac{\ln(1+5x)}{e^{2x}-1}=\frac{5}{2}\lim_{x\to0}\frac{\ln(1+5x)}{5x}\times\lim_{x\to0}\frac{2x}{e^{2x}-1}$$
$$=\frac{5}{2}\times1\times1=\frac{5}{2}$$
답 ④

09 Act① $\lim_{x\to0}\frac{e^{ax}-1}{ax}=1$을 이용할 수 있도록 주어진 식을 변형한다.

$$\lim_{x\to0}\frac{f(x)}{x}=\lim_{x\to0}\frac{e^{x}-e^{-x}}{x}$$
$$=\lim_{x\to0}\frac{e^{x}-1+1-e^{-x}}{x}$$
$$=\lim_{x\to0}\left(\frac{e^{x}-1}{x}+\frac{e^{-x}-1}{-x}\right)$$
$$=1+1=2$$
답 ②

10 Act① $\lim_{x\to0}\frac{\ln(1+ax)}{ax}=1$을 이용할 수 있도록 좌변의 분자, 분모를 x로 나눈다.

$$\lim_{x\to0}\frac{f(x)}{\ln(1-x)}=\lim_{x\to0}\frac{\frac{f(x)}{x}}{\frac{\ln(1-x)}{x}}=4$$

이때 $\lim_{x\to0}\frac{\ln(1-x)}{x}=\lim_{x\to0}\frac{\ln(1-x)}{-x}\times(-1)$
$$=-\lim_{x\to0}\ln(1-x)^{\frac{1}{-x}}$$
$$=-\lim_{x\to0}\ln e=-1$$
이므로
$$\lim_{x\to0}\frac{f(x)}{x}=-4$$
답 ①

기출유형 04

Act① $\lim_{x\to0}\frac{\log_a(1+x)}{x}=\frac{1}{\ln a}$임을 이용한다.

$$\lim_{x\to0}\frac{\log_3(1+2x)}{6x}=\lim_{x\to0}\frac{\log_3(1+2x)}{2x}\times\frac{1}{3}$$
$$=\frac{1}{\ln 3}\times\frac{1}{3}=\frac{1}{3\ln 3}$$
답 ②

11 Act① $\lim_{x\to0}\frac{\log_a(1+x)}{x}=\frac{1}{\ln a}$임을 이용한다.

$$\lim_{x\to0}\frac{\log_3(3+x)-1}{x}=\lim_{x\to0}\frac{\log_3\left(1+\frac{x}{3}\right)}{x}$$
$$=\lim_{x\to0}\frac{\log_3\left(1+\frac{x}{3}\right)}{\frac{x}{3}}\times\frac{1}{3}$$
$$=\frac{1}{\ln 3}\times\frac{1}{3}=\frac{1}{3\ln 3}$$
답 ①

12 Act① $\lim_{x\to0}\frac{a^{x}-1}{x}=\ln a$를 이용할 수 있도록 주어진 식을 변형한다.

$$\lim_{x\to0}\frac{4^{x}-2^{x}}{x}=\lim_{x\to0}\frac{4^{x}-1-(2^{x}-1)}{x}$$
$$=\lim_{x\to0}\frac{4^{x}-1}{x}-\lim_{x\to0}\frac{2^{x}-1}{x}$$
$$=\ln 4-\ln 2$$
$$=2\ln 2-\ln 2=\ln 2$$
답 ④

13 Act① $\lim_{x\to0}\frac{a^{x}-1}{x}=\ln a$를 이용할 수 있도록 주어진 식을 변형한다.

$$\lim_{x\to0}\frac{(a+8)^{x}-a^{x}}{x}=\lim_{x\to0}\frac{(a+8)^{x}-1-a^{x}-1}{x}$$
$$=\ln(a+8)-\ln a$$
$$=\ln\frac{a+8}{a}=\ln 2$$

따라서 $\frac{a+8}{a}=2$이므로

$a+8=2a$ $\quad\therefore a=8$

답 ⑤

14 Act① $y=\log_a(x+t)$의 역함수는 $y=a^{x}-t$임을 이용한다.

$f(x)=\log_2(x+3)$의 역함수는 $g(x)=2^{x}-3$이므로
$$\lim_{x\to0}\frac{f(x-2)}{g(x)+2}=\lim_{x\to0}\frac{\log_2(x+1)}{2^{x}-1}$$
$$=\lim_{x\to0}\frac{\log_2(x+1)}{x}\times\lim_{x\to0}\frac{x}{2^{x}-1}$$
$$=\frac{1}{\ln 2}\times\frac{1}{\ln 2}=\frac{1}{(\ln 2)^2}$$
답 ⑤

기출유형 05

Act① $y=e^{x}$이면 $y'=e^{x}$임을 이용한다.

곱의 미분법에 의하여

$f'(x)=2e^{x}+(2x+6)e^{x}$

$\therefore f'(0)=2+6=8$

답 ③

15 Act① $y=e^{x}$이면 $y'=e^{x}$임을 이용한다.

곱의 미분법에 의하여

$f'(x)=5e^{x}+(5x+3)e^{x}$
$\quad=(5x+8)e^{x}$

따라서 $a=5$, $b=8$이므로 $ab=40$

답 40

16 Act① $y=\ln x$이면 $y'=\frac{1}{x}$임을 이용한다.

곱의 미분법에 의하여

$f'(x)=\ln x+x\times\frac{1}{x}+13=\ln x+14$

$\therefore f'(1)=14$

답 14

17 Act① $y=\ln x$이면 $y'=\frac{1}{x}$임을 이용한다.

곱의 미분법에 의하여

$f'(x)=3x^2\ln x+x^3\times\frac{1}{x}=3x^2\ln x+x^2$

이므로

$f'(e)=3e^2\ln e+e^2=4e^2$

$\therefore \frac{f'(e)}{e^2}=4$

답 4

18 **Act①** $y=a^x$이면 $y'=a^x\ln a$임을 이용한다.

곱의 미분법에 의하여

$f'(x)=4^x+(x+a)\times 4^x\ln 4$

$=4^x\{1+(x+a)\ln 4\}$

이때 $f'(0)=1+4\ln 2$이므로

$1\times(1+a\ln 4)=1+4\ln 2$

$a\ln 4=4\ln 2$, $2a\ln 2=4\ln 2$

$\therefore a=2$ 답 2

기출유형 06

Act① 함수 $f(x)$가 $x=0$에서 연속이면 $\lim_{x\to 0-}f(x)=\lim_{x\to 0+}f(x)=f(0)$임을 이용한다.

함수 $f(x)$가 $x=0$에서 연속이므로

$\lim_{x\to 0-}f(x)=\lim_{x\to 0+}f(x)=f(0)$

$\lim_{x\to 0-}\frac{e^{ax}-1}{4x}=\lim_{x\to 0-}\frac{e^{ax}-1}{ax}\times\frac{a}{4}=\frac{a}{4}$

$\lim_{x\to 0+}(x^2+4x+1)=1$

$f(0)=1$

따라서 $\frac{a}{4}=1$이므로 $a=4$ 답 ①

19 **Act①** 함수 $f(x)$가 $x=1$에서 연속이면 $\lim_{x\to 1}f(x)=f(1)$임을 이용한다.

$f(x)$가 $x=1$에서 연속이므로 $\lim_{x\to 1}f(x)=f(1)$에서

$\lim_{x\to 1}\frac{e^{2x-2}-1}{x-1}=a$

$\lim_{t\to 0}\frac{e^{2t}-1}{t}=\lim_{t\to 0}\frac{e^{2t}-1}{2t}\times 2=2=a$ 답 2

20 **Act①** 함수 $(g\circ f)(x)$가 $x=1$에서 연속이면 $\lim_{x\to 1-}(g\circ f)(x)=\lim_{x\to 1+}(g\circ f)(x)=(g\circ f)(1)$임을 이용한다.

$\lim_{x\to 1-}(g\circ f)(x)=g(a)=2^a+2^{-a}$

$\lim_{x\to 1+}(g\circ f)(x)=g(1)=\frac{5}{2}$

$(g\circ f)(1)=g(1)=\frac{5}{2}$

$(g\circ f)(x)$가 $x=1$에서 연속이므로

$2^a+2^{-a}=\frac{5}{2}$

$2\cdot 2^{2a}-5\cdot 2^a+2=0$

$(2\cdot 2^a-1)(2^a-2)=0$

$2^a=\frac{1}{2}$ 또는 $2^a=2$

$\therefore a=-1$ 또는 $a=1$

따라서 모든 실수 a의 값의 곱은 -1이다. 답 ⑤

21 **Act①** 함수 $f(x)$가 $x=0$에서 미분가능하면 $f'(0)$이 존재함을 이용한다.

$g(x)=(3x+1)e^x\ (x\le 0)$, $h(x)=ax+1\ (x>0)$

이라 하면

$g'(x)=3e^x+(3x+1)e^x=(3x+4)e^x$, $h'(x)=a$이고 $x=0$에서 미분가능하므로

$\lim_{x\to 0-}g'(x)=\lim_{x\to 0+}h'(x)$

$4e^0=a$ $\therefore a=4$ 답 ②

22 **Act①** 함수 $f(x)$가 $x=1$에서 미분가능하면 $f(x)$는 $x=1$에서 연속이고 $f'(1)$이 존재함을 이용한다.

$g(x)=ax^2+1\ (x<1)$, $h(x)=\ln x+b\ (x\ge 1)$

라 하면 $x=1$에서 연속이므로

$\lim_{x\to 1-}g(x)=\lim_{x\to 1+}h(x)=g(0)$

$a+1=b$ ...... ㉠

$g'(x)=2ax$, $h'(x)=\frac{1}{x}$이고, $x=1$에서 미분가능하므로

$\lim_{x\to 1-}g'(x)=\lim_{x\to 1+}h'(x)$

$2a=1$ ...... ㉡

㉠, ㉡에서 $a=\frac{1}{2}$, $b=\frac{3}{2}$

$\therefore a+b=2$ 답 ②

VIT Very Important Test pp. 36~37

01. ④	02. ③	03. ③	04. ⑤	05. ①
06. ①	07. 1	08. 7	09. 4	10. 27
11. ④				

01

$\lim_{x\to\infty}x\{\ln(4x+1)-\ln 4x\}$

$=\lim_{x\to\infty}x\ln\frac{4x+1}{4x}$

$=\lim_{x\to\infty}x\ln\left(1+\frac{1}{4x}\right)$

$=\frac{1}{4}\lim_{x\to\infty}\ln\left(1+\frac{1}{4x}\right)^{4x}$

$=\frac{1}{4}\ln e=\frac{1}{4}$ 답 ④

02

$\lim_{x\to\infty}\left(1+\frac{1}{2x}\right)^{2x}=e$, $\lim_{x\to\infty}\left(1+\frac{1}{4x}\right)^{4x}=e$

이므로

$\lim_{x\to\infty}\left\{\left(1+\frac{1}{2x}\right)\left(1+\frac{1}{4x}\right)\right\}^x$

$=\lim_{x\to\infty}\left(1+\frac{1}{2x}\right)^x\left(1+\frac{1}{4x}\right)^x$

$=\lim_{x\to\infty}\left\{\left(1+\frac{1}{2x}\right)^{2x}\right\}^{\frac{1}{2}}\left\{\left(1+\frac{1}{4x}\right)^{4x}\right\}^{\frac{1}{4}}$

$=e^{\frac{1}{2}}\times e^{\frac{1}{4}}=e^{\frac{3}{4}}$

$\therefore k=\frac{3}{4}$ 답 ③

03

$x\ne 1$일 때, $f(x)=\frac{e^{2x-2}-1}{x-1}$

함수 $f(x)$가 $x=1$에서 연속이고

$x-1=t$로 놓으면 $x\to1$일 때 $t\to0$이므로

$$f(1)=\lim_{x\to1}f(x)=\lim_{x\to1}\frac{e^{2x-2}-1}{x-1}$$
$$=\lim_{x\to1}\frac{e^{2(x-1)}-1}{x-1}=\lim_{t\to0}\frac{e^{2t}-1}{t}$$
$$=\lim_{t\to0}\frac{e^{2t}-1}{2t}\times2=2$$

답 ③

04

$x\to0$일 때, (분자)$\to0$이므로 (분모)$\to0$이어야 한다.

즉 $\lim_{x\to0}(e^{ax+b}-1)=0$ $\therefore b=0$

$$\lim_{x\to0}\frac{\ln(1+cx)}{e^{ax}-1}$$
$$=\lim_{x\to0}\frac{\ln(1+cx)}{cx}\times\frac{ax}{e^{ax}-1}\times\frac{cx}{ax}$$
$$=\frac{c}{a}=5$$
$$\therefore \frac{c}{a+b}=\frac{c}{a}=5$$

답 ⑤

05

$$\lim_{x\to0}\frac{\log_2(1-2x)}{x}=\lim_{x\to0}\frac{\ln(1-2x)}{x\ln2}$$
$$=\lim_{x\to0}\frac{\ln(1-2x)}{-2x}\times\left(-\frac{2}{\ln2}\right)$$
$$=-\frac{2}{\ln2}$$

답 ①

06

$f(x)=\log_3x$에서 $f'(x)=\frac{1}{x\ln3}$

$g(x)=3^x$에서 $g'(x)=3^x\ln3$

$$\therefore \frac{f'(2)}{g'(2)}=\frac{\frac{1}{2\ln3}}{3^2\ln3}=\frac{1}{18(\ln3)^2}$$

답 ①

07

$f(x)=x\ln x+ax^2$에서

$f'(x)=\ln x+1+2ax$

$$\lim_{h\to0}\frac{f(1+h)-f(1-h)}{h}$$
$$=\lim_{h\to0}\frac{f(1+h)-f(1)-f(1-h)+f(1)}{h}$$
$$=\lim_{h\to0}\frac{f(1+h)-f(1)}{h}+\lim_{h\to0}\frac{f(1-h)-f(1)}{-h}$$
$$=f'(1)+f'(1)$$
$$=2f'(1)$$
$$=2(1+2a)$$

이때 $2(1+2a)=6$이므로 $1+2a=3$

$\therefore a=1$

답 1

08

$f(x)=e^x+e^{2x}+e^{3x}+\cdots+e^{nx}$이라 하면

$f(0)=n$이고

$f'(x)=e^x+2e^{2x}+3e^{3x}+\cdots+ne^{nx}$

$$\lim_{x\to0}\frac{e^x+e^{2x}+e^{3x}+\cdots+e^{nx}-n}{x}$$
$$=\lim_{x\to0}\frac{f(x)-f(0)}{x}$$
$$=f'(0)$$
$$=1+2+3+\cdots+n$$
$$=\frac{n(n+1)}{2}$$

이때 $\frac{n(n+1)}{2}=28$이므로

$n^2+n-56=0$

$(n-7)(n+8)=0$ $\therefore n=7$

답 7

09

함수 $f(x)$가 실수 전체의 집합에서 미분가능하므로 $x=0$에서 연속이다.

즉 $\lim_{x\to0-}f(x)=\lim_{x\to0+}f(x)=f(0)$이므로

$\lim_{x\to0-}ae^x=\lim_{x\to0+}\{\ln(bx+1)+2\}=a$ $\therefore a=2$

또 함수 $f(x)$는 $x=0$에서 미분가능하므로

$$\lim_{x\to0-}\frac{f(x)-f(0)}{x}=\lim_{x\to0+}\frac{f(x)-f(0)}{x}$$

이다.

$$\lim_{x\to0-}\frac{f(x)-f(0)}{x}=\lim_{x\to0-}\frac{2e^x-2}{x}$$
$$=2\lim_{x\to0-}\frac{e^x-1}{x}$$
$$=2\times1=2$$
$$\lim_{x\to0+}\frac{f(x)-f(0)}{x}=\lim_{x\to0+}\frac{\{\ln(bx+1)+2\}-2}{x}$$
$$=\lim_{x\to0+}\frac{\ln(bx+1)}{x}$$
$$=\lim_{x\to0+}\frac{b}{bx}\ln(1+bx)$$
$$=b\lim_{x\to0+}\ln(1+bx)^{\frac{1}{bx}}$$
$$=b\times1=b$$

$\therefore b=2$

따라서 $a=2$, $b=2$이므로 $a+b=4$

답 4

10

조건 (가)에서

$$\lim_{x\to\infty}\frac{x^3\ln\left(1+\frac{3}{x}\right)}{f(x)}=3\lim_{x\to\infty}\frac{x}{3}\ln\left(1+\frac{3}{x}\right)\times\lim_{x\to\infty}\frac{x^2}{f(x)}$$
$$=3\lim_{x\to\infty}\ln\left(1+\frac{3}{x}\right)^{\frac{x}{3}}\times\lim_{x\to\infty}\frac{x^2}{f(x)}$$
$$=3\lim_{x\to\infty}\frac{x^2}{f(x)}=\frac{1}{6}$$
$$\therefore \lim_{x\to\infty}\frac{x^2}{f(x)}=\frac{1}{18}$$

$f(x)$는 다항함수이므로 $f(x)=18x^2+ax+b$ (단, a, b는 상수)

로 놓을 수 있다.
조건 (나)에서 $x\to0$일 때 (분모)$\to0$이므로 (분자)$\to0$이어야 한다.

$\lim_{x\to0}f(x)=\lim_{x\to0}(18x^2+ax+b)=b=0$

$\therefore f(x)=18x^2+ax$

$$\lim_{x\to0}\frac{f(x)}{e^{3x}-1}=\lim_{x\to0}\frac{18x^2+ax}{e^{3x}-1}$$
$$=\lim_{x\to0}\frac{3x}{e^{3x}-1}\times\lim_{x\to0}\frac{18x^2+ax}{3x}$$
$$=1\times\lim_{x\to0}\frac{18x+a}{3}$$
$$=\frac{a}{3}=3$$

$\therefore a=9$

따라서 $f(x)=18x^2+9x$이므로 $f(1)=27$ 답 27

11

$f(x)$가 $x=1$에서 미분가능하므로

$\lim_{x\to1}\frac{f(x)+2}{x-1}=\frac{3}{5}$에서 $f(1)=-2,\ f'(1)=\frac{3}{5}$

한편,

$$g'(x)=(\ln x+7)'f(x)+(\ln x+7)f'(x)$$
$$=\frac{1}{x}f(x)+(\ln x+7)f'(x)$$

이므로

$$g'(1)=f(1)+(\ln 1+7)'f(1)$$
$$=f(1)+7'f(1)$$
$$=-2+7\times\frac{3}{5}=\frac{11}{5}$$
답 ④

04 삼각함수의 미분

p. 39

01. ①	02. ④	03. 2	04. ③	05. ③
06. 9				

01 코사인함수의 덧셈정리에 의하여

$\cos(\alpha+\beta)=\cos\alpha\cos\beta-\sin\alpha\sin\beta=\frac{5}{7}$

$\cos\alpha\cos\beta=\frac{4}{7}$이므로

$\frac{4}{7}-\sin\alpha\sin\beta=\frac{5}{7}$

$\therefore \sin\alpha\sin\beta=-\frac{1}{7}$ 답 ①

02 두 직선 $y=x$, $y=-2x$가 x축의 양의 방향과 이루는 각의 크기를 각각 α, β라 하면 $\tan\alpha=1$, $\tan\beta=-2$이다.

$$\therefore \tan\theta=|\tan(\alpha-\beta)|$$
$$=\left|\frac{\tan\alpha-\tan\beta}{1+\tan\alpha\tan\beta}\right|$$
$$=\left|\frac{1-(-2)}{1+1\times(-2)}\right|=3$$
답 ④

03 $$\lim_{x\to0}\frac{\sin 2x}{x\cos x}=\lim_{x\to0}\left(\frac{\sin 2x}{2x}\times\frac{2}{\cos x}\right)$$
$$=1\times\frac{2}{1}=2$$
답 2

04 $$\lim_{x\to0}\frac{\ln(1+5x)}{\sin 3x}=\lim_{x\to0}\left\{\frac{\ln(1+5x)}{5x}\times\frac{3x}{\sin 3x}\times\frac{5}{3}\right\}$$
$$=\lim_{x\to0}\frac{\ln(1+5x)}{5x}\times\lim_{x\to0}\frac{3x}{\sin 3x}\times\frac{5}{3}$$
$$=1\times1\times\frac{5}{3}=\frac{5}{3}$$
답 ③

05 $f(x)=\sin x-4x$에서

$f'(x)=\cos x-4$이므로

$f'(0)=1-4=-3$ 답 ③

06 $$\lim_{h\to0}\frac{f(\pi+3h)-f(\pi)}{h}=\lim_{h\to0}\frac{f(\pi+3h)-f(\pi)}{3h}\times3=3f'(\pi)$$

$f'(x)=-\sin x-3\cos x$이므로 $f'(\pi)=3$

$\therefore 3f'(\pi)=9$ 답 9

유형따라잡기 pp. 40~43

기출유형 01 ②	01. ③	02. 16	03. 12	04. ④
기출유형 02 ②	05. ④	06. 2	07. ⑤	
기출유형 03 2	08. 1	09. 20	10. ③	11. 14
기출유형 04 ⑤	12. ⑤	13. ⑤	14. ⑤	15. ④

기출유형 01

Act① 두 각의 합, 차에 대한 삼각함수의 값은 삼각함수의 덧셈정리를 이용한다.

$\sin\alpha=\frac{3}{5}$이고 $0<\alpha<\frac{\pi}{2}$일 때 $\cos\alpha>0$이므로

$\cos\alpha=\sqrt{1-\sin^2\alpha}=\sqrt{1-\left(\frac{3}{5}\right)^2}=\frac{4}{5}$

$\cos\beta=\frac{\sqrt{5}}{5}$이고 $0<\alpha<\frac{\pi}{2}$일 때 $\sin\beta>0$이므로

$\sin\beta=\sqrt{1-\cos^2\beta}=\sqrt{1-\left(\frac{\sqrt{5}}{5}\right)^2}=\frac{2\sqrt{5}}{5}$

사인함수의 덧셈정리에 의하여

$$\sin(\beta-\alpha)=\sin\beta\cos\alpha-\cos\beta\sin\alpha$$
$$=\left(\frac{2\sqrt{5}}{5}\times\frac{4}{5}\right)-\left(\frac{\sqrt{5}}{5}\times\frac{3}{5}\right)=\frac{\sqrt{5}}{5}$$
답 ②

01 **Act① 두 각의 합, 차에 대한 삼각함수의 값은 삼각함수의 덧셈정리를 이용한다.**

$\tan\theta=-\sqrt{2}$이므로 $\sin\theta=\frac{\sqrt{6}}{3}\ \left(\because \frac{\pi}{2}<\theta<\pi\right)$

$$\therefore \sin\theta\tan2\theta=\sin\theta\times\frac{2\tan\theta}{1-\tan^2\theta}$$

$=\frac{\sqrt{6}}{3}\times\frac{2(-\sqrt{2})}{1-(-\sqrt{2})^2}$

$=\frac{4\sqrt{3}}{3}$ 답 ③

02 **Act①** **두 각의 합, 차에 대한 삼각함수의 값은 삼각함수의 덧셈 정리를 이용한다.**

$2\sin\left(\theta-\frac{\pi}{3}\right)+\sqrt{3}\cos\theta$

$=2\left(\sin\theta\cos\frac{\pi}{3}-\cos\theta\sin\frac{\pi}{3}\right)+\sqrt{3}\cos\theta$

$=\sin\theta-\sqrt{3}\cos\theta+\sqrt{3}\cos\theta$

$=\sin\theta$

$=\frac{4}{5}$

따라서 $p=\frac{4}{5}$이므로 $20p=16$ 답 16

03 **Act①** **두 각의 합, 차에 대한 삼각함수의 값은 삼각함수의 덧셈 정리를 이용한다.**

$\tan 2\alpha=\frac{2\tan\alpha}{1-\tan^2\alpha}=\frac{5}{12}$에서 $\tan\alpha=p$이므로

$24p=5-5p^2$

$5p^2+24p-5=0$

$(5p-1)(p+5)=0$

$0<\alpha<\frac{\pi}{4}$, 즉 $0<p<1$이므로 $p=\frac{1}{5}$

$\therefore 60p=12$ 답 12

04 **Act①** **주어진 조건에서 $\tan C$의 값을 구한 후 삼각함수의 덧셈 정리를 이용한다.**

$\tan C=\tan(\pi-(\alpha+\beta))$

$=-\tan(\alpha+\beta)$

$=\frac{3}{2}$

삼각형 ABC는 $\overline{AB}=\overline{AC}$인 이등변삼각형이므로

$\tan\beta=\tan C=\frac{3}{2}$

$\therefore \tan\alpha=\tan(\pi-2\beta)=-\tan 2\beta$

$=-\frac{2\tan\beta}{1-\tan^2\beta}=-\frac{2\times\frac{3}{2}}{1-\left(\frac{3}{2}\right)^2}$

$=\frac{12}{5}$ 답 ④

기출유형 02

Act① **두 직선이 이루는 예각에 대한 탄젠트함수의 값은 $|\tan(\alpha-\beta)|=\left|\frac{\tan\alpha-\tan\beta}{1+\tan\alpha\tan\beta}\right|$를 이용하여 구한다.**

두 직선 $y=3x-1$, $y=\frac{1}{2}x+3$이 x축의 양의 방향과 이루는 각의 크기를 각각 α, β라 하면 $\tan\alpha=3$, $\tan\beta=\frac{1}{2}$이다.

$\therefore \tan\theta=|\tan(\alpha-\beta)|$

$=\left|\frac{\tan\alpha-\tan\beta}{1+\tan\alpha\tan\beta}\right|$

$=\left|\frac{3-\frac{1}{2}}{1+3\times\frac{1}{2}}\right|=1$ 답 ②

05 **Act①** **두 직선이 이루는 예각에 대한 탄젠트함수의 값은 $|\tan(\alpha-\beta)|=\left|\frac{\tan\alpha-\tan\beta}{1+\tan\alpha\tan\beta}\right|$를 이용하여 구한다.**

두 직선 $x-y-1=0$, $ax-y+1=0$이 x축의 양의 방향과 이루는 각의 크기를 각각 α, β라 하면 $\tan\alpha=1$, $\tan\beta=a$이다.

$\therefore \tan\theta=|\tan(\alpha-\beta)|$

$=\left|\frac{\tan\alpha-\tan\beta}{1+\tan\alpha\tan\beta}\right|$

$=\left|\frac{1-a}{1+a}\right|=\frac{1}{4}$

이때 $a>1$이므로

$\frac{a-1}{1+a}=\frac{1}{4}$

$4a-4=1+a$

$\therefore a=\frac{5}{3}$ 답 ④

06 **Act①** **두 직선이 이루는 예각에 대한 탄젠트함수의 값은 $|\tan(\alpha-\beta)|=\left|\frac{\tan\alpha-\tan\beta}{1+\tan\alpha\tan\beta}\right|$를 이용하여 구한다.**

$y=\frac{5}{3}x$의 기울기는 $\tan 2\theta=\frac{5}{3}$이므로

탄젠트함수의 덧셈정리에서

$\tan 2\theta=\frac{2\tan\theta}{1-\tan^2\theta}=\frac{5}{3}$

$6\tan\theta=5-5\tan^2\theta$, $5\tan^2\theta+6\tan\theta-5=0$

이차방정식의 근의 공식에서

$\tan\theta=\frac{-3+\sqrt{34}}{5}$ $\left(\because 0<\theta<\frac{\pi}{2}\right)$

따라서 $p=5$, $q=-3$이므로

$p+q=2$ 답 2

07 **Act①** **$\angle ACB=\alpha$라 놓고 삼각형 ABC의 넓이가 2임을 이용하여 $\sin\alpha$의 값을 구한다.**

$\angle ACB=\alpha$라 하면 삼각형 ABC의 넓이가 2이므로

$\frac{1}{2}\times4\times3\times\sin\alpha=6\sin\alpha=2$ $\therefore \sin\alpha=\frac{1}{3}$

중심각과 원주각의 관계에서 $\theta=2\alpha$이므로

$\sin\theta=\sin 2\alpha=2\sin\alpha\cos\alpha$

$=2\times\frac{1}{3}\times\sqrt{1-\left(\frac{1}{3}\right)^2}$

$=2\times\frac{1}{3}\times\frac{2\sqrt{2}}{3}=\frac{4\sqrt{2}}{9}$ 답 ⑤

기출유형 03

Act① **주어진 식을 $\lim_{★\to0}\frac{\sin★}{★}$, $\lim_{▲\to0}\frac{\tan▲}{▲}$ 꼴로 변형하여 계**

산한다.

$$\lim_{x\to0}\frac{\sin 2x\tan x}{x^2}=\lim_{x\to0}\left(2\times\frac{\sin 2x}{2x}\times\frac{\tan x}{x}\right)$$
$$=2\times1\times1=2$$

답 2

08 **Act①** 주어진 식을 $\lim_{★\to0}\frac{\sin★}{★}$, $\lim_{▲\to0}\frac{\tan▲}{▲}$ 꼴로 변형하여 계산한다.

$$\lim_{x\to0}\frac{2-2\cos x}{x\tan x}=\lim_{x\to0}\frac{2(1-\cos x)(1+\cos x)}{x\tan x(1+\cos x)}$$
$$=\lim_{x\to0}\frac{2(1-\cos^2 x)}{x\tan x(1+\cos x)}$$
$$=\lim_{x\to0}\frac{2\sin^2 x}{x\tan x(1+\cos x)}$$
$$=\lim_{x\to0}\left(2\times\frac{\sin^2 x}{x^2}\times\frac{x}{\tan x}\times\frac{1}{1+\cos x}\right)$$
$$=2\times1\times1\times\frac{1}{2}=1$$

답 1

09 **Act①** 주어진 식을 $\lim_{★\to0}\frac{\sin★}{★}$ 꼴로 변형하여 계산한다.

$$f(\theta)=1-\frac{1}{1+2\sin\theta}$$
$$=\frac{1+2\sin\theta-1}{1+2\sin\theta}$$
$$=\frac{2\sin\theta}{1+2\sin\theta}$$

이므로

$$\lim_{\theta\to0}\frac{10f(\theta)}{\theta}=10\lim_{\theta\to0}\frac{\frac{2\sin\theta}{1+2\sin\theta}}{\theta}$$
$$=10\lim_{\theta\to0}\left(\frac{2\sin\theta}{\theta}\times\frac{1}{1+2\sin\theta}\right)$$
$$=10\times2=20$$

답 20

10 **Act①** 주어진 식을 $\lim_{●\to0}\frac{e^{●}-1}{●}$, $\lim_{▲\to0}\frac{\tan▲}{▲}$, $\lim_{★\to0}\frac{\sin★}{★}$ 꼴로 변형하여 계산한다.

$$\lim_{x\to0}\frac{e^{2x^2}-1}{\tan x\sin 2x}=\lim_{x\to0}\left(\frac{e^{2x^2}-1}{2x^2}\times\frac{x}{\tan x}\times\frac{2x}{\sin 2x}\right)$$
$$=1\times1\times1=1$$

답 ③

11 **Act①** 0이 아닌 극한값이 존재하고 (분자)$\to$0이므로 (분모)$\to$0임을 이용하여 a의 값을 구한다.

0이 아닌 극한값이 존재하고 (분자)$\to$0이므로 (분모)$\to$0이어야 한다.

즉 $2-a=0$이므로 $a=2$

$$\lim_{x\to0}\frac{\sin 7x}{2^{x+1}-2}=\lim_{x\to0}\frac{\sin 7x}{2(2^x-1)}$$
$$=\lim_{x\to0}\frac{\frac{\sin 7x}{7x}\times7}{2\times\frac{2^x-1}{x}}=\frac{7}{2\ln 2}$$

이므로 $b=7$

$\therefore\ ab=2\times7=14$

답 14

기출유형 04

Act① $y=\sin x$이면 $y'=\cos x$임을 이용한다.

$f(x)=(x+\pi)\sin x$에서

$f'(x)=\sin x+(x+\pi)\cos x$이므로

$f'(0)=\sin 0+(0+\pi)\cos 0=\pi$

답 ⑤

12 **Act①** $y=\sin x$이면 $y'=\cos x$임을 이용하여 $f'(\pi)$의 값을 구한다.

$$\lim_{x\to\pi}\frac{f(x)-f(\pi)}{x-\pi}=f'(\pi)$$

$f(x)=\frac{x}{2}+\sin x$에서

$f'(x)=\frac{1}{2}+\cos x$이므로

$f'(\pi)=\frac{1}{2}+\cos\pi=-\frac{1}{2}$

답 ⑤

13 **Act①** $y=\sin x$이면 $y'=\cos x$, $y=\cos x$이면 $y'=-\sin x$임을 이용하여 $-2f'(\pi)$의 값을 구한다.

$$\lim_{h\to0}\frac{f(\pi-2h)-f(\pi)}{h}=\lim_{h\to0}\left\{\frac{f(\pi-2h)-f(\pi)}{-2h}\times(-2)\right\}$$
$$=-2f'(\pi)$$

$f(x)=x\sin x+\cos x$에서

$f'(x)=x\cos x$이므로

$-2f'(\pi)=2\pi$

답 ⑤

14 **Act①** $y=\sin x$이면 $y'=\cos x$, $y=\cos x$이면 $y'=-\sin x$임을 이용하여 주어진 조건을 만족시키는 $\cos^2 a$의 값을 구한다.

$$\lim_{x\to a}\frac{\{f(x)\}^2-\{f(a)\}^2}{x-a}=\lim_{x\to a}\frac{\{f(x)-f(a)\}\{f(x)+f(a)\}}{x-a}$$
$$=2f'(a)f(a)=1$$

$f(x)=\sin x+\cos x$에서

$f'(x)=\cos x-\sin x$이므로

$$2(\cos a-\sin a)(\sin a+\cos a)=2(\cos^2 a-\sin^2 a)$$
$$=4\cos^2 a-2=1$$

$\therefore\ \cos^2 a=\frac{3}{4}$

답 ⑤

15 **Act①** 삼각함수의 미분법과 삼각함수의 덧셈정리를 이용하여 $\tan\alpha$의 값을 구한다.

$f'(x)=\cos(x+\alpha)-2\sin(x+\alpha)$이므로

$$f'\left(\frac{\pi}{4}\right)=\cos\left(\frac{\pi}{4}+\alpha\right)-2\sin\left(\frac{\pi}{4}+\alpha\right)=0$$

즉 $\cos\left(\frac{\pi}{4}+\alpha\right)=2\sin\left(\frac{\pi}{4}+\alpha\right)$에서

$\tan\left(\frac{\pi}{4}+\alpha\right)=\frac{1}{2}$

탄젠트함수의 덧셈정리에 의하여

$$\frac{\tan\frac{\pi}{4}+\tan\alpha}{1-\tan\frac{\pi}{4}\tan\alpha}=\frac{1}{2},\ \frac{1+\tan\alpha}{1-\tan\alpha}=\frac{1}{2}$$

$2(1+\tan\alpha)=1-\tan\alpha$

$\therefore\ \tan\alpha=-\frac{1}{3}$

답 ④

VIT Very Important Test pp. 44~45

01. ①	02. ②	03. ③	04. ③	05. ④
06. ⑤	07. 4	08. ③	09. ②	10. ③
11. ②	12. ②			

01
이차방정식의 근과 계수의 관계에 의하여

$\tan\alpha+\tan\beta=\frac{5}{3}$, $\tan\alpha\tan\beta=\frac{2}{3}$

$\therefore \tan(\alpha+\beta)=\frac{\tan\alpha+\tan\beta}{1-\tan\alpha\tan\beta}$

$=\frac{\frac{5}{3}}{1-\frac{2}{3}}=5$

답 ①

02
$\cos^2\alpha=1-\sin^2\alpha=1-\left(\frac{3}{5}\right)^2=\frac{16}{25}$

$0<\alpha<\frac{\pi}{2}$에서 $\cos\alpha>0$이므로

$\cos\alpha=\frac{4}{5}$

$\sin^2\beta=1-\cos^2\beta=1-\left(\frac{5}{13}\right)^2=\frac{144}{169}$

$\frac{3}{2}\pi<\beta<2\pi$에서 $\sin\beta<0$이므로

$\sin\beta=-\frac{12}{13}$

$\therefore \cos(\alpha-\beta)=\cos\alpha\cos\beta+\sin\alpha\sin\beta$

$=\frac{4}{5}\times\frac{5}{13}+\frac{3}{5}\times\left(-\frac{12}{13}\right)$

$=-\frac{16}{65}$

답 ②

03
두 직선 $2x-y+3=0$, $ax+y-2=0$이 x축의 양의 방향과 이루는 각의 크기를 각각 α, β라 하면

$\tan\alpha=2$, $\tan\beta=-a$

$|\tan(\alpha-\beta)|=\left|\frac{\tan\alpha-\tan\beta}{1+\tan\alpha\tan\beta}\right|$

$=\left|\frac{2+a}{1-2a}\right|$

$=\tan\frac{\pi}{4}$

즉 $\left|\frac{2+a}{1-2a}\right|=1$이고 $a>\frac{1}{2}$이므로

$\frac{2+a}{2a-1}=1$

$2+a=2a-1$

$\therefore a=3$

답 ③

04
$\lim_{x\to0}\frac{\tan(\sin 3x)}{\sin 2x}$

$=\lim_{x\to0}\left\{\frac{\tan(\sin 3x)}{\sin 3x}\times\frac{\sin 3x}{\sin 2x}\right\}$

$=1\times\frac{3}{2}=\frac{3}{2}$

답 ③

05
$\lim_{x\to0}\ln(x+b)=\ln b=0 \qquad \therefore b=1$

$\lim_{x\to0}\frac{\sin ax}{\ln(1+x)}$

$=\lim_{x\to0}\left\{\frac{\sin ax}{ax}\times\frac{x}{\ln(1+x)}\times a\right\}$

$=1\times1\times a=a=3 \qquad \therefore a+b=4$

답 ④

06
$\lim_{x\to0}\frac{f(x)}{x+\sin x}$

$=\lim_{x\to0}\left\{\frac{f(x)}{x-\sin x}\times\frac{x-\sin x}{x+\sin x}\right\}$

$=\lim_{x\to0}\left\{\frac{f(x)}{x-\sin x}\times\frac{1-\frac{\sin x}{x}}{1+\frac{\sin x}{x}}\right\}$

$=4\times\frac{1-1}{1+1}$

$=0$

답 ⑤

07
$\lim_{x\to0}\frac{f(1+\cos x)-f(2)}{x^2}$

$=\lim_{x\to0}\left\{\frac{f(1+\cos x)-f(2)}{(1+\cos x)-2}\times\frac{\cos x-1}{x^2}\right\}$

$=f'(2)\times\lim_{x\to0}\frac{-(1-\cos x)(1+\cos x)}{x^2(1+\cos x)}$

$=-f'(2)\times\lim_{x\to0}\frac{\sin^2 x}{x^2(1+\cos x)}$

$=-f'(2)\times\frac{1}{2}=-\frac{1}{2}f'(2)$

$=-\frac{1}{2}\times(-8)=4$

답 4

08
$f'(x)=e^x\sin x+e^x\cos x$이므로

$f'(\pi)=e^\pi\sin\pi+e^\pi\cos\pi=-e^\pi$

$g'(x)=e^x\cos x-e^x\sin x$이므로

$g'(\pi)=e^\pi\cos\pi-e^\pi\sin\pi=-e^\pi$

$\therefore f'(\pi)-g'(\pi)=0$

답 ③

09
$\lim_{h\to0}\frac{f(\pi+3h)-f(\pi-h)}{h}$

$=\lim_{h\to0}\frac{f(\pi+3h)-f(\pi)-f(\pi-h)-f(\pi)}{h}$

$=\lim_{h\to0}\left\{\frac{f(\pi+3h)-f(\pi)}{3h}\times3+\frac{f(\pi-h)-f(\pi)}{-h}\right\}$

$=3f'(\pi)+f'(\pi)=4f'(\pi)$

이때

$f'(x)=1\times\cos x+x\times(-\sin x)=\cos x-x\sin x$

이므로

$4f'(\pi)=4(\cos\pi-\pi\sin\pi)=4(-1-0)=-4$ 답 ②

10

$\lim_{h\to0}\frac{f(\pi-2h)-f(\pi)}{h}$

$=\lim_{h\to0}\frac{f(\pi-2h)-f(\pi)}{-2h}\times(-2)$

$=-2f'(\pi)$

이때

$f'(x)=\cos x\sin x+\sin x\cos x$

$\quad=2\sin x\cos x$

이므로

$-2f'(\pi)=0$ 답 ③

11

극한값이 존재하고 $x\to\frac{\pi}{2}$일 때 (분모)$\to0$이므로 (분자)$\to0$이어야 한다.

즉 $\lim_{x\to\frac{\pi}{2}}f(x)-2=0$에서 $f\left(\frac{\pi}{2}\right)=2$

$f\left(\frac{\pi}{2}\right)=\left(\frac{\pi}{2}\right)^2\cos\frac{\pi}{2}+a\sin\frac{\pi}{2}=a \qquad \therefore a=2$

$\lim_{x\to\frac{\pi}{2}}\frac{f(x)-2}{2x-\pi}=\lim_{x\to\frac{\pi}{2}}\frac{f(x)-f\left(\frac{\pi}{2}\right)}{2\left(x-\frac{\pi}{2}\right)}=\frac{1}{2}f'\left(\frac{\pi}{2}\right)$

이때

$f'(x)=2x\cos x+x^2\times(-\sin x)+2\cos x$

$\quad=2(x+1)\cos x-x^2\sin x$

이므로

$\frac{1}{2}f'\left(\frac{\pi}{2}\right)=-\frac{\pi^2}{8}=b$

$\therefore ab=2\times\left(-\frac{\pi^2}{8}\right)=-\frac{\pi^2}{4}$ 답 ②

12

함수 $f(x)$가 모든 실수에서 미분가능하고, $f'(x)=-\sin x$이므로

$g(x)=\lim_{h\to0}\frac{f(x+h)-f(x-h)}{h}$

$\quad=2f'(x)=-2\sin x$

$\therefore g'(x)=-2\cos x$

방정식 $f'(x)+g'(x)=0$의 근이 α이므로

$f'(\alpha)+g'(\alpha)=-\sin\alpha-2\cos\alpha=0$

$\sin\alpha+2\cos\alpha=0$

$\cos\alpha\neq0$이므로 양변을 $\cos\alpha$로 나누면

$\frac{\sin\alpha}{\cos\alpha}+2=0,\ \tan\alpha+2=0$

$\therefore \tan\alpha=-2$ 답 ②

05 여러 가지 미분법

p. 47

01. 26	02. ④	03. ③	04. 1	05. 2
06. ④	07. ③	08. ⑤		

01 $\sec^2\theta=1+\tan^2\theta=1+5^2=26$ 답 26

02 $f(2x+1)=(x^2+1)^2$의 양변을 x에 대하여 미분하면

$f'(2x+1)\times2=2(x^2+1)\times2x$

$x=1$을 대입하면

$2f'(3)=2\times2\times2$

$\therefore f'(3)=4$ 답 ④

03 $f'(x)=(e^{3x-2})'=e^{3x-2}\times(3x-2)'=3e^{3x-2}$

$\therefore f'(1)=3e$ 답 ③

04 $f(x)=\ln(x^2+1)$이므로

$f'(x)=\frac{(x^2+1)'}{x^2+1}=\frac{2x}{x^2+1}$

$\therefore f'(1)=\frac{2}{1+1}=1$ 답 1

05 $f(x)=\sqrt{x^3+1}=(x^3+1)^{\frac{1}{2}}$이므로

$f'(x)=\frac{1}{2}(x^3+1)^{-\frac{1}{2}}\times(x^3+1)'=\frac{3x^2}{2\sqrt{x^3+1}}$

$\therefore f'(2)=\frac{3\times2^2}{2\sqrt{2^3+1}}=2$ 답 2

06 $\frac{dx}{dt}=2t,\ \frac{dy}{dt}=3t^2+1$이므로

$\frac{dy}{dx}=\frac{\frac{dy}{dt}}{\frac{dx}{dt}}=\frac{3t^2+1}{2t}$

따라서 $t=1$일 때, $\frac{dy}{dx}$의 값은 $\frac{3+1}{2}=2$ 답 ④

07 $e^x-xe^y=y$의 양변을 x에 대하여 미분하면

$e^x-e^y-xe^y\frac{dy}{dx}=\frac{dy}{dx}$

$\therefore \frac{dy}{dx}=\frac{e^x-e^y}{1+xe^y}$

따라서 점 (0, 1)에서의 접선의 기울기는

$\frac{e^0-e^1}{1+0\times e^1}=1-e$ 답 ③

08 함수 $f(x)$의 역함수가 $g(x)$이고
$f(0)=1$이므로 $g(1)=0$
$f'(x)=3x^2+1$이므로 $f'(0)=1$
$f'(0)g'(1)=1$에서
$g'(1)=\frac{1}{f'(0)}=1$ 답 ⑤

유형따라잡기 pp. 48~57

기출유형 01 ②	01. ①	02. ②	03. ⑤	04. ⑤
기출유형 02 ③	05. 7	06. 99	07. ⑤	08. ③
기출유형 03 ④	09. ⑤	10. ③	11. ④	12. ①
기출유형 04 ⑤	13. ④	14. ②	15. ④	16. 5
기출유형 05 2	17. 3	18. ⑤	19. 6	20. ③
기출유형 06 ③	21. 49	22. ④	23. ⑤	24. 10
기출유형 07 ⑤	25. 6	26. ①	27. ⑤	
기출유형 08 4	28. ④	29. 2	30. ④	31. ⑤
기출유형 09 60	32. 25	33. 17	34. 4	35. ⑤
기출유형 10 ①	36. ③	37. 2	38. ②	39. ①

기출유형 01

Act① 두 함수 $f(x)$, $g(x)$ $(g(x)\neq0)$가 미분가능할 때,
$\left\{\frac{f(x)}{g(x)}\right\}'=\frac{f'(x)g(x)-f(x)g'(x)}{\{g(x)\}^2}$임을 이용한다.

$f'(x)=\frac{\frac{1}{x}\times(x+1)-\ln x\times1}{(x+1)^2}=\frac{x+1-x\ln x}{x(x+1)^2}$
이므로
$f'(1)=\frac{1+1}{1\times4}=\frac{1}{2}$ 답 ②

01 **Act①** 함수 $g(x)$ $(g(x)\neq0)$가 미분가능할 때,
$\left\{\frac{1}{g(x)}\right\}'=-\frac{g'(x)}{\{g(x)\}^2}$임을 이용한다.
$\lim_{h\to0}\frac{f(a+h)-f(a)}{h}=f'(a)=-\frac{1}{4}$
$f'(x)=-\frac{1}{(x-2)^2}$이므로
$-\frac{1}{(a-2)^2}=-\frac{1}{4}$, $(a-2)^2=4$
따라서 양수 a의 값은 4 답 ①

02 **Act①** 함수 $g(x)$ $(g(x)\neq0)$가 미분가능할 때,
$\left\{\frac{1}{g(x)}\right\}'=-\frac{g'(x)}{\{g(x)\}^2}$임을 이용한다.
$f(1)=1$이므로
$\lim_{x\to1}\frac{f(x^3)-1}{x-1}=\lim_{x\to1}\frac{\{f(x^3)-f(1)\}(x^2+x+1)}{(x-1)(x^2+x+1)}$
$=\lim_{x\to1}\left\{\frac{f(x^3)-f(1)}{x^3-1}\times(x^2+x+1)\right\}$
$=3f'(1)$
$f'(x)=3\times\left\{-\frac{2x}{(x^2+2)^2}\right\}=-\frac{6x}{(x^2+2)^2}$이므로
$3f'(1)=3\times\left(-\frac{6}{3^2}\right)=-2$ 답 ②

03 **Act①** 두 함수 $f(x)$, $g(x)$ $(g(x)\neq0)$가 미분가능할 때,
$\left\{\frac{f(x)}{g(x)}\right\}'=\frac{f'(x)g(x)-f(x)g'(x)}{\{g(x)\}^2}$임을 이용한다.
$\lim_{h\to0}\frac{f(e+h)-f(e-2h)}{h}=3f'(e)$
$f'(x)=\frac{\frac{1}{x}\times x^2-\ln x\times2x}{x^4}=\frac{1-2\ln x}{x^3}$
이므로
$3f'(e)=3\times\frac{1-2}{e^3}=-\frac{3}{e^3}$ 답 ⑤

04 **Act①** 두 함수 $f(x)$, $g(x)$ $(g(x)\neq0)$가 미분가능할 때,
$\left\{\frac{f(x)}{g(x)}\right\}'=\frac{f'(x)g(x)-f(x)g'(x)}{\{g(x)\}^2}$임을 이용한다.
$f'(x)=\frac{g(x)+3-(x-1)g'(x)}{\{g(x)+3\}^2}$
이때 $f'(1)=2$이므로
$\frac{g(1)+3}{\{g(1)+3\}^2}=\frac{1}{g(1)+3}=2$
$\therefore g(1)=-\frac{5}{2}$ 답 ⑤

기출유형 02

Act① $\csc\theta=\frac{1}{\sin\theta}$임을 이용한다.
$\csc(\pi+\theta)=\frac{1}{\sin(\pi+\theta)}=\frac{1}{-\sin\theta}=-\csc\theta=-\frac{5}{4}$
답 ③

05 **Act①** $\csc\theta=\frac{1}{\sin\theta}$임을 이용한다.
$\cos\theta=\frac{1}{7}$이므로
$\csc\theta\times\tan\theta=\frac{1}{\sin\theta}\times\frac{\sin\theta}{\cos\theta}=\frac{1}{\cos\theta}=7$ 답 7

06 **Act①** $1+\tan^2\theta=\sec^2\theta$임을 이용한다.
$\tan^2\theta=\sec^2\theta-1=10^2-1=99$ 답 99

07 **Act①** $(\cos x)'=-\sin x$, $(\sin x)'=\cos x$임을 이용한다.
$f'(x)=\frac{\sin x(1+\sin x)-(2-\cos x)\cos x}{(1+\sin x)^2}$
$=\frac{1+\sin x-2\cos x}{(1+\sin x)^2}$
$\therefore f'\left(\frac{\pi}{2}\right)=\frac{1+1-0}{(1+1)^2}=\frac{1}{2}$ 답 ⑤

08 **Act①** $(\cos x)'=-\sin x$, $(\sec x)'=\sec x\tan x$임을 이용한다.

$f'(x)=(2\cos x)'+(\sec x)'$
$=-2\sin x+\sec x\tan x$

$\therefore f'\left(\frac{\pi}{4}\right)=-2\times\frac{\sqrt{2}}{2}+\frac{1}{\frac{1}{\sqrt{2}}}\times 1$
$=-\sqrt{2}+\sqrt{2}=0$

답 ③

기출유형 03

Act① 합성함수 $y=f(g(x))$의 도함수는 $y'=f'(g(x))g'(x)$임을 이용한다.

$(f\circ g)(x)=(x^2+x+1)^3$의 양변을 x에 대하여 미분하면
$f'(g(x))g'(x)=3(x^2+x+1)^2\times(2x+1)$
$x=1$일 때 $g(1)=2$이므로 위의 식에 대입하면
$f'(2)g'(1)=3\times 3^2\times 3=81$
이때 $g(x)=x^3+1$에서 $g'(x)=3x^2$이고 $g'(1)=3$이므로
$f'(2)\times 3=81$
$\therefore f'(2)=27$

답 ④

09 **Act①** 합성함수 $y=f(g(x))$의 도함수는 $y'=f'(g(x))g'(x)$임을 이용한다.

$x\to 1$일 때 (분모)$\to 0$이면 (분자)$\to 0$이므로
$g(1)=-1$, $h(1)=2$
$\lim_{x\to 1}\frac{g(x)+1}{x-1}=\lim_{x\to 1}\frac{g(x)-g(1)}{x-1}=g'(1)=2$
$\lim_{x\to 1}\frac{h(x)-2}{x-1}=\lim_{x\to 1}\frac{h(x)-h(1)}{x-1}=h'(1)=12$
$h(x)=(f\circ g)(x)$에서
$h(1)=f(g(1))=f(-1)=2$
$h'(x)=f'(g(x))g'(x)$에서
$h'(1)=f'(g(1))g'(1)=f'(-1)\times 2=12$
이므로 $f'(-1)=6$
$\therefore f(-1)+f'(-1)=2+6=8$

답 ⑤

10 **Act①** 합성함수 $y=f(g(x))$의 도함수는 $y'=f'(g(x))g'(x)$임을 이용한다.

조건 (나)에서 $h(1)=5$, $h'(1)=12$
$h(1)=g(f(1))=g(2)=5$
$h(x)=g(f(x))$에서 $h'(x)=g'(f(x))f'(x)$이므로
$h'(1)=g'(f(1))f'(1)=3g'(2)=12$
$g'(2)=4$
$\therefore g(2)+g'(2)=5+4=9$

답 ③

11 **Act①** 합성함수 $y=f(g(x))$의 도함수는 $y'=f'(g(x))g'(x)$임을 이용한다.

조건 (가)에서
$\lim_{h\to 0}\frac{g(2+4h)-g(2)}{h}=\lim_{h\to 0}\left\{\frac{g(2+4h)-g(2)}{4h}\times 4\right\}$
$=4g'(2)=8$
$\therefore g'(2)=2$

조건 (나)에서
$f'(g(2))\times g'(2)=10$이므로 $f'(g(2))=5$
$f(x)=\frac{2^x}{\ln 2}$에서 $f'(x)=2^x$이므로
$f'(g(2))=2^{g(2)}=5$
$\therefore g(2)=\log_2 5$

답 ④

12 **Act①** 합성함수 $y=f(g(x))$의 도함수는 $y'=f'(g(x))g'(x)$임을 이용한다.

$f(\cos x)=\sin 2x+\tan x$의 양변을 x에 대하여 미분하면
$f'(\cos x)\times(-\sin x)=2\cos 2x+\sec^2 x$
$x=\frac{\pi}{3}$일 때, $\cos x=\frac{1}{2}$이므로 위의 식에 대입하면
$f'\left(\frac{1}{2}\right)\times\left(-\frac{\sqrt{3}}{2}\right)=2\left(-\frac{1}{2}\right)+4$
$\therefore f'\left(\frac{1}{2}\right)=-2\sqrt{3}$

답 ①

기출유형 04

Act① $f(x)$가 미분가능할 때, $\{e^{f(x)}\}'=e^{f(x)}f'(x)$ 임을 이용한다.

$f'(x)=e^{3x}\times(3x)'+10=3e^{3x}+10$
$\therefore f'(0)=3e^0+10=13$

답 ⑤

13 **Act①** $f(x)$가 미분가능할 때, $\{a^{f(x)}\}'=a^{f(x)}\ln a\times f'(x)$임을 이용한다.

$f'(x)=(3^{2x-1})'+(1)'=3^{2x-1}\ln 3\times(2x-1)'$
$=2\ln 3\times 3^{2x-1}$
$\therefore f'\left(\frac{1}{2}\right)=2\ln 3\times 3^0=2\ln 3$

답 ④

14 **Act①** $f(x)$가 미분가능할 때, $\{e^{f(x)}\}'=e^{f(x)}f'(x)$임을 이용한다.

$\lim_{x\to 2}\frac{f(x)-3}{x-2}=5$에서 $x\to 2$일 때 (분모)$\to 0$이므로
(분자)$\to 0$이어야 한다.
따라서 $f(2)=3$이고 $\lim_{x\to 2}\frac{f(x)-f(2)}{x-2}=f'(2)=5$
$g'(x)=\frac{f'(x)\times e^{x-2}-f(x)\times(e^{x-2})'}{(e^{x-2})^2}$
$=\frac{\{f'(x)-f(x)\}\times e^{x-2}}{(e^{x-2})^2}$
$=\frac{f'(x)-f(x)}{e^{x-2}}$
$\therefore g'(2)=\frac{f'(2)-f(2)}{e^0}=\frac{5-3}{1}=2$

답 ②

15 **Act①** $f(x)$가 미분가능할 때, $\{e^{f(x)}\}'=e^{f(x)}f'(x)$임을 이용한다.

$h(x)=g(f(x))$라 하면 $h\left(\frac{\pi}{4}\right)=\sqrt{e}$
$\lim_{x\to\frac{\pi}{4}}\frac{g(f(x))-\sqrt{e}}{x-\frac{\pi}{4}}=\lim_{x\to\frac{\pi}{4}}\frac{h(x)-h\left(\frac{\pi}{4}\right)}{x-\frac{\pi}{4}}=h'\left(\frac{\pi}{4}\right)$

$h'(x)=g'(f(x))f'(x)=e^{\sin^2 x}\times 2\sin x\cos x$이므로

$h'\left(\frac{\pi}{4}\right)=e^{\left(\sin\frac{\pi}{4}\right)^2}\times 2\sin\frac{\pi}{4}\cos\frac{\pi}{4}$

$=e^{\frac{1}{2}}\times 2\times\frac{1}{\sqrt{2}}\times\frac{1}{\sqrt{2}}=\sqrt{e}$ 답 ④

16 **Act①** **역함수의 성질과 합성함수 $y=f(g(x))$의 도함수는 $y'=f'(g(x))g'(x)$임을 이용한다.**

$g\left(\frac{x+8}{10}\right)=f^{-1}(x)$에서 $f\left(g\left(\frac{x+8}{10}\right)\right)=x$

양변을 x에 대하여 미분하면

$f'\left(g\left(\frac{x+8}{10}\right)\right)\times g'\left(\frac{x+8}{10}\right)\times\frac{1}{10}=1$

위의 식에 $x=2$를 대입하면

$f'(g(1))\times g'(1)=10$

$f'(0)\times g'(1)=10$ ⋯⋯ ㉠

$f'(x)=2xe^{-x}-(x^2+2)e^{-x}$

$=(2x-x^2-2)e^{-x}$

이므로

$f'(0)=-2$

이 값을 ㉠에 대입하면 $g'(1)=-5$

$\therefore |g'(1)|=|-5|=5$ 답 5

기출유형 05

Act① **함수 $f(x)$가 미분가능하고 $f(x)\neq 0$일 때, $\{\log_a|f(x)|\}'=\left\{\frac{\ln|f(x)|}{\ln a}\right\}'=\frac{f'(x)}{f(x)\ln a}$임을 이용한다.**

$f(x)=\log_3(2x+1)^5$에서

$f'(x)=\left\{\frac{\ln(2x+1)^5}{\ln 3}\right\}'$

$=\frac{1}{\ln 3}\times\frac{5(2x+1)^4\times 2}{(2x+1)^5}=\frac{10}{(2x+1)\ln 3}$

$f'(a)=\frac{2}{\ln 3}$에서

$\frac{10}{(2a+1)\ln 3}=\frac{2}{\ln 3}$

$4a+2=10$ $\therefore a=2$ 답 2

17 **Act①** **함수 $f(x)$가 미분가능하고 $f(x)\neq 0$일 때, $\{\ln|f(x)|\}'=\frac{f'(x)}{f(x)}$임을 이용한다.**

$f(x)=\ln(3x-2)$에서

$f'(x)=\frac{3}{3x-2}$

$\therefore f'(1)=3$ 답 3

18 **Act①** **함수 $f(x)$가 미분가능하고 $f(x)\neq 0$일 때, $\{\ln|f(x)|\}'=\frac{f'(x)}{f(x)}$임을 이용한다.**

$\lim_{h\to 0}\frac{f(1+2h)-f(1-2h)}{h}$

$=\lim_{h\to 0}\frac{f(1+2h)-f(1)-\{f(1-2h)-f(1)\}}{h}$

$=\lim_{h\to 0}\left\{\frac{f(1+2h)-f(1)}{2h}\times 2+\frac{f(1-2h)-f(1)}{-2h}\times 2\right\}$

$=2f'(1)+2f'(1)=4f'(1)$

$f'(x)=\frac{5}{5x-1}$이므로

$4f'(1)=4\times\frac{5}{4}=5$ 답 ⑤

19 **Act①** **$\lim_{x\to 1}\frac{f(x)-2}{\sqrt{x}-1}$에서 분모를 유리화한다.**

$f(1)=\ln 1+2=2$이므로

$\lim_{x\to 1}\frac{f(x)-2}{\sqrt{x}-1}=\lim_{x\to 1}\frac{f(x)-f(1)}{\sqrt{x}-1}$

$=\lim_{x\to 1}\left\{\frac{f(x)-f(1)}{x-1}\times(\sqrt{x}+1)\right\}=2f'(1)$

$f(x)=x(\ln x+2)$에서

$f'(x)=\ln x+2+x\times\frac{1}{x}=\ln x+3$이므로

$2f'(1)=2\times(\ln 1+3)=6$ 답 6

20 **Act①** **함수 $f(x)$가 미분가능하고 $f(x)\neq 0$일 때, $\{\ln|f(x)|\}'=\frac{f'(x)}{f(x)}$임을 이용한다.**

$\lim_{x\to 0}\frac{f(x)}{x}=2$에서 $x\to 0$일 때 (분모)$\to 0$이고 극한값이 존재하므로 (분자)$\to 0$이어야 한다.

$f(0)=0$

$f(0)=\ln b=0$ $\therefore b=1$

$\lim_{x\to 0}\frac{f(x)}{x}=\lim_{x\to 0}\frac{f(x)-f(0)}{x-0}=f'(0)=2$ ⋯⋯ ㉠

함수 $f(x)=\ln(ax+1)$에서

$f'(x)=\frac{a}{ax+1}$이고

㉠에서 $f'(0)=2$이므로

$f'(0)=a=0$

따라서 $f(x)=\ln(2x+1)$이므로

$f(2)=\ln 5$ 답 ③

기출유형 06

Act① **n이 실수일 때, $[\{f(x)\}^n]'=n\{f(x)\}^{n-1}f'(x)$임을 이용한다.**

$f(x)=\sqrt{3x^2+1}=(3x^2+1)^{\frac{1}{2}}$이므로

$f'(x)=\frac{1}{2}(3x^2+1)^{-\frac{1}{2}}=\frac{1}{2\sqrt{3x^2+1}}$

$\therefore f'(1)=\frac{1}{2\sqrt{3\times 1^2+1}}=\frac{1}{4}$ 답 ③

21 **Act①** **n이 실수일 때, $[\{f(x)\}^n]'=n\{f(x)\}^{n-1}f'(x)$임을 이용한다.**

$f(x)=x^3+4\sqrt{x}=x^3+4x^{\frac{1}{2}}$이므로

$f'(x)=3x^2+4\times\frac{1}{2}\times x^{-\frac{1}{2}}=3x^2+\frac{2}{\sqrt{x}}$

$\therefore f'(4)=48+1=49$ 답 49

22 Act① n이 실수일 때, $[\{f(x)\}^n]'=n\{f(x)\}^{n-1}f'(x)$임을 이용한다.

$f(x)=\frac{1}{\sqrt{x-3}}=(x-3)^{-\frac{1}{2}}$이므로

$f'(x)=-\frac{1}{2}(x-3)^{-\frac{3}{2}}=-\frac{1}{2(x-3)\sqrt{x-3}}$

$\therefore f'(7)=-\frac{1}{2\times4\times2}=-\frac{1}{16}$ 답 ④

23 Act① A, B, C의 좌표를 이용하여 $\triangle$BAC의 넓이를 t의 함수로 나타낸다.

A$(1, 0)$, B$(t, 2\sqrt{t})$, C$(t, 0)$이므로 $\triangle$BAC의 넓이 $f(t)$는

$f(t)=\frac{1}{2}(t-1)\times2\sqrt{t}=\sqrt{t}(t-1)=t^{\frac{3}{2}}-t^{\frac{1}{2}}$

이므로

$f'(t)=\frac{3}{2}t^{\frac{1}{2}}-\frac{1}{2}t^{-\frac{1}{2}}=\frac{3}{2}\sqrt{t}-\frac{1}{2\sqrt{t}}$

$\therefore f'(9)=\frac{9}{2}-\frac{1}{6}=\frac{26}{6}=\frac{13}{3}$ 답 ⑤

24 Act① $h'(0)=g'(f(0))f'(0)=15$임을 이용하여 $g'(1)$의 값을 구한다.

$h'(x)=g'(f(x))f'(x)$이므로

$h'(0)=g'(f(0))f'(0)=g'(1)f'(0)$

$f'(x)=\frac{3}{2}(x+1)^{\frac{1}{2}}$이므로 $f'(0)=\frac{3}{2}$

$h'(0)=g'(1)f'(0)=15$에서

$g'(1)\times\frac{3}{2}=15$

$\therefore g'(1)=10$ 답 10

기출유형 07

Act① 매개변수로 나타낸 함수 $x=f(t)$, $y=g(t)$가 t에 대하여 미분가능하고 $f'(t)\neq0$이면 $\frac{dy}{dx}=\frac{g'(t)}{f'(t)}$임을 이용한다.

$\frac{dx}{dt}=2t+\frac{1}{t}$, $\frac{dy}{dt}=3t^2+6$이므로

$$\frac{dy}{dx}=\frac{\frac{dy}{dt}}{\frac{dx}{dt}}=\frac{3t^2+6}{2t+\frac{1}{t}}$$

따라서 $t=1$일 때, $\frac{dy}{dx}$의 값은 $\frac{3+6}{2+1}=3$ 답 ⑤

25 Act① 매개변수로 나타낸 함수 $x=f(t)$, $y=g(t)$가 t에 대하여 미분가능하고 $f'(t)\neq0$이면 $\frac{dy}{dx}=\frac{g'(t)}{f'(t)}$임을 이용한다.

$\frac{dx}{dt}=2t$, $\frac{dy}{dt}=2t^2+10$이므로

$$\frac{dy}{dx}=\frac{\frac{dy}{dt}}{\frac{dx}{dt}}=\frac{2t^2+10}{2t}$$

따라서 $t=1$일 때, $\frac{dy}{dx}$의 값은 $\frac{2+10}{2}=6$ 답 6

26 Act① 매개변수로 나타낸 함수 $x=f(t)$, $y=g(t)$가 t에 대하여 미분가능하고 $f'(t)\neq0$이면 $\frac{dy}{dx}=\frac{g'(t)}{f'(t)}$임을 이용한다.

$\frac{dx}{dt}=1+\frac{2}{t^2}$, $\frac{dy}{dt}=2t-\frac{4}{t^3}$이므로

$$\frac{dy}{dx}=\frac{\frac{dy}{dt}}{\frac{dx}{dt}}=\frac{2t-\frac{4}{t^3}}{1+\frac{2}{t^2}}$$

따라서 $t=1$일 때, $\frac{dy}{dx}$의 값은 $\frac{2-4}{1+2}=-\frac{2}{3}$ 답 ①

27 Act① 매개변수로 나타낸 함수 $x=f(t)$, $y=g(t)$가 t에 대하여 미분가능하고 $f'(t)\neq0$이면 $\frac{dy}{dx}=\frac{g'(t)}{f'(t)}$임을 이용한다.

$\frac{dx}{dt}=e^t(\cos t-\sin t)$, $\frac{dy}{dt}=e^t(\sin t+\cos t)$이므로

$$\frac{dy}{dx}=\frac{\frac{dy}{dt}}{\frac{dx}{dt}}=\frac{\sin t+\cos t}{\sin t-\cos t}$$

따라서 $t=\frac{\pi}{3}$일 때, $\frac{dy}{dx}$의 값은

$$\frac{\sin\frac{\pi}{3}+\cos\frac{\pi}{3}}{\sin\frac{\pi}{3}-\cos\frac{\pi}{3}}=\frac{\frac{\sqrt{3}}{2}+\frac{1}{2}}{\frac{\sqrt{3}}{2}-\frac{1}{2}}=\frac{\sqrt{3}+1}{\sqrt{3}-1}$$

$$=\frac{4+2\sqrt{3}}{2}=2+\sqrt{3}$$ 답 ⑤

기출유형 08

Act① 음함수 $f(x, y)=0$에서 y를 x의 함수로 보고 각 항을 x에 대하여 미분하여 $\frac{dy}{dx}$를 구한다.

$5x+xy+y^2=5$의 양변을 x에 대하여 미분하면

$5+y+x\frac{dy}{dx}+2y\frac{dy}{dx}=0$

$\therefore \frac{dy}{dx}=-\frac{y+5}{x+2y}$ (단, $x+2y\neq0$)

점 $(1, -1)$에서의 접선의 기울기는 $x=1$, $y=-1$일 때의 미분계수이므로

$-\frac{(-1)+5}{1+2\times(-1)}=4$ 답 4

28 Act① 음함수 $f(x, y)=0$에서 y를 x의 함수로 보고 각 항을 x에 대하여 미분하여 $\frac{dy}{dx}$를 구한다.

$x^2-3xy+y^2=x$의 양변을 x에 대하여 미분하면

$2x-3y-3x\frac{dy}{dx}+2y\frac{dy}{dx}=1$

$(3x-2y)\frac{dy}{dx}=2x-3y-1$

$\frac{dy}{dx}=\frac{2x-3y-1}{3x-2y}$ (단, $3x-2y\neq0$)

점 $(1, 0)$에서의 접선의 기울기는 $x=1$, $y=0$일 때의 미분계수이므로

$\frac{2-1}{3}=\frac{1}{3}$ 답 ④

29 Act① 음함수 $f(x, y)=0$에서 y를 x의 함수로 보고 각 항을 x에 대하여 미분하여 $\frac{dy}{dx}$를 구한다.

$2x+x^2y-y^3=2$의 양변을 x에 대하여 미분하면

$2+2xy+x^2\frac{dy}{dx}-3y^2\frac{dy}{dx}=0$

$(x^2-3y^2)\frac{dy}{dx}=-2-2xy$

$\frac{dy}{dx}=\frac{-2(xy+1)}{x^2-3y^2}$ (단, $x^2-3y^2\neq0$)

점 $(1, 1)$에서의 접선의 기울기는 $x=1$, $y=1$일 때의 미분계수이므로

$\frac{-2(1\times1+1)}{1-3}=2$ 답 2

30 Act① 음함수 $f(x, y)=0$에서 y를 x의 함수로 보고 각 항을 x에 대하여 미분하여 $\frac{dy}{dx}$를 구한다.

$\pi x=\cos y+x\sin y$의 양변을 x에 대하여 미분하면

$\pi=-\sin y\frac{dy}{dx}+\sin y+x\cos y\frac{dy}{dx}$

$(x\cos y-\sin y)\frac{dy}{dx}=\pi-\sin y$

$\frac{dy}{dx}=\frac{\pi-\sin y}{x\cos y-\sin y}$

점 $\left(0, \frac{\pi}{2}\right)$에서의 접선의 기울기는 $x=0$, $y=\frac{\pi}{2}$일 때의 미분계수이므로

$\frac{\pi-\sin\frac{\pi}{2}}{0\times\cos\frac{\pi}{2}-\sin\frac{\pi}{2}}=1-\pi$ 답 ④

31 Act① 음함수 $f(x, y)=0$에서 y를 x의 함수로 보고 각 항을 x에 대하여 미분하여 $\frac{dy}{dx}$를 구한다.

$y^3=\ln(5-x^2)+xy+4$의 양변을 x에 대하여 미분하면

$3y^2\frac{dy}{dx}=\frac{-2x}{5-x^2}+y+x\frac{dy}{dx}$

$(3y^2-x)\frac{dy}{dx}=\frac{-2x}{5-x^2}+y$

점 $(2, 2)$를 대입하여 정리하면

$10\frac{dy}{dx}=-2$ $\therefore \frac{dy}{dx}=-\frac{1}{5}$ 답 ⑤

기출유형 09

Act① $f(x)$의 역함수 $g(x)$에 대하여 $f(a)=b$이면 $f'(a)g'(b)=1$, 즉 $g'(b)=\frac{1}{f'(a)}$임을 이용한다.

$g(e)=a$라 하면 $f(a)=e$

$ae^a+e=e$에서 $a=0$

$f'(x)=(x+1)e^x$이므로 $f'(0)=1$

$f'(0)g'(e)=1$에서

$g'(e)=\frac{1}{f'(0)}=1$ $\therefore 60g'(e)=60\times1=60$ 답 60

32 Act① $f(x)$의 역함수 $g(x)$에 대하여 $f(a)=b$이면 $f'(a)g'(b)=1$, 즉 $g'(b)=\frac{1}{f'(a)}$임을 이용한다.

$g(1)=a$라 하면 $f(a)=1$

$\tan 2a=1$에서 $a=\frac{\pi}{8}$

$f'(x)=2\sec^2 2x$이므로 $f'\left(\frac{\pi}{8}\right)=4$

$f'\left(\frac{\pi}{8}\right)g'(1)=1$에서

$g'(1)=\frac{1}{f'\left(\frac{\pi}{8}\right)}=\frac{1}{4}$ $\therefore 100g'(1)=25$ 답 25

33 Act① $f(x)$의 역함수 $g(x)$에 대하여 $f(a)=b$이면 $f'(a)g'(b)=1$, 즉 $g'(b)=\frac{1}{f'(a)}$임을 이용한다.

$g(3)=0$이므로 $f(0)=3$

$f'(x)=15e^{5x}+1+\cos x$이므로 $f'(0)=17$

$f'(0)g'(3)=1$에서

$\lim_{x\to3}\frac{x-3}{g(x)-g(3)}=\frac{1}{g'(3)}=f'(0)=17$ 답 17

34 Act① $f(x)$의 역함수 $g(x)$에 대하여 $f(a)=b$이면 $f'(a)g'(b)=1$, 즉 $g'(b)=\frac{1}{f'(a)}$임을 이용한다.

$g(4\pi)=2\pi$이므로 $f(2\pi)=4\pi$

$f'(x)=2+\cos x$이므로 $f'(2\pi)=3$

$f'(2\pi)g'(4\pi)=1$에서

$g'(4\pi)=\frac{1}{f'(2\pi)}=\frac{1}{3}$

따라서 $p=3$, $q=1$이므로

$p+q=4$ 답 4

35 Act① $f(x)$의 역함수 $g(x)$에 대하여 $f(a)=b$이면 $f'(a)g'(b)=1$, 즉 $g'(b)=\frac{1}{f'(a)}$임을 이용한다.

$g(4)=a$라 하면 $f(a)=4$

$a^3-5a^2+9a-5=4$에서

$a^3-5a^2+9a-9=0$, $(a-3)(a^2-2a+3)=0$, $a=3$

$f'(x)=3x^2-10x+9$이므로 $f'(3)=6$

$f'(3)g'(4)=1$에서

$g'(4)=\frac{1}{f'(3)}=\frac{1}{6}$ 답 ⑤

기출유형 10

Act① $f(x)$에서 $f'(x)$, $f''(x)$를 차례로 구한다.

$f(x)=x\cos x$에서

$f'(x)=\cos x-x\sin x$

$f''(x)=-\sin x-\sin x-x\cos x$

$=-2\sin x - x\cos x$

$\therefore f''\left(\frac{\pi}{2}\right)=-2$ 답 ①

36 **Act①** $f(x)$에서 $f'(x)$, $f''(x)$를 차례로 구한다.

$f'(x)=2e^{2x}\sin^2 x+e^{2x}\times 2\sin x\cos x$

$=e^{2x}(2\sin^2 x+\sin 2x)$

$f''(x)=2e^{2x}(2\sin^2 x+\sin 2x)$

$+e^{2x}(4\sin x\cos x+2\cos 2x)$

$\therefore f''\left(\frac{\pi}{4}\right)=2e^{\frac{\pi}{2}}(1+1)+e^{\frac{\pi}{2}}(2+0)=6e^{\frac{\pi}{2}}$ 답 ③

37 **Act①** $f(x)$에서 $f'(x)$, $f''(x)$를 차례로 구한다.

$f'(x)=\ln(x^2+1)+x\times\frac{2x}{x^2+1}$

$=\ln(x^2+1)+\frac{2x^2}{x^2+1}=\ln(x^2+1)-\frac{2}{x^2+1}+2$

$f''(x)=\frac{2x}{x^2+1}+\frac{2}{(x^2+1)^2}\times 2x$

$=\frac{2x}{x^2+1}+\frac{4x}{(x^2+1)^2}$

$\therefore f''(1)=1+1=2$ 답 2

38 **Act①** $\lim_{x\to a}\frac{f'(x)-f'(a)}{x-a}=f''(a)$임을 이용한다.

$f'(x)=e^{-x^2}\times(-x^2)'=-2xe^{-x^2}$

$f''(x)=-2\{(x)'e^{-x^2}+x(e^{-x^2})'\}$

$=-2\{e^{-x^2}+x(-2xe^{-x^2})\}$

$=-2e^{-x^2}(1-2x^2)$

$\lim_{x\to -1}\frac{f'(x)-f'(-1)}{x+1}=f''(-1)$

$=-2e^{-1}(1-2)=\frac{2}{e}$ 답 ②

39 **Act①** $\lim_{h\to 0}\frac{f'(a+h)-f'(a)}{h}=f''(a)$임을 이용한다.

$\lim_{h\to 0}\frac{f'(a+h)-f'(a)}{h}=f''(a)$이므로 $f''(a)=2$

$f'(x)=-\frac{1}{(x+3)^2}$

$f''(x)=\frac{2(x+3)}{(x+3)^4}=\frac{2}{(x+3)^3}$

$f''(a)=\frac{2}{(a+3)^3}=2$이므로 $a+3=1$

$\therefore a=-2$ 답 ①

VIT Very Important Test pp. 58~59

01. ③	02. ①	03. ②	04. ①	05. ①
06. ②	07. ①	08. ④	09. 50	10. ④
11. ⑤	12. 13			

01

$y'=\frac{(3x^2+5)(x-2)-(x^3+5x+3)}{(x-2)^2}$

$=\frac{2x^3-6x^2-13}{(x-2)^2}$

따라서 $a=2$, $b=-6$, $c=0$, $d=-13$이므로

$a+b+c+d=-17$ 답 ③

02

$\frac{1}{n}=h$로 놓으면 $n\to\infty$일 때 $h\to 0+$이므로

$\lim_{n\to\infty} n\left\{f\left(\frac{\pi}{4}+\frac{1}{n}\right)-2\right\}$

$=\lim_{h\to 0+}\frac{f\left(\frac{\pi}{4}+h\right)-2}{h}$

$=\lim_{h\to 0+}\frac{f\left(\frac{\pi}{4}+h\right)-f\left(\frac{\pi}{4}\right)}{h}$

$=f'\left(\frac{\pi}{4}\right)$

$f'(x)=\sec^2 x-\csc^2 x$이므로

$f'\left(\frac{\pi}{4}\right)=\sec^2\frac{\pi}{4}-\csc^2\frac{\pi}{4}=2-2=0$ 답 ①

03

$y=\{f(x)\}^4$에서 $y'=4\{f(x)\}^3 f'(x)$

따라서 $x=5$에서의 미분계수는

$4\{f(5)\}^3 f'(5)=4\times\frac{1}{8}\times 4=2$ 답 ②

04

$f'(x)=\frac{(x^2+1)-2x(x-1)}{(x^2+1)^2}$

$=\frac{-x^2+2x+1}{(x^2+1)^2}$

$g'(x)=2x+2$

따라서 $y'=f'(g(x))g'(x)$이므로 $x=2$에서의 미분계수는

$f'(g(2))g'(2)=f'(3)g'(2)$

$=-\frac{1}{50}\times 6=-\frac{3}{25}$ 답 ①

05

$f(x)=\ln(3-2x)-\ln(3+2x)$이므로

$f'(x)=\frac{(3-2x)'}{3-2x}-\frac{(3+2x)'}{3+2x}$

$=-\frac{2}{3-2x}-\frac{2}{3+2x}$

$\therefore f'(0)=-\frac{2}{3}-\frac{2}{3}=-\frac{4}{3}$ 답 ①

06

$f(x)=x\sqrt{x}+\frac{1}{\sqrt{x}}$에서

$f'(x)=\frac{3}{2}\sqrt{x}-\frac{1}{2x\sqrt{x}}=\frac{3x^2-1}{2x\sqrt{x}}$

$f'(x)=0$에서 $x=\pm\frac{\sqrt{3}}{3}$

$x>0$이므로 $x=\frac{\sqrt{3}}{3}$ 답 ②

07

$\frac{dx}{dt}=2t$, $\frac{dy}{dt}=-2t+4$이므로

$$\frac{dy}{dx}=\frac{\frac{dy}{dt}}{\frac{dx}{dt}}=\frac{-2t+4}{2t}=\frac{-t+2}{t}\ (\text{단, } t\neq0)$$

한편, $t^2+t=2$, $-t^2+4t+3=-2$를 모두 만족시키는 t의 값은 $t=-1$이므로 곡선 위의 점 $(2,\ -2)$에서의 접선의 기울기는

$\frac{-(-1)+2}{-1}=-3$ 답 ①

08

$xy+x\sin y=\sin y$의 양변을 x에 대해 미분하면

$y+x\times\frac{dy}{dx}+\sin y+x\cos y\times\frac{dy}{dx}=\cos y\times\frac{dy}{dx}$

$(x+x\cos y-\cos y)\frac{dy}{dx}=-y-\sin y$

$\frac{dy}{dx}=-\frac{y+\sin y}{x+x\cos y-\cos y}$

따라서 곡선 위의 점 $(0,\ \pi)$에서의 접선의 기울기는 $-\pi$이다.

답 ④

09

$g(a)=1$에서 $f(1)=a$ $\quad\therefore a=0$

$f'(x)=1+\frac{1}{x}$이므로

$g'(a)=\frac{1}{f'(g(a))}=\frac{1}{f'(1)}=\frac{1}{2}$

따라서 $m=\frac{1}{2}$이므로 $100m=50$ 답 50

10

$f(x)=(ax+b)e^x$에서

$f'(x)=ae^x+(ax+b)e^x=(ax+a+b)e^x$

$f''(x)=ae^x+(ax+a+b)e^x=(ax+2a+b)e^x$

$f'(0)=5$에서 $a+b=5$ $\quad\cdots\cdots$ ㉠

$f''(0)=7$에서 $2a+b=7$ $\quad\cdots\cdots$ ㉡

㉠, ㉡을 연립하여 풀면 $a=2$, $b=3$

$\therefore ab=6$ 답 ④

11

$\lim_{x\to1}\frac{\ln f(x)}{x-1}=2$에서 $x\to1$일 때 (분모)$\to0$이므로 (분자)$\to0$이고, $f(x)$가 연속이므로

$\lim_{x\to1}\ln f(x)=\ln f(1)=0$ $\quad\therefore f(1)=1$

$\lim_{x\to1}\frac{\ln f(x)}{x-1}=\lim_{x\to1}\frac{\ln f(x)-\ln f(1)}{x-1}=2$

$F(x)=\ln f(x)$로 놓으면 $F'(x)=\frac{f'(x)}{f(x)}$이므로

$\lim_{x\to1}\frac{\ln f(x)-\ln f(1)}{x-1}=\lim_{x\to1}\frac{F(x)-F(1)}{x-1}$

$=F'(1)=\frac{f'(1)}{f(1)}=f'(1)=2$

$g(x)=x^2e^{f(x)}$에서 $g'(x)=2xe^{f(x)}+x^2e^{f(x)}f'(x)$

$\therefore g'(1)=2e^{f(1)}+e^{f(1)}f'(1)$

$=2e+2e=4e$ 답 ⑤

12

$h(x)=f(3x)$로 놓으면 $h(x)$는 $g(x)$의 역함수이다.

$g(1)=a$로 놓으면 $h(a)=f(3a)=1$

$3a=4$, $a=\frac{4}{3}$

한편, $h(x)=f(3x)$에서

$h'(x)=\frac{1}{3}f'(3x)$이므로

$g'(1)=\frac{1}{h'(g(1))}=\frac{1}{h'\left(\frac{4}{3}\right)}=\frac{1}{\frac{1}{3}f'(4)}=2$

$\therefore g(1)+g'(1)=\frac{4}{3}+2=\frac{10}{3}$

따라서 $p=3$, $q=10$이므로 $p+q=13$ 답 13

06 도함수의 활용 (1)

p. 61

01. ① **02.** 32 **03.** ⑤ **04.** ⑤ **05.** ⑤ **06.** ②

01 $f(x)=\ln(x-3)+1$이라 하면 $f'(x)=\frac{1}{x-3}$이므로

$f'(4)=1$

곡선 위의 점 $(4,\ 1)$에서의 접선의 방정식은

$y-1=x-4$ $\quad\therefore y=x-3$

따라서 $a=1$, $b=-3$이므로 $a+b=-2$ 답 ①

02 $f(x)=\ln(x-7)$이라 하면 $f'(x)=\frac{1}{x-7}$

접점의 좌표를 $(a,\ \ln(a-7))$이라 하면 접선의 기울기가 1이므로

$f'(a)=\frac{1}{a-7}=1$ $\quad\therefore a=8$

즉 접점의 좌표가 $(8,\ 0)$이므로 접선의 방정식은

$y=x-8$

이 직선이 x축, y축과 만나는 점은 각각 $A(8,\ 0)$, $B(0,\ -8)$이다.

따라서 삼각형 AOB의 넓이는

$\frac{1}{2}\times\overline{OA}\times\overline{OB}=\frac{1}{2}\times8\times8=32$ 답 32

03 $f(x)=3e^{x-1}$이라 하면 $f'(x)=3e^{x-1}$

접점의 좌표를 $A(a,\ 3e^{a-1})$이라 하면 이 점에서의 접선의 기울기는

$f'(a)=3e^{a-1}$이므로 접선의 방정식은

$y-3e^{a-1}=3e^{a-1}(x-a)$

이 직선이 원점 $O(0,\ 0)$을 지나므로

$-3e^{a-1}=3e^{a-1}(-a)$, $-3=-3a$ $\quad\therefore a=1$

따라서 $A(1,\ 3)$이므로

$\overline{OA}=\sqrt{1^2+3^2}=\sqrt{10}$ 답 ⑤

04 $\dfrac{dx}{dt}=1$, $\dfrac{dy}{dt}=4t$이므로 $\dfrac{dy}{dx}=4t$

$t=1$에 대응하는 점에서의 접선의 기울기는 4이고 접점의 좌표는 $(2,\ -3)$이므로

접선의 방정식은

$y-(-3)=4(x-2)$, 즉 $y=4x-11$

따라서 $a=4$, $b=-11$이므로 $a-b=15$ 답 ⑤

05 양변을 x에 대하여 미분하면

$e^y\dfrac{dy}{dx}\ln x+e^y\dfrac{1}{x}=2\dfrac{dy}{dx}$

점 $(e,\ 0)$에서의 접선의 기울기는

$\dfrac{dy}{dx}+\dfrac{1}{e}=2\dfrac{dy}{dx}$에서 $\dfrac{dy}{dx}=\dfrac{1}{e}$이므로

접선의 방정식은

$y-0=\dfrac{1}{e}(x-e)$, 즉 $y=\dfrac{1}{e}x-1$

따라서 $a=\dfrac{1}{e}$, $b=-1$이므로 $ab=-\dfrac{1}{e}$ 답 ⑤

06 $f'(x)=(-x^2+2x+8)e^{-x+1}$

$\qquad=-(x+2)(x-4)e^{-x+1}$

$f'(x)=0$에서 $x=-2$ 또는 $x=4$ ($\because e^{-x+1}>0$)

따라서 $f(x)$는 $x=-2$ 또는 $x=4$에서 극값을 가진다.

$\therefore f(-2)\times f(4)=(-4e^3)\times(8e^{-3})=-32$ 답 ②

유형따라잡기					pp. 62~67
기출유형 01 ③	01. ④	02. 50	03. 10		
기출유형 02 ②	04. ②	05. ②	06. 1	07. 8	
기출유형 03 ①	08. ④	09. 26	10. ②		
기출유형 04 ③	11. 1	12. ③	13. ⑤	14. ②	
기출유형 05 ⑤	15. 6	16. ②	17. 3	18. 9	
기출유형 06 ③	19. ④	20. ②	21. ①		

기출유형 01

Act① $y=f(x)$ 위의 점 $(a,\ b)$에서의 접선의 방정식은 $y-f(a)=f'(a)(x-a)$임을 이용한다.

$f(x)=xe^x$이라 하면 $f'(x)=e^x+xe^x=e^x(1+x)$이므로

$f'(1)=2e$

곡선 위의 점 $(1,\ e)$에서의 접선의 방정식은

$y-e=2e(x-1)$, $y=2ex-e$

$a=2e$, $b=-e$이므로 $ab=-2e^2$ 답 ③

01 **Act① $y=f(x)$ 위의 점 $(a,\ b)$에서의 접선의 방정식은 $y-f(a)=f'(a)(x-a)$임을 이용한다.**

$f(x)=x\ln x$라 하면

$f'(x)=\ln x+1$이므로 $f'(1)=1$

곡선 위의 점 $(1,\ 0)$에서의 접선의 방정식은

$y=x-1$

따라서 접선의 방정식의 y절편은 -1 답 ④

02 **Act① $x=e$에서 $f(x)$와 $g(x)$의 접선의 기울기의 곱이 -1임을 이용한다.**

점 $(e,\ -e)$는 $y=f(x)$ 위의 점이므로 $f(e)=-e$

$y=f(x)$ 위의 점 $(e,\ -e)$에서의 접선의 기울기를 $f'(e)=a$라 하자.

$g'(x)=f'(x)\times\ln x^4+f(x)\times\dfrac{4}{x}$이므로

$y=g(x)$ 위의 점 $(e,\ -4e)$에서의 접선의 기울기는

$g'(e)=f'(e)\times\ln e^4+f(e)\times\dfrac{4}{e}=4a-4$

$x=e$에서 $f(x)$와 $g(x)$의 접선이 수직이므로

$f'(e)\times g'(e)=-1$

$a(4a-4)=-1$, $4a^2-4a+1=0$

$(2a-1)^2=0$, $a=\dfrac{1}{2}$

$\therefore 100f'(e)=100a=50$ 답 50

03 **Act① 합성함수의 미분법을 이용하여 접선의 방정식을 구한다.**

$x\to1$일 때, (분모)$\to0$이므로 (분자)$\to0$이어야 한다.

즉 $f(1)=\dfrac{\pi}{6}$이므로

$$\lim_{x\to1}\frac{f(x)-\frac{\pi}{6}}{x-1}=\lim_{x\to1}\frac{f(x)-f(1)}{x-1}=f'(1)=k$$

$y=g(f(x))$ 위의 점 $(1,\ g(f(1)))$에서의 접선의 방정식은

$y-g(f(1))=g'(f(1))f'(1)(x-1)$ ······ ㉠

이때 $f(1)=\dfrac{\pi}{6}$, $f'(1)=k$이고

$g(x)=\sin x$에서 $g'(x)=\cos x$이므로

$g'(f(1))=g'\left(\dfrac{\pi}{6}\right)=\cos\dfrac{\pi}{6}=\dfrac{\sqrt{3}}{2}$

$g(f(1))=g\left(\dfrac{\pi}{6}\right)=\sin\dfrac{\pi}{6}=\dfrac{1}{2}$

이 값을 ㉠에 대입하면

$y-\dfrac{1}{2}=\dfrac{\sqrt{3}}{2}k(x-1)$, $y=\dfrac{\sqrt{3}}{2}k(x-1)+\dfrac{1}{2}$

접선이 $(0,\ 0)$을 지나므로

$0=-\dfrac{\sqrt{3}}{2}k+\dfrac{1}{2}$, $k=\dfrac{1}{\sqrt{3}}$

$\therefore 30k^2=30\times\dfrac{1}{3}=10$ 답 10

기출유형 02

Act① 접점의 좌표를 $(a, \ln a)$로 놓고 접선의 방정식을 구한다.

$f(x)=\ln x$라 하면

$f'(x)=\frac{1}{x}$

접점의 좌표를 $(a, \ln a)$라 하면 접선의 기울기가 1이므로

$f'(a)=\frac{1}{a}=1 \quad \therefore a=1$

즉 접점의 좌표가 $(1, 0)$이므로 접선의 방정식은

$y-0=x-1 \quad \therefore y=x-1$

따라서 접선의 y절편은 -1이다. 답 ②

04 **Act① 접점의 좌표를 (a, e^a)으로 놓고 접선의 방정식을 구한다.**

$f(x)=e^x$이라 하면 $f'(x)=e^x$

접점의 좌표를 (a, e^a)이라 하면 접선의 기울기가 1이므로

$f'(a)=e^a=1 \quad \therefore a=0$

즉 접점의 좌표가 $(0, 1)$이므로 접선의 방정식은

$y-1=x \quad \therefore y=x+1$

이 직선이 점 $(k, 3)$을 지나므로 $3=k+1$

$\therefore k=2$ 답 ②

05 **Act① 접점의 좌표를 $(t, t(2-\ln t))$로 놓고 접선의 방정식을 구한다.**

$f(x)=x(2-\ln x)$라 하면

$f'(x)=1\times(2-\ln x)+x\times\left(-\frac{1}{x}\right)=1-\ln x$

접점의 좌표를 $(t, t(2-\ln t))$라 하면 접선의 기울기가 2이므로

$f'(t)=1-\ln t=2,\ \ln t=-1 \quad \therefore t=e^{-1}$

즉 접점의 좌표가 $(e^{-1}, 3e^{-1})$이므로 접선의 방정식은

$y-3e^{-1}=2(x-e^{-1}) \quad \therefore y=2x+e^{-1}$

따라서 구하는 a의 값은 e^{-1}이다. 답 ②

06 **Act① 접점의 좌표를 $(t, t+\sin t)$로 놓고 접선의 방정식을 구한다.**

$f(x)=x+\sin x$라 하면

$f'(x)=1+\cos x$

접점의 좌표를 $(t, t+\sin t)$라 하면 접선 $y=x+a$의 기울기가 1이므로

$f'(t)=1+\cos t=1,\ \cos t=0 \quad \therefore t=\frac{\pi}{2}\ (\because 0\le t\le\pi)$

즉 접점의 좌표가 $\left(\frac{\pi}{2}, \frac{\pi}{2}+1\right)$이므로 접선의 방정식은

$y-\left(\frac{\pi}{2}+1\right)=x-\frac{\pi}{2} \quad \therefore y=x+1$

따라서 구하는 a의 값은 1이다. 답 1

07 **Act① 접점의 좌표를 (t, e^{t+1})으로 놓고 접선의 방정식을 구한다.**

$f(x)=e^{x+1}$이라 하면 $f'(x)=e^{x+1}$

접점의 좌표를 (t, e^{t+1})이라 하면 직선 $x+4y-1=0$, 즉 $y=-\frac{1}{4}x+\frac{1}{4}$에 수직인 직선의 기울기는 4이므로

$f'(t)=e^{t+1}=4 \quad \therefore t=\ln 4-1$

즉 접점의 좌표가 $(\ln 4-1, 4)$이므로 접선의 방정식은

$y-4=4\{x-(\ln 4-1)\} \quad \therefore y=4x-4\ln 4+8$

따라서 $a=4$, $b=-4\ln 4+8$이므로

$4\ln a+b=4\ln 4+(-4\ln 4+8)=8$ 답 8

기출유형 03

Act① 접점의 좌표를 $(t, e^{\sqrt{t-1}})$으로 놓고 접선의 방정식을 구한다.

$f(x)=e^{\sqrt{x-1}}$이라 하면 $f'(x)=e^{\sqrt{x-1}}\times\frac{1}{2\sqrt{x-1}}$

접점의 좌표를 $(t, e^{\sqrt{t-1}})$이라 하면 이 점에서의 접선의 방정식은

$y=\frac{e^{\sqrt{t-1}}}{2\sqrt{t-1}}(x-t)+e^{\sqrt{t-1}}$ ...... ㉠

이 직선이 원점을 지나므로

$0=-\frac{t}{2\sqrt{t-1}}e^{\sqrt{t-1}}+e^{\sqrt{t-1}},\ t=2\sqrt{t-1} \quad \therefore t=2$

$t=2$를 ㉠에 대입하면 접선의 방정식은

$y=\frac{e}{2}(x-2)+e$

이 직선이 $(2, k)$를 지나므로 $k=e$ 답 ①

08 **Act① 접점의 좌표를 $\left(t, \frac{1}{t-4}\right)$로 놓고 접선의 방정식을 구한다.**

$f(x)=\frac{1}{x-4}$이라 하면 $f'(x)=-\frac{1}{(x-4)^2}$

접점의 좌표를 $\left(t, \frac{1}{t-4}\right)$이라 하면 이 점에서의 접선의 방정식은

$y=-\frac{1}{(t-4)^2}(x-t)+\frac{1}{t-4}$ ...... ㉠

이 직선이 점 $(1, 0)$을 지나므로

$0=-\frac{(1-t)}{(t-4)^2}+\frac{1}{t-4} \quad \therefore t=\frac{5}{2}$

$t=\frac{5}{2}$를 ㉠에 대입하면 접선의 방정식은

$y=-\frac{1}{\left(\frac{5}{2}-4\right)^2}\left(x-\frac{5}{2}\right)+\frac{1}{\frac{5}{2}-4}$

$\therefore y=-\frac{4}{9}\left(x-\frac{5}{2}\right)-\frac{2}{3}$

이 직선이 $\left(\frac{5}{2}, k\right)$를 지나므로 $k=-\frac{2}{3}$ 답 ④

09 **Act① $\overline{PQ}$의 최솟값은 $y=\sqrt{x}-3$ 위의 점 Q에서의 접선과 직선 OQ가 수직임을 생각한다.**

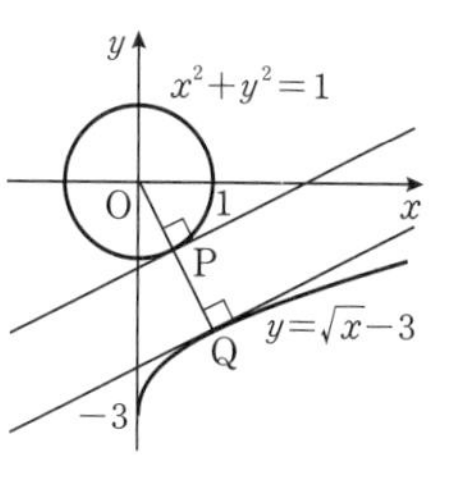

선분 PQ의 길이가 최소가 되려면 곡선 $y=\sqrt{x}-3$ 위의 점 $Q(t, \sqrt{t}-3)$에서의 접선과 직선 OQ는 수직이어야 한다.

$f(x)=\sqrt{x}-3$이라 하면

$f'(t)=\frac{1}{2\sqrt{t}}$이고 $\overline{OQ}$의 기울기는

$\frac{\sqrt{t}-3}{t}$이므로

$\frac{1}{2\sqrt{t}}\times\frac{\sqrt{t}-3}{t}=-1$, $2(\sqrt{t})^3+\sqrt{t}-3=0$

$(\sqrt{t}-1)(2t+2\sqrt{t}+3)=0 \qquad \therefore t=1$

즉 Q$(1, -2)$이므로

$\overline{PQ}=\overline{OQ}-1=\sqrt{5}-1$

따라서 $a=5$, $b=1$이므로 $a^2+b^2=26$ 답 26

10 **Act ①** $f'(x)=t$를 만족시키는 접점의 x좌표가 $g(t)$임을 생각한다.

$f'(x)=\frac{1-\ln x}{x^2}$이고 접선의 기울기가 t이므로

$f'(x)=t$에서 $\frac{1-\ln x}{x^2}=t$

이때 $g(t)=x$이므로

$g\left(\frac{1-\ln x}{x^2}\right)=x$ …… ㉠

한편, 원점에서 곡선 $y=f(x)$에 그은 접선을 l이라 하고, 접선 l과 곡선 $y=f(x)$의 접점의 좌표를 $(x_1, f(x_1))$이라 하면 접선 l의 방정식은

$y-f(x_1)=f'(x_1)(x-x_1)$, 즉 $y-\frac{\ln x_1}{x_1}=\frac{1-\ln x_1}{(x_1)^2}(x-x_1)$

이 직선이 원점을 지나므로

$0-\frac{\ln x_1}{x_1}=\frac{1-\ln x_1}{(x_1)^2}(0-x_1)$, $\ln x_1=\frac{1}{2}$, $x_1=\sqrt{e}$

따라서 $a=f'(\sqrt{e})=\frac{1-\ln\sqrt{e}}{(\sqrt{e})^2}=\frac{1}{2e}$이고 ㉠의 양변을 x에 대하여 미분하면

$g'\left(\frac{1-\ln x}{x^2}\right)\times\frac{2\ln x-3}{x^3}=1$

$g'\left(\frac{1-\ln x}{x^2}\right)=\frac{x^3}{2\ln x-3}$ …… ㉡

㉡의 양변에 $x=\sqrt{e}$를 대입하면

$g'\left(\frac{1}{2e}\right)=-\frac{e\sqrt{e}}{2}$, 즉 $g'(a)=g'\left(\frac{1}{2e}\right)=-\frac{e\sqrt{e}}{2}$

$\therefore a\times g'(a)=\frac{1}{2e}\times\left(-\frac{e\sqrt{e}}{2}\right)=-\frac{\sqrt{e}}{4}$ 답 ②

기출유형 04

Act ① $t=\frac{\pi}{2}$에 대응하는 접선의 기울기와 접점의 좌표를 구한다.

$\frac{dx}{dt}=1+\cos t$, $\frac{dy}{dt}=-\sin t$이므로

$\frac{dy}{dx}=-\frac{\sin t}{1+\cos t}$ $(\cos t\neq-1)$

$t=\frac{\pi}{2}$에 대응하는 점에서의 접선의 기울기는 -1이고 접점의 좌표는 $x=\frac{\pi}{2}+1$, $y=-1$이므로 접선의 방정식은

$y+1=-\left(x-\frac{\pi}{2}-1\right)$, 즉 $y=-x+\frac{\pi}{2}$

이 직선이 점 $(2\pi, k)$를 지나므로

$k=-2\pi+\frac{\pi}{2}=-\frac{3}{2}\pi$ 답 ③

11 **Act ①** $t=1$에 대응하는 접선의 기울기와 접점의 좌표를 구한다.

$\frac{dx}{dt}=2t$, $\frac{dy}{dt}=\frac{1}{2}-\frac{2}{t^2}$이므로

$\frac{dy}{dx}=\frac{\frac{dy}{dt}}{\frac{dx}{dt}}=\frac{\frac{1}{2}-\frac{2}{t^2}}{2t}=\frac{t^2-4}{4t^3}$

$t=1$에 대응하는 점에서의 접선의 기울기는 $-\frac{3}{4}$이고 접점의 좌표는 $x=1$, $y=\frac{1}{2}+\frac{2}{1}=\frac{5}{2}$이므로 접선의 방정식은

$y-\frac{5}{2}=-\frac{3}{4}(x-1)$, 즉 $y=-\frac{3}{4}x+\frac{13}{4}$

이 직선이 점 $(3, a)$를 지나므로

$a=-\frac{3}{4}\times3+\frac{13}{4}=1$ 답 1

12 **Act ①** $t=\frac{\pi}{4}$에 대응하는 접선의 기울기와 접점의 좌표를 구한다.

$\frac{dx}{dt}=-a\sin t$, $\frac{dy}{dt}=b\cos t$이므로

$\frac{dy}{dx}=\frac{b\cos t}{-a\sin t}=-\frac{b}{a}\cot t$

$t=\frac{\pi}{4}$에 대응하는 곡선 위의 점에서의 접선의 기울기가 1이므로

$-\frac{b}{a}\times\cot\frac{\pi}{4}=1$, $-\frac{b}{a}=1 \qquad \therefore b=-a$ …… ㉠

$t=\frac{\pi}{4}$에 대응하는 점의 좌표는 $x=\frac{a}{\sqrt{2}}$, $y=\frac{b}{\sqrt{2}}$

$\left(\frac{a}{\sqrt{2}}, \frac{b}{\sqrt{2}}\right)$는 $y=x+\sqrt{2}$ 위의 점이므로

$\frac{b}{\sqrt{2}}=\frac{a}{\sqrt{2}}+\sqrt{2} \qquad \therefore b=a+2$ …… ㉡

㉠, ㉡을 연립하여 풀면 $a=-1$, $b=1$

$\therefore a+b=0$ 답 ③

13 **Act ①** 곡선 위의 점의 좌표를 만족시키는 t의 값을 구한다.

$1=e^t-2e^{-t}$을 만족시키는 t의 값은

양변에 e^t을 곱하면

$e^{2t}-e^t-2=0$, $(e^t-2)(e^t+1)=0$

$e^t>0$이므로 $e^t=2 \qquad \therefore t=\ln 2$

$a=e^{2\ln 2}+e^{\ln 2}=e^{\ln 4}+e^{\ln 2}=4+2=6$

$\frac{dy}{dx}=\frac{\frac{dy}{dt}}{\frac{dx}{dt}}=\frac{2e^{2t}+e^t}{e^t+2e^{-t}}$이므로

$t=\ln 2$일 때 접선의 기울기는 $\frac{2\times4+2}{2+1}=\frac{10}{3}$

따라서 점 $(1, 6)$에서의 접선의 방정식은

$y=\frac{10}{3}(x-1)+6$, 즉 $y=\frac{10}{3}x+\frac{8}{3}$이므로 y절편은 $\frac{8}{3}$

$\therefore ab=6\times\frac{8}{3}=16$ 답 ⑤

14 **Act ①** 곡선 위의 점의 좌표를 만족시키는 θt의 값을 구한다.

$0<\theta<\frac{\pi}{2}$에서 $2\cos 2\theta=1$, $2\sin\theta=1$을 만족시키는 θ의 값은 $\theta=\frac{\pi}{6}$

$\frac{dx}{d\theta}=-4\sin 2\theta$, $\frac{dy}{d\theta}=2\cos\theta$이므로

$\frac{dy}{dx}=\frac{2\cos\theta}{-4\sin 2\theta}=-\frac{\cos\theta}{2\sin 2\theta}$

$\theta=\frac{\pi}{6}$일 때 접선의 기울기는 $-\frac{1}{2}$

따라서 점 $(1, 1)$을 지나고 접선에 수직인 직선의 방정식은

$y-1=2(x-1)$, 즉 $y=2x-1$

이 직선이 점 $(a, 0)$을 지나므로

$0=2a-1 \quad \therefore a=\frac{1}{2}$ 답 ②

기출유형 05

Act① 음함수의 미분법을 이용하여 $\frac{dy}{dx}$를 구하고 $x=1$, $y=1$을 대입하여 접선의 기울기를 구한다.

양변을 x에 대하여 미분하면

$2x+y+x\frac{dy}{dx}-3y^2\frac{dy}{dx}=0$

$\frac{dy}{dx}=\frac{2x+y}{3y^2-x}$ (단, $x\neq 3y^2$)

점 $(1, 1)$에서의 접선의 기울기는 $\frac{2+1}{3-1}=\frac{3}{2}$이므로 접선의 방정식은

$y-1=\frac{3}{2}(x-1)$, 즉 $y=\frac{3}{2}x-\frac{1}{2}$

이 접선이 점 $(3, b)$를 지나므로

$b=\frac{9}{2}-\frac{1}{2}=4$

한편, 곡선 $x^2+xy-y^3=a$가 점 $(1, 1)$을 지나므로

$1+1-1=a$에서 $a=1$

$\therefore a+b=1+4=5$ 답 ⑤

15 **Act① 음함수의 미분법을 이용하여 $\frac{dy}{dx}$를 구하고 $x=1$, $y=4$를 대입하여 접선의 기울기를 구한다.**

양변을 x에 대하여 미분하면

$2x+\frac{2}{\sqrt{y}}\frac{dy}{dx}=0$, $\frac{dy}{dx}=-x\sqrt{y}$

점 $(1, 4)$에서의 접선의 기울기는 $-1\times\sqrt{4}=-2$이므로

접선의 방정식은 $y-4=-2(x-1)$, 즉 $y=-2x+6$

따라서 y절편은 6이다. 답 6

16 **Act① 음함수의 미분법을 이용하여 $\frac{dy}{dx}$를 구하고 $x=1$, $y=1$을 대입하여 접선의 기울기를 구한다.**

양변을 x에 대하여 미분하면

$6x+2y+2x\times\frac{dy}{dx}+2y\times\frac{dy}{dx}=0$

점 $(1, 1)$에서의 접선의 기울기는

$6+2+2\frac{dy}{dx}+2\frac{dy}{dx}=0$, $4\frac{dy}{dx}=-8$, $\frac{dy}{dx}=-2$이므로

접선의 방정식은 $y-1=-2(x-1)$, 즉 $y=-2x+3$

이 직선이 점 $(2, k)$를 지나므로

$k=-4+3=-1$ 답 ②

17 **Act① 음함수의 미분법을 이용하여 $\frac{dy}{dx}$를 구하고 $x=1$, $y=0$을 대입하여 접선의 기울기를 구한다.**

양변을 x에 대하여 미분하면

$3x^2-3y^2\frac{dy}{dx}-4y-4x\frac{dy}{dx}=0$

점 $(1, 0)$에서의 접선의 기울기는 $3-4\frac{dy}{dx}=0$, $\frac{dy}{dx}=\frac{3}{4}$이므로

접선의 방정식은 $y=\frac{3}{4}x-\frac{3}{4}$

이 직선이 점 $(5, k)$를 지나므로

$k=\frac{3}{4}(5-1)=3$ 답 3

18 **Act① x축과 만나는 점의 좌표를 구해 $\frac{dy}{dx}$에 대입한다.**

$y=0$을 $x^3+xy+y^3+27=0$에 대입하면

$x^3+27=0$, $x=-3$

이므로 곡선과 x축이 만나는 점의 좌표는 $(-3, 0)$이다.

$x^3+xy+y^3+27=0$의 양변을 x에 대하여 미분하면

$3x^2+y+x\frac{dy}{dx}+3y^2\frac{dy}{dx}=0$

점 $(-3, 0)$에서의 접선의 기울기는

$3\times 9+(-3)\times\frac{dy}{dx}=0$, $\frac{dy}{dx}=9$이므로

접선의 방정식은 $y=9x+27$

이 직선이 점 $(-2, k)$를 지나므로

$k=9\times(-2)+27=9$ 답 9

기출유형 06

Act① $f'(x)=0$이 되는 x의 값을 구하고 그 값의 좌우에서 $f'(x)$의 부호를 조사한다.

$f(x)=\frac{x}{x^2+4}$에서 $f'(x)=\frac{-x^2+4}{(x^2+4)^2}$

$f'(x)=0$에서 $x=-2$ 또는 $x=2$

x	…	-2	…	2	…
$f'(x)$	$-$	0	$+$	0	$-$
$f(x)$	↘	$-\frac{1}{4}$	↗	$\frac{1}{4}$	↘

따라서 함수 $f(x)$는 $x=2$에서 극댓값 $\frac{1}{4}$을 갖고 $x=-2$에서 극솟값 $-\frac{1}{4}$을 갖는다.

$\therefore a=2$, $b=-2$, $k=-\frac{1}{4}$

따라서 구하는 값은

$a+b-12k=2+(-2)-12\times\left(-\frac{1}{4}\right)=3$ 답 ③

19 **Act① $f'(x)=0$이 되는 x의 값을 구하고 그 값의 좌우에서 $f'(x)$의 부호를 조사한다.**

$f'(x)=(2x)e^{-x}-(x^2-3)e^{-x}$
$=-e^{-x}(x^2-2x-3)$
$=-e^{-x}(x+1)(x-3)$

$f'(x)=0$에서 $x=-1$ 또는 $x=3$

$-e^{-x}<0$이므로 $x=-1$일 때 극솟값, $x=3$일 때 극댓값을 갖는다.

$a=f(3)=6e^{-3}$, $b=f(-1)=-2e$

$\therefore a\times b=-\frac{12}{e^2}$ 답 ④

20 **Act① 함수 $f(x)$가 $x=\alpha$에서 극값 β를 가지면 $f'(\alpha)=0$, $f(\alpha)=\beta$임을 이용한다.**

$f(x)=\tan(\pi x^2+ax)$에서

$f'(x)=(2\pi x+a)\sec^2(\pi x^2+ax)$

$x=\frac{1}{2}$에서 극솟값을 가지므로

$f'\left(\frac{1}{2}\right)=(\pi+a)\sec^2\left(\frac{\pi}{4}+\frac{a}{2}\right)=0$

$\sec^2\left(\frac{\pi}{4}+\frac{a}{2}\right)\neq 0$이므로 $a=-\pi$

따라서 극솟값 k는

$k=f\left(\frac{1}{2}\right)=\tan\left(\frac{\pi}{4}-\frac{\pi}{2}\right)$
$=\tan\left(-\frac{\pi}{4}\right)=-1$ 답 ②

21 **Act① $f(x)$가 $x=a$에서 극소이면 $f'(a)=0$, $f''(a)>0$임을 이용한다.**

$f(x)=\frac{\sin x}{e^{2x}}=e^{-2x}\sin x$이므로

$f'(x)=-2e^{-2x}\sin x+e^{-2x}\cos x$
$=e^{-2x}(-2\sin x+\cos x)$

$f''(x)=-2e^{-2x}(-2\sin x+\cos x)+e^{-2x}(-2\cos x-\sin x)$
$=e^{-2x}(3\sin x-4\cos x)$

함수 $f(x)$가 $x=a$에서 극솟값을 가지고 $e^{-2a}>0$이므로

$-2\sin a+\cos a=0$ ...... ㉠

$3\sin a-4\cos a>0$ ...... ㉡

이어야 한다.

㉠에서 $\cos a=2\sin a$, $\tan a=\frac{1}{2}$

㉠을 ㉡에 대입하면 $-5\sin a>0$

따라서 $\tan a>0$이고, $\sin a<0$이므로 $\pi<a<\frac{3}{2}\pi$

$\sec^2 a=1+\tan^2 a=1+\left(\frac{1}{2}\right)^2=\frac{5}{4}$

$\cos a=\frac{1}{\sec a}=\pm\frac{2}{\sqrt{5}}$

$\therefore \cos a=-\frac{2\sqrt{5}}{5}\left(\because \pi<a<\frac{3}{2}\pi\right)$ 답 ①

VIT Very Important Test

pp. 68~69

01. ①	**02.** ③	**03.** ④	**04.** ②	**05.** ⑤
06. ④	**07.** 17	**08.** ②	**09.** ④	**10.** ②
11. 5	**12.** 2			

01

$f(x)=2x\ln x$라 하면

$f'(x)=2\ln x+2=2(\ln x+1)$

$x=1$에서의 접선의 기울기는 $f'(1)=2$

따라서 곡선 $y=2x\ln x$ 위의 점 $(1,\ 0)$에서의 접선의 기울기는 2이므로 점 $(1,\ 0)$에서의 접선과 수직인 직선의 기울기는 $-\frac{1}{2}$이다.

구하는 직선 l의 방정식은 $y-0=-\frac{1}{2}(x-1)$

$y=-\frac{1}{2}x+\frac{1}{2}$

$\therefore x+2y-1=0$

따라서 원점과 직선 l 사이의 거리는

$\frac{|-1|}{\sqrt{1^2+2^2}}=\frac{\sqrt{5}}{5}$ 답 ①

02

$y'=2+e^x$이므로 접점의 x좌표를 t라 하면

$2+e^t=3$, $t=0$

$t=0$일 때 $y=0+e^0=1$

따라서 접선의 방정식은

$y-1=3(x-0)$, 즉 $y=3x+1$

이므로 접선의 y절편은 1이다. 답 ③

03

직선 $y=x$를 y축의 방향으로 k만큼 평행이동시킨 직선의 방정식은 $y=x+k$이다.

이 접선의 접점을 $(a,\ e^a)$이라 하자.

$f(x)=e^x$이라 하면 $f'(x)=e^x$이므로 점 $(a,\ e^a)$에서의 접선의 기울기는 $f'(a)=e^a$

이때 접선의 기울기가 1이므로

$e^a=1$에서 $a=0$

따라서 접점의 좌표가 $(0,\ 1)$이고 직선 $y=x+k$가 이 접점을 지나므로 $k=1$ 답 ④

04

$f(x)=2x\ln x+x$라 하면 $f'(x)=2\ln x+3$

접점의 좌표를 $(a,\ 2a\ln a+a)$라 하면 접선의 기울기가 4이므로 $f'(a)=2\ln a+3=4$에서

$\ln a=\frac{1}{2}$ $\quad\therefore a=\sqrt{e}$

따라서 접점의 좌표가 $(\sqrt{e},\ 2\sqrt{e})$이고 직선 $y=4x+k$가 이 점을 지나므로

$2\sqrt{e}=4\sqrt{e}+k$ $\quad\therefore k=-2\sqrt{e}$ 답 ②

05

$y'=2+\frac{1}{x}$이므로 접점의 x좌표를 t라 하면 접선의 방정식은

$y-(2t+\ln t)=\left(2+\frac{1}{t}\right)(x-t)$, 즉

$y=\left(2+\frac{1}{t}\right)x-1+\ln t$

이때 점 $(0,\ -1)$이 접선 위의 점이므로

$-1=-1+\ln t$, $t=1$

따라서 접선의 방정식은 $y=3x-1$이므로

$a=3\times2-1=5$ 답 ⑤

06

$f(x)=e^x$이라 하면

$f'(x)=e^x$, $f'(1)=e$

점 $(1,\ e)$에서의 접선의 방정식은

$y=e(x-1)+e$, 즉 $y=ex$

$g(x)=\sqrt{x+a}$라 하면

$g'(x)=\frac{1}{2\sqrt{x+a}}$

접선 $y=ex$와 곡선 $y=\sqrt{x+a}$의 접점의 좌표를 $(t,\ et)$라 하면

$et=\sqrt{t+a}$, $\frac{1}{2\sqrt{t+a}}=e$

위의 두 식을 연립하여 풀면

$t=\frac{1}{2e^2}$, $a=-\frac{1}{4e^2}$ 답 ④

07

$f(x)=\cos 3x$라 하면 $f'(x)=-3\sin 3x$이므로

점 $\mathrm{P}(t,\ \cos 3t)$에서의 접선의 기울기는 $-3\sin 3t$이다.

따라서 이 접선과 수직인 직선의 기울기는 $\frac{1}{3\sin 3t}$이고 직선의 방정식은 $y-\cos 3t=\frac{1}{3\sin 3t}(x-t)$에서

$y=\frac{1}{3\sin 3t}x-\frac{t}{3\sin 3t}+\cos 3t$

$f(t)=-\frac{t}{3\sin 3t}+\cos 3t$이므로

$$\begin{aligned}\lim_{t\to0}f(t)&=\lim_{t\to0}\left(-\frac{t}{3\sin 3t}+\cos 3t\right)\\&=\lim_{t\to0}\left(-\frac{3t}{\sin 3t}\times\frac{1}{9}+\cos 3t\right)\\&=-\frac{1}{9}+1=\frac{8}{9}\end{aligned}$$

따라서 $p=9$, $q=8$이므로 $p+q=17$ 답 17

08

$x=\ln(t+1)+2$, $y=\frac{1}{3}t^3-\frac{1}{2}t^2+t+1$에서

$\frac{dx}{dt}=\frac{1}{t+1}$, $\frac{dy}{dt}=t^2-t+1$이므로

$$\frac{dy}{dx}=\frac{\frac{dy}{dt}}{\frac{dx}{dt}}=\frac{t^2-t+1}{\frac{1}{t+1}}=t^3+1$$

$x=2$일 때, $2=\ln(t+1)+2$에서 $\ln(t+1)=0$

즉 $t+1=1$이므로 $t=0$

$t=0$일 때, $\frac{dy}{dx}$의 값은 1이므로 곡선 위의 점 $(2,\ 1)$에서의 접선의 방정식은

$y-1=1\times(x-2)$

즉 $y=x-1$이므로 $\mathrm{A}(1,\ 0)$, $\mathrm{B}(0,\ -1)$

$\therefore\ \overline{\mathrm{OA}}+\overline{\mathrm{OB}}=1+1=2$ 답 ②

09

$f(-1)=-\frac{1}{e}$에서 $-e^{-a+b}=-\frac{1}{e}$

$-a+b=-1$ …… ㉠

한편, $f'(x)=e^{ax+b}(1+ax)$이므로

$f'(-1)=0$에서 $e^{-a+b}(1-a)=0$

$e^{-a+b}>0$이므로 $a=1$

$a=1$을 ㉠에 대입하면 $b=0$

$\therefore\ a+b=1$ 답 ④

10

$$\begin{aligned}f'(x)&=(2x+3)e^{-x}-(x^2+3x+k)e^{-x}\\&=-(x^2+x+k-3)e^{-x}\end{aligned}$$

이때 함수 $f(x)$가 극댓값과 극솟값을 모두 가지려면 이차방정식 $x^2+x+k-3=0$이 서로 다른 두 실근을 가져야 한다.

이차방정식 $x^2+x+k-3=0$의 판별식을 D라 하면

$D=1-4(k-3)>0$에서 $k<\frac{13}{4}$

따라서 정수 k의 최댓값은 3이다. 답 ②

11

$f(x)=xe^{-x}$이라 하면

$$\begin{aligned}f'(x)&=e^{-x}-xe^{-x}\\&=e^{-x}(1-x)\end{aligned}$$

접점의 좌표를 $(t,\ te^{-t})$이라 하면 이 점에서의 접선의 기울기는 $e^{-t}(1-t)$이므로 접선의 방정식은

$y-te^{-t}=e^{-t}(1-t)(x-t)$

$y=e^{-t}(1-t)x+t^2e^{-t}$

이 직선이 점 $(a,\ 0)$을 지나므로

$0=e^{-t}(1-t)a+t^2e^{-t}$

$e^{-t}\neq0$이므로 양변을 e^{-t}으로 나누어 정리하면

$t^2-at+a=0$ …… ㉠

점 $(a,\ 0)$에서 곡선 $y=xe^{-x}$에 서로 다른 두 개의 접선을 그을 수 있으려면 이차방정식 ㉠이 서로 다른 두 실근을 가져야 하므로 ㉠의 판별식을 D라 하면

$D=a^2-4a>0$이어야 하므로

$a(a-4)>0$ $\therefore\ a<0$ 또는 $a>4$

따라서 자연수 a의 최솟값은 5이다. 답 5

12

$\frac{dx}{dt}=1+2t+3t^2+\cdots+(n+1)t^n$,

$\frac{dy}{dt}=1+3t+5t^2+\cdots+(2n+1)t^n$이므로

$$\frac{dy}{dx}=\frac{\frac{dy}{dt}}{\frac{dx}{dt}}=\frac{1+3t+5t^2+\cdots+(2n+1)t^n}{1+2t+3t^2+\cdots+(n+1)t^n}$$

$t=1$에 대응하는 점에서의 접선의 기울기 $f(n)$은

$$f(n)=\frac{1+3+5+\cdots+(2n+1)}{1+2+3+\cdots+(n+1)}=\frac{(n+1)^2}{\frac{(n+1)(n+2)}{2}}=\frac{2n+2}{n+2}$$

$\therefore \lim_{n\to\infty}f(n)=\lim_{n\to\infty}\frac{2n+2}{n+2}=\lim_{n\to\infty}\frac{2+\frac{2}{n}}{1+\frac{2}{n}}=2$ 답 2

07 도함수의 활용 (2)

p. 71

01. ② **02.** 6 **03.** ② **04.** ④ **05.** ⑤ **06.** ④

01 $f(x)=(\ln x)^2-x+1$이라 하면

$f'(x)=\frac{2\ln x}{x}-1$

$f''(x)=\frac{2\frac{1}{x}\times x-2\ln x\times 1}{x^2}=\frac{2-2\ln x}{x^2}$

$f''(x)=0$에서 $2-2\ln x=0$, $x=e$

$x=e$의 좌우에서 $f''(x)$의 부호가 바뀌므로 $x=e$는 변곡점의 x좌표이다.

따라서 변곡점에서의 접선의 기울기는

$f'(e)=\frac{2\ln e}{e}-1=\frac{2}{e}-1$ 답 ②

02 $f(x)=x\ln x-x+3$에서

$f'(x)=\ln x+x\times\frac{1}{x}-1=\ln x$

$f'(x)=0$에서 $x=1$

x	$\frac{1}{e}$	$\cdots$	1	$\cdots$	e
$f'(x)$		$-$	0	$+$	
$f(x)$	$3-\frac{2}{e}$	↘	2	↗	3

따라서 함수 $f(x)$는 $x=e$에서 최댓값 3, $x=1$에서 최솟값 2를 갖는다.

$\therefore Mm=3\times 2=6$ 답 6

03 직사각형의 넓이를 $S(a)$라 하면

$S(a)=2ae^{-2a}$

$S'(a)=2e^{-2a}-4ae^{-2a}=-2e^{-2a}(2a-1)$

$S'(a)=0$에서 $a=\frac{1}{2}$ ($\because e^{-2a}>0$)

a	(0)	$\cdots$	$\frac{1}{2}$	$\cdots$
$S'(a)$		$+$	0	$-$
$S(a)$		↗	$\frac{1}{e}$	↘

따라서 직사각형의 넓이의 최댓값은 $\frac{1}{e}$이다. 답 ②

04 $x-\ln x=k$에서 $f(x)=x-\ln x$라 하면 $f'(x)=1-\frac{1}{x}$

$f'(x)=0$에서 $x=1$

x	(0)	$\cdots$	1	$\cdots$
$f'(x)$		$-$	0	$+$
$f(x)$		↘	1	↗

한편,

$\lim_{x\to 0+}f(x)=\infty$, $\lim_{x\to\infty}f(x)=\infty$

이므로 함수 $f(x)$의 그래프는 그림과 같다.

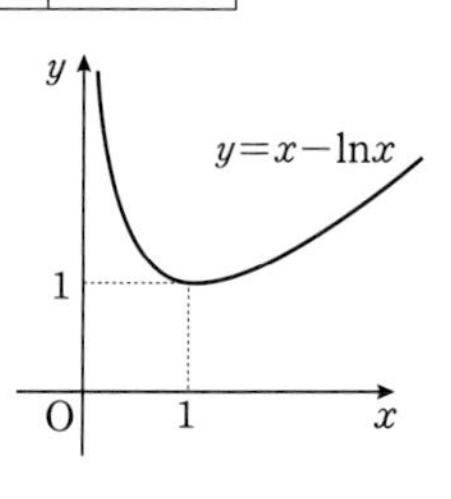

따라서 방정식 $x-\ln x-k=0$이 서로 다른 두 실근을 갖는 k의 범위는 $k>1$이므로 $a=1$ 답 ④

05 $f(x)=\frac{x^2}{\ln x}-k$로 놓으면

$f'(x)=\frac{2x\ln x-x^2\times\frac{1}{x}}{(\ln x)^2}=\frac{x(2\ln x-1)}{(\ln x)^2}$

$f'(x)=0$에서 $\ln x=\frac{1}{2}$ $\therefore x=\sqrt{e}$

x	(1)	$\cdots$	$\sqrt{e}$	$\cdots$
$f'(x)$		$-$	0	$+$
$f(x)$		↘	$2e-k$	↗

함수 $f(x)$의 최솟값은 $2e-k$이므로 $f(x)\geq 0$이 성립하려면

$2e-k\geq 0$ $\therefore k\leq 2e$

따라서 실수 k의 값의 최댓값은 $2e$이다. 답 ⑤

06 $\frac{dx}{dt}=3-\cos t$, $\frac{dy}{dt}=\sin t$

이므로 점 P의 속력은

$$\sqrt{\left(\frac{dx}{dt}\right)^2+\left(\frac{dy}{dt}\right)^2}=\sqrt{(3-\cos t)^2+\sin^2 t}=\sqrt{9-6\cos t+\cos t^2+\sin^2 t}=\sqrt{10-6\cos t}$$

이때 $-1\leq\cos t\leq 1$이므로

$M=\sqrt{10-6\times(-1)}=4$

$m=\sqrt{10-6\times 1}=2$

$\therefore M+m=6$ 답 ④

유형따라잡기 pp. 72~77

기출유형 01 ④	01. 3	02. ④	03. ③	
기출유형 02 ③	04. 2	05. ②	06. ③	
기출유형 03 ⑤	07. 34	08. ④		
기출유형 04 ⑤	09. ③	10. ③	11. ③	
기출유형 05 ①	12. ⑤	13. 2	14. ③	
기출유형 06 ②	15. ⑤	16. 40	17. ⑤	18. ③

기출유형 01

Act① $f''(a)=0$이고 $x=a$의 좌우에서 $f''(x)$의 부호가 바뀌면 점 $(a, f(a))$는 곡선 $y=f(x)$의 변곡점이다.

$f(x)=xe^x$에서

$f'(x)=e^x+xe^x=(x+1)e^x$

$f''(x)=e^x+(x+1)e^x=(x+2)e^x$

$f''(x)=0$에서 $x=-2$

$x=-2$의 좌우에서 $f''(x)$의 부호가 바뀌고

$f(-2)=-\frac{2}{e^2}$이므로 변곡점의 좌표는 $\left(-2,\ -\frac{2}{e^2}\right)$

$\therefore ab=(-2)\times\left(-\frac{2}{e^2}\right)=\frac{4}{e^2}$ 답 ④

01 **Act① $f''(a)=0$이고 $x=a$의 좌우에서 $f''(x)$의 부호가 바뀌면 점 $(a, f(a))$는 곡선 $y=f(x)$의 변곡점이다.**

$f(x)=\frac{1}{3}x^3+2\ln x$라 하면

$f'(x)=x^2+\frac{2}{x}$, $f''(x)=2x-\frac{2}{x^2}$

$f''(x)=0$에서 $x=1$

$0<x<1$일 때 $f''(x)<0$, $x>1$일 때 $f''(x)>0$이다.

따라서 $x=1$의 좌우에서 $f''(x)$의 부호가 바뀌므로 변곡점에서의 접선의 기울기는

$f'(1)=1+2=3$ 답 3

02 **Act① 함수 $f(x)$가 변곡점을 가지려면 $f''(a)=0$이고 $x=a$의 좌우에서 $f''(x)$의 부호가 바뀌어야 함을 이용한다.**

$f(x)=ax^2-2\sin 2x$라 하면

$f'(x)=2ax-4\cos 2x$

$f''(x)=2a+8\sin 2x$

$f''(x)=0$에서 $\sin 2x=-\frac{a}{4}$

주어진 곡선이 변곡점을 가지려면 $y=\sin 2x$와 $y=-\frac{a}{4}$의 그래프의 교점의 좌우에서 $f''(x)$의 부호가 변해야 하므로

$-1<-\frac{a}{4}<1 \qquad \therefore -4<a<4$

따라서 정수 a의 값은 $-3,\ -2,\ -1,\ 0,\ 1,\ 2,\ 3$이고 그 개수는 7이다. 답 ④

03 **Act① n이 홀수인 경우와 짝수인 경우로 나누어 ㄴ, ㄷ의 참, 거짓을 판단한다.**

$f(x)=\frac{x^n}{e^x}$에서

$f'(x)=\frac{nx^{n-1}e^x-x^ne^x}{(e^x)^2}=\frac{x^{n-1}(n-x)}{e^x}$

ㄱ. $f\left(\frac{n}{2}\right)=\frac{\left(\frac{n}{2}\right)^n}{e^{\frac{n}{2}}}$

$f'\left(\frac{n}{2}\right)=\frac{\left(\frac{n}{2}\right)^{n-1}\left(n-\frac{n}{2}\right)}{e^{\frac{n}{2}}}=\frac{\left(\frac{n}{2}\right)^n}{e^{\frac{n}{2}}}$

$\therefore f\left(\frac{n}{2}\right)=f'\left(\frac{n}{2}\right)$ (참)

ㄴ. $f'(x)=-x^{n-1}(x-n)e^{-x}$

(i) n이 홀수인 경우

x	$\cdots$	0	$\cdots$	n	$\cdots$
$f'(x)$	$+$	0	$+$	0	$-$
$f(x)$	↗		↗	극대	↘

(ii) n이 짝수인 경우

x	$\cdots$	0	$\cdots$	n	$\cdots$
$f'(x)$	$-$	0	$+$	0	$-$
$f(x)$	↘	극소	↗	극대	↘

따라서 함수 $f(x)$는 $x=n$에서 극댓값을 갖는다. (참)

ㄷ. $f''(x)=e^{-x}x^{n-2}(x^2-2nx+n(n-1))$

$f''(x)=0$에서 $x=0$

(i) n이 홀수인 경우

$x<0$일 때 $f''(x)<0$, $x>0$일 때 $f''(x)>0$이므로 $(0,\ 0)$은 변곡점이다.

(ii) n이 짝수인 경우

$x<0$일 때 $f''(x)>0$, $x>0$일 때 $f''(x)>0$으로 $x=0$의 좌우에서 $f''(x)$의 부호의 변화가 없으므로 $(0,\ 0)$은 변곡점이 아니다. (거짓)

참고 ㄴ에서 n이 짝수일 때는 $x=0$에서 극솟값을 가지므로 $(0,\ 0)$에서 변곡점이 될 수 없다. 답 ③

기출유형 02

Act① 주어진 구간에서 함수의 극값을 구한 후 구간의 양 끝에서의 함숫값과 비교하여 최댓값, 최솟값을 구한다.

$f(x)=x^2e^x$에서

$f'(x)=2xe^x+x^2e^x=xe^x(2+x)$

$f'(x)=0$에서 $x=0$ 또는 $x=-2$

x	-3	$\cdots$	-2	$\cdots$	0	$\cdots$	1
$f'(x)$		$+$	0	$-$	0	$+$	
$f(x)$	$\frac{9}{e^3}$	↗	$\frac{4}{e^2}$	↘	0	↗	e

따라서 함수 $f(x)$는 $x=1$에서 최댓값 e, $x=0$에서 최솟값 0을 갖는다.

$\therefore M+m=e+0=e$ 답 ③

04 **Act① 주어진 구간에서 함수의 극값을 구한 후 구간의 양 끝에서의 함숫값과 비교하여 최댓값, 최솟값을 구한다.**

$f(x)=x-2\sqrt{x}$에서 $f'(x)=1-\frac{1}{\sqrt{x}}$

$f'(x)=0$에서 $x=1$

x	0	$\cdots$	1	$\cdots$	9
$f'(x)$		$-$	0	$+$	
$f(x)$	0	↘	-1	↗	3

따라서 함수 $f(x)$는 $x=9$에서 최댓값 3, $x=1$에서 최솟값 -1을 갖는다.

$\therefore M+m=3+(-1)=2$ 답 2

05 **Act ①** **주어진 구간에서 함수의 극값을 구한 후 구간의 양 끝에서의 함숫값과 비교하여 최댓값, 최솟값을 구한다.**

$f(x)=\frac{\ln x}{x}$에서

$f'(x)=\frac{\frac{1}{x}\times x-\ln x}{x^2}=\frac{1-\ln x}{x^2}$

$f'(x)=0$에서 $x=e$

x	1	$\cdots$	e	$\cdots$	3
$f'(x)$		$+$	0	$-$	
$f(x)$	0	↗	$\frac{1}{e}$	↘	$\frac{\ln 3}{3}$

따라서 함수 $f(x)$는 $x=e$에서 최댓값 $\frac{1}{e}$, $x=0$에서 최솟값 0을 갖는다.

$\therefore M+m=\frac{1}{e}+0=\frac{1}{e}$ 답 ②

06 **Act ①** **최댓값, 최솟값을 구하는 원리를 생각하며 빈칸의 앞뒤를 살펴본다.**

$f(x)=(2x-1)e^{-x^2}$이라 하자.

$f'(x)=(\boxed{-4x^2+2x+2})\times e^{-x^2}$

$=-2(2x+1)(x-1)e^{-x^2}$

$f'(x)=0$에서 $x=-\frac{1}{2}$ 또는 $x=1$

함수 $f(x)$의 증가와 감소를 표로 나타내면

x	$\cdots$	$-\frac{1}{2}$	$\cdots$	1	$\cdots$
$f'(x)$	$-$	0	$+$	0	$-$
$f(x)$	↘	$-\frac{2}{\sqrt[4]{e}}$	↗	$\frac{1}{e}$	↘

이므로 함수 $f(x)$의 극솟값은 $\boxed{-\frac{2}{\sqrt[4]{e}}}$이다.

함수 $y=f(x)$의 그래프의 개형을 그리면

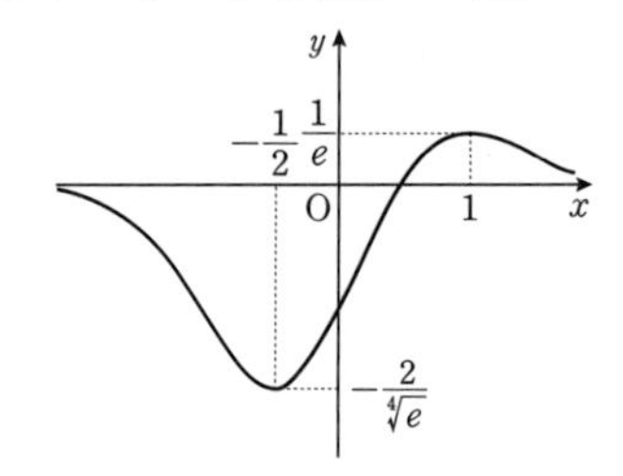

이므로 함수 $f(x)$의 최솟값은 $\boxed{-\frac{2}{\sqrt[4]{e}}}$이다.

$(2x-1)e^{-x^2}\geq-\frac{2}{\sqrt[4]{e}}$이므로 $k\leq-\frac{2}{\sqrt[4]{e}}$

따라서 $2x-1\geq ke^{x^2}$을 성립시키는 실수 k의 최댓값은 $\boxed{-\frac{2}{\sqrt[4]{e}}}$이다.

따라서 $g(x)=-4x^2+2x+2$, $p=-\frac{2}{\sqrt[4]{e}}$이므로

$g(2)\times p=\frac{20}{\sqrt[4]{e}}$ 답 ③

기출유형 03

Act ① **두 삼각형의 넓이의 합을 θ의 함수로 나타낸 다음 함수의 최대, 최소를 이용한다.**

점 P의 좌표는 $(\cos\theta, \sin\theta)$이므로 삼각형 OQP의 넓이는

$\frac{1}{2}\times 2\cos\theta\times\sin\theta=\sin\theta\cos\theta=\frac{1}{2}\sin 2\theta$

점 R의 좌표는 $\left(2\cos\frac{1}{2}\theta, -2\sin\frac{1}{2}\theta\right)$이므로

삼각형 ORS의 넓이는

$\frac{1}{2}\times 4\cos\frac{1}{2}\theta\times 2\sin\frac{1}{2}\theta=4\sin\frac{1}{2}\theta\cos\frac{1}{2}\theta=2\sin\theta$

따라서 삼각형 OQP와 삼각형 ORS의 넓이의 합을 $S(\theta)$라 하면

$S(\theta)=\frac{1}{2}\sin 2\theta+2\sin\theta$

$S'(\theta)=\cos 2\theta+2\cos\theta$

$=2\cos^2\theta+2\cos\theta-1$

$S'(\theta)=0$에서 $\cos\theta=\frac{-1\pm\sqrt{3}}{2}$

$0<\theta<\frac{\pi}{2}$에서 $\cos\theta>0$이므로

$\cos\theta=\frac{-1+\sqrt{3}}{2}$

따라서 $\cos\theta=\frac{-1+\sqrt{3}}{2}$일 때, $S(\theta)$는 극댓값을 가지며 최댓값이 된다. 답 ⑤

07 **Act ①** **점 P의 y좌표를 θ의 함수로 나타낸 다음 함수의 최대, 최소를 이용한다.**

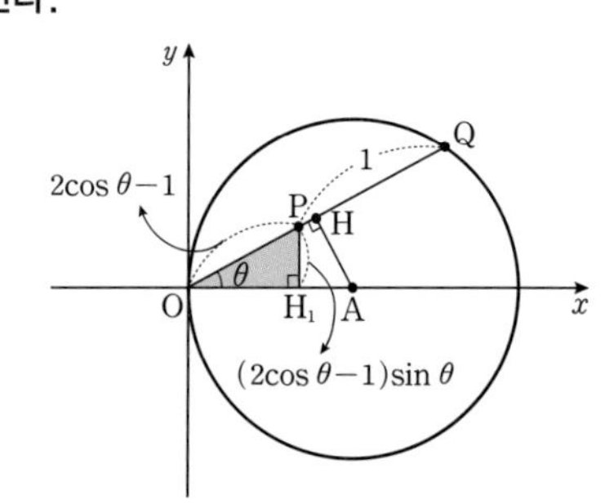

A에서 OQ에 내린 수선의 발을 H라 하자.

$\overline{OH}=\overline{OA}\cos\theta=\cos\theta$

$\overline{OQ}=2\overline{OH}=2\cos\theta$

$\therefore\ \overline{OP}=\overline{OQ}-\overline{PQ}=2\cos\theta-1$

P에서 x축에 내린 수선의 발을 H_1이라 하면

P의 y좌표는 $f(\theta)=\overline{PH_1}=(2\cos\theta-1)\sin\theta$이다.

$f'(\theta)=-2\sin^2\theta+(2\cos\theta-1)\cos\theta$

$\quad=4\cos^2\theta-\cos\theta-2$

$f'(\theta)=0$에서 $\cos\theta=\dfrac{1\pm\sqrt{33}}{8}$

$0<\theta<\dfrac{\pi}{3}$에서 $\cos\theta=\dfrac{1+\sqrt{33}}{8}$

따라서 $\cos\theta=\dfrac{1+\sqrt{33}}{8}$일 때, $f(\theta)$는 극댓값을 가지며 최댓값이 된다.

$\therefore\ a+b=1+33=34$ 답 34

08 **Act①** 포개어지는 부분의 넓이를 θ의 함수로 나타낸 다음 함수의 최대, 최소를 이용한다.

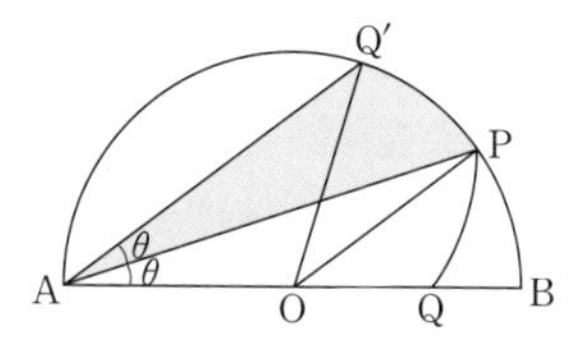

색종이를 접었을 때 호 AP와 선분 AB의 교점을 Q, 접힌 색종이를 다시 폈을 때 점 Q가 호 AB 위에 있게 되는 점을 Q′이라 하자.

도형 AQP와 도형 APQ′은 합동이므로 $S(\theta)$는 호 AP와 현 AP로 둘러싸인 도형에서 호 AQ′과 현 AQ′으로 둘러싸인 도형의 넓이를 뺀 것이다.

$S(\theta)=\dfrac{1}{2}\{(\pi-2\theta)-\sin(\pi-2\theta)\}$

$\quad-\dfrac{1}{2}\{(\pi-4\theta)-\sin(\pi-4\theta)\}$

$\quad=\dfrac{1}{2}(2\theta-\sin 2\theta+\sin 4\theta)$

$S'(\theta)=2\cos 4\theta-\cos 2\theta+1$

$\quad=2(\cos^2 2\theta-\sin^2 2\theta)-\cos 2\theta+1$

$\quad=2(2\cos^2 2\theta-1)-\cos 2\theta+1$

$\quad=4\cos^2 2\theta-\cos 2\theta-1$

$S'(\theta)=0$에서 $\cos 2\theta=\dfrac{1\pm\sqrt{17}}{8}$

$0<\theta<\dfrac{\pi}{4}$에서 $\cos 2\theta=\dfrac{1+\sqrt{17}}{8}$

따라서 $\cos 2\theta=\dfrac{1+\sqrt{17}}{8}$에서 $S(\theta)$는 극댓값을 가지며 최댓값이 된다. 답 ④

기출유형 04

Act① $y=\dfrac{e^2}{2}x^2-\ln x$의 그래프와 직선 $y=k$의 교점의 개수가 2가 되도록 하는 k의 값의 범위를 구한다.

$f(x)=\dfrac{e^2}{2}x^2-\ln x\ (x>0)$라 하면

$f'(x)=e^2x-\dfrac{1}{x}=\dfrac{e^2x^2-1}{x}$

$\quad=\dfrac{(ex+1)(ex-1)}{x}$

$f'(x)=0$에서 $x=\dfrac{1}{e}$

x	(0)	$\cdots$	$\dfrac{1}{e}$	$\cdots$
$f'(x)$		$-$	0	$+$
$f(x)$		↘	$\dfrac{3}{2}$	↗

함수 $y=f(x)$의 그래프와 직선 $y=k$가 서로 다른 두 점에서 만나야 하므로 $k>\dfrac{3}{2}$

따라서 정수 k의 최솟값은 2이다. 답 ⑤

09 **Act①** $y=e^x+e^{-x}$의 그래프와 직선 $y=n$의 교점의 개수가 2가 되도록 하는 n의 값의 범위를 구한다.

$e^x+e^{-x}=n$에서 $f(x)=e^x+e^{-x}$이라 하면

$f'(x)=e^x-e^{-x}$

$f'(x)=0$에서 $e^x=e^{-x}$, $x=-x$ $\quad\therefore\ x=0$

x	$\cdots$	0	$\cdots$
$f'(x)$	$-$	0	$+$
$f(x)$	↘	2	↗

함수 $y=f(x)$의 그래프와 직선 $y=n$이 서로 다른 두 점에서 만나야 하므로 $n>2$

따라서 자연수 n의 최솟값은 3이다. 답 ③

10 **Act①** $y=\ln x-\dfrac{1}{3}x$의 그래프와 x축의 교점의 개수를 구한다.

$\ln x=\dfrac{1}{3}x$에서 $f(x)=\ln x-\dfrac{1}{3}x$라 하면

$f'(x)=\dfrac{1}{x}-\dfrac{1}{3}$

$f'(x)=0$에서 $x=3$

x	(1)	$\cdots$	3	$\cdots$	(e^2)
$f'(x)$		$+$	0	$-$	
$f(x)$	$\left(-\dfrac{1}{3}\right)$	↗	$\ln 3-1$	↘	$\left(2-\dfrac{e^2}{3}\right)$

이때 $\ln 3-1>0$이고 $2-\dfrac{e^2}{3}<0$이므로 곡선 $y=f(x)$의 그래프는 열린구간 $(1,\ e^2)$에서 x축과 서로 다른 두 점에서 만난다. 따라서 실근의 개수는 2이다. 답 ③

11 **Act①** 미분을 이용하여 함수의 그래프를 추론하고 [보기]의 참, 거짓을 판단한다.

ㄱ. $g'(x)=\dfrac{1}{\ln 3}\times\dfrac{4x^3}{x^4+2n}$이므로

$g'(f(1))=g'(0)=0$

$h'(1)=g'(f(1))f'(1)=0$ (참)

ㄴ. $h(x)=g(f(x))=\log_3[\{f(x)\}^4+2n]$

$h'(x)=\dfrac{1}{\ln 3}\times\dfrac{4\{f(x)\}^3f'(x)}{\{f(x)\}^4+2n}$

$\quad=\dfrac{1}{\ln 3}\times\dfrac{4nx^{n-1}(x^n-1)^3}{(x^n-1)^4+2n}$

열린구간 $(0,\ 1)$에서 $-1<x^n-1<0$이므로 $h'(x)<0$이다.

즉 열린구간 $(0,\ 1)$에서 함수 $h(x)$는 감소한다. (거짓)

ㄷ. ㄱ, ㄴ의 결과로부터 $h'(1)=0$, $0<x<1$일 때 $h'(x)<0$이고 $x>1$일 때 $h'(x)>0$이므로, $x>0$일 때 함수 $h(x)$는 $x=1$에서 극솟값 $\log_3 2n$을 갖는다.

즉 함수 $h(x)$의 그래프의 개형은 다음과 같다.

(i) $n=1$일 때,

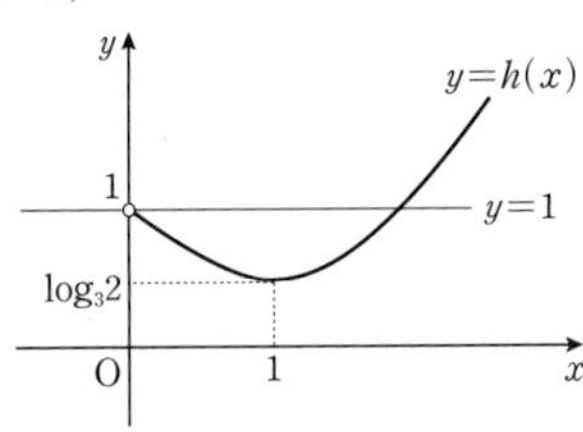

(ii) $n\geq 2$일 때,

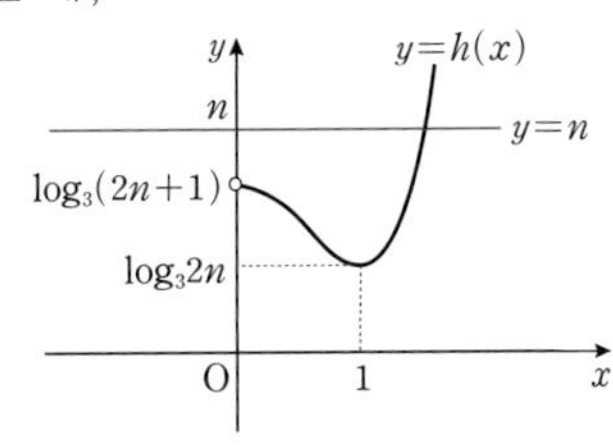

(i), (ii)에 의하여 방정식 $h(x)=n$의 서로 다른 실근의 개수는 1이다. (참)

따라서 옳은 것은 ㄱ, ㄷ이다. 답 ③

기출유형 05

Act① 어떤 구간에서 부등식 $f(x)>m$이 성립하려면 그 구간에서 ($f(x)$의 최솟값)$>m$이어야 함을 이용한다.

$x>1$일 때 $\sqrt{x}>a\ln x$에서 $\ln x>0$이므로 $\dfrac{\sqrt{x}}{\ln x}>a$

$f(x)=\dfrac{\sqrt{x}}{\ln x}$라 하면

$$f'(x)=\frac{\frac{1}{2\sqrt{x}}\ln x-\frac{\sqrt{x}}{x}}{(\ln x)^2}=\frac{\ln x-2}{2\sqrt{x}(\ln x)^2}$$

$f'(x)=0$에서 $x=e^2$

x	(1)	$\cdots$	e^2	$\cdots$
$f'(x)$		$-$	0	$+$
$f(x)$		↘	$\dfrac{e}{2}$	↗

$x>1$인 범위에서 함수 $f(x)$의 최솟값이 $\dfrac{e}{2}$이므로 $f(x)>a$가 성립하려면 $\dfrac{e}{2}>a$이어야 한다. 답 ①

12

Act① 어떤 구간에서 부등식 $f(x)\geq m$이 성립하려면 그 구간에서 ($f(x)$의 최솟값)$\geq m$이어야 함을 이용한다.

$x\geq\ln(x-1)+k$에서 $x-\ln(x-1)\geq k$

$f(x)=x-\ln(x-1)$이라 하면

$f'(x)=1-\dfrac{1}{x-1}=\dfrac{x-2}{x-1}$

$f'(x)=0$에서 $x=2$

x	(1)	$\cdots$	2	$\cdots$
$f'(x)$		$-$	0	$+$
$f(x)$		↘	2	↗

$x>1$인 범위에서 함수 $f(x)$의 최솟값이 2이므로 $f(x)\geq k$가 성립하려면 $k\leq 2$이어야 한다.

따라서 실수 k의 최댓값은 2이다. 답 ⑤

13

Act① 어떤 구간에서 부등식 $f(x)<m$이 성립하려면 그 구간에서 ($f(x)$의 최댓값)$<m$이어야 함을 이용한다.

$\cos 3x<3x+k$에서 $\cos 3x-3x<k$

$f(x)=\cos 3x-3x$라 하면

$f'(x)=-3\sin 3x-3=-3(\sin 3x+1)\leq 0$

따라서 함수 $f(x)$는 모든 실수 x에서 감소한다.

$x\geq 0$의 범위에서 함수 $f(x)$의 최댓값이 $f(0)=1$이므로

$f(x)<k$가 성립하려면 $1<k$이어야 한다.

따라서 정수 k의 최솟값은 2이다. 답 2

14

Act① $f(x)$가 위로 볼록한 곡선이므로 $f(x)\leq g(x)$를 만족하는 직선 $g(x)$는 $f(x)$의 $(1,\ 2)$에서의 접선임을 생각한다.

닫힌구간 $[0,\ 4]$에서 $f(x)\leq g(x)$를 만족하는 직선 $g(x)$는 $f(x)$의 $(1,\ 2)$에서의 접선이다.

$f(x)=2\sqrt{2}\sin\dfrac{\pi}{4}x$에서

$f'(x)=\dfrac{2\sqrt{2}}{4}\pi\cos\dfrac{\pi}{4}x$

$(1,\ 2)$에서의 접선의 기울기는 $f'(1)=\dfrac{\pi}{2}$이므로 접선의 방정식은

$g(x)=\dfrac{\pi}{2}(x-1)+2$

$\therefore g(3)=\pi+2$ 답 ③

기출유형 06

Act① 시각 t에서의 위치가 $x=f(t)$, $y=g(t)$일 때, 속력은 $\sqrt{\{f'(t)\}^2+\{g'(t)\}^2}$, 가속도의 크기는 $\sqrt{\{f''(t)\}^2+\{g''(t)\}^2}$임을 이용한다.

$\dfrac{dx}{dt}=4t-1$, $\dfrac{dy}{dt}=\sqrt{7}$

이므로 시각 $t=\alpha$에서의 점 P의 속력은

$$\sqrt{\left(\frac{dx}{dt}\right)^2+\left(\frac{dy}{dt}\right)^2}=\sqrt{(4\alpha-1)^2+(\sqrt{7})^2}$$

$\dfrac{d^2x}{dt^2}=4$, $\dfrac{d^2y}{dt^2}=0$

이므로 시각 $t=\alpha$에서 가속도의 크기는

$$\sqrt{\left(\frac{d^2x}{dt^2}\right)^2+\left(\frac{d^2y}{dt^2}\right)^2}=\sqrt{4^2+0^2}=4$$

이때 속도의 크기와 가속도의 크기가 같으므로

$\sqrt{(4\alpha-1)^2+(\sqrt{7})^2}=4$

$(4\alpha-1)^2=9$, $(4\alpha-1-3)(4\alpha-1+3)=0$

$\therefore \alpha=1$ 또는 $\alpha=-\dfrac{1}{2}$

그런데 $\alpha>0$이므로 $\alpha=1$ 답 ②

15 Act① 시각 t에서의 위치가 $x=f(t)$, $y=g(t)$일 때, 속력은 $\sqrt{\{f'(t)\}^2+\{g'(t)\}^2}$임을 이용한다.

$\frac{dx}{dt}=2+\cos t$, $\frac{dy}{dt}=\sin t$

이므로 시각 $t=\frac{\pi}{3}$에서 점 P의 속도는 $\left(\frac{5}{2}, \frac{\sqrt{3}}{2}\right)$

따라서 시각 $t=\frac{\pi}{3}$에서 점 P의 속력은

$\sqrt{\left(\frac{5}{2}\right)^2+\left(\frac{\sqrt{3}}{2}\right)^2}=\sqrt{\frac{25+3}{4}}=\sqrt{7}$ 답 ⑤

16 Act① 수직선 위를 움직이는 점 P의 시각 t에서의 위치를 $x(t)$라 하면 가속도의 크기는 $|x''(t)|$임을 이용한다.

$x'(t)=1-\frac{40}{\pi}\sin(2\pi t)$

$x''(t)=-80\cos(2\pi t)$

따라서 시각 $t=\frac{1}{3}$에서의 점 P의 가속도의 크기는

$\left|x''\left(\frac{1}{3}\right)\right|=\left|-80\cos\frac{2\pi}{3}\right|=\left|-80\times\left(-\frac{1}{2}\right)\right|=40$ 답 40

17 Act① 시각 t에서의 위치가 $x=f(t)$, $y=g(t)$일 때, 속력은 $\sqrt{\{f'(t)\}^2+\{g'(t)\}^2}$임을 이용한다.

$\frac{dx}{dt}=\frac{1}{\sqrt{t+1}}$, $\frac{dy}{dt}=1-\frac{1}{t+1}$

이므로 시각 t에서의 점 P의 속력은

$\sqrt{\left(\frac{dx}{dt}\right)^2+\left(\frac{dy}{dt}\right)^2}=\sqrt{\left(\frac{1}{\sqrt{t+1}}\right)^2+\left(1-\frac{1}{t+1}\right)^2}$

$=\sqrt{\frac{1}{(t+1)^2}-\frac{1}{t+1}+1}$

$=\sqrt{\left(\frac{1}{t+1}-\frac{1}{2}\right)^2+\frac{3}{4}}$

따라서 점 P의 속력의 최솟값은 $t=1$일 때

$\sqrt{\frac{3}{4}}=\frac{\sqrt{3}}{2}$ 답 ⑤

18 Act① 시각 t에서의 위치가 $x=f(t)$, $y=g(t)$일 때, 속력은 $\sqrt{\{f'(t)\}^2+\{g'(t)\}^2}$임을 이용한다.

$\frac{dx}{dt}=1+\cos^2 t-\sin^2 t=2\cos^2 t$, $\frac{dy}{dt}=\sec^2 t$

이므로 P의 시각 t에서의 속력은

$\sqrt{\left(\frac{dx}{dt}\right)^2+\left(\frac{dy}{dt}\right)^2}=\sqrt{(2\cos^2 t)^2+(\sec^2 t)^2}$

$=\sqrt{4\cos^4 t+\sec^4 t}$

이때 $4\cos^4 t>0$, $\sec^4 t>0$이므로

$4\cos^4 t+\sec^4 t\geq 2\sqrt{4\cos^4 t\times\sec^4 t}$

$=2\sqrt{4\cos^4 t\times\frac{1}{\cos^4 t}}=4$

(단, 등호는 $4\cos^4 t=\sec^4 t$일 때 성립한다.)

따라서 P의 시각 t에서의 속력의 최댓값은 $\sqrt{4}=2$이다. 답 ③

VIT Very Important Test

pp. 78~79

01. ② 02. ⑤ 03. ② 04. ④ 05. ③
06. ③ 07. 4 08. 18 09. 4 11. ①
12. ④

01

$y'=e^{-x^2}\times(-2x)=-2xe^{-x^2}$

$y''=-2e^{-x^2}+4x^2e^{-x^2}=e^{-x^2}(-2+4x^2)$

$y''=0$에서 $x=\pm\frac{1}{\sqrt{2}}$

$x=\pm\frac{1}{\sqrt{2}}$의 좌우에서 y''의 부호가 바뀌므로 변곡점의 x좌표는 $\pm\frac{1}{\sqrt{2}}$이다.

따라서 $a=\frac{1}{\sqrt{2}}$, $b=e^{-\frac{1}{2}}$이므로

$a^2+b^2=\frac{1}{2}+e^{-1}=\frac{e+2}{2e}$ 답 ②

02

$f(x)=e^{2x}-4e^x-6x$에서

$f'(x)=2e^{2x}-4e^x-6=2(e^{2x}-2e^x-3)$

$=2(e^x+1)(e^x-3)$

$f'(x)=0$에서 $e^x=3$ ($\because e^x>0$)

$\therefore x=\ln 3$

x	0	$\cdots$	$\ln 3$	$\cdots$	$\ln 4$
$f'(x)$		$-$	0	$+$	
$f(x)$	-3	↘	$-3-6\ln 3$	↗	$-6\ln 4$

따라서 함수 $f(x)$는 $x=0$일 때 최댓값 -3, $x=\ln 3$일 때 최솟값 $-3-6\ln 3$을 갖는다.

따라서 $M=-3$, $m=-3-6\ln 3$이므로

$M-m=6\ln 3$ 답 ⑤

03

함수 $f(x)=e^x\sqrt{2-x^2}$의 정의역은 $2-x^2\geq 0$에서 $-\sqrt{2}\leq x\leq\sqrt{2}$이다.

$f'(x)=e^x\sqrt{2-x^2}+e^x\left(-\frac{x}{\sqrt{2-x^2}}\right)$

$=\frac{e^x}{\sqrt{2-x^2}}(2-x^2-x)$

$=-\frac{e^x}{\sqrt{2-x^2}}(x+2)(x-1)$

$-\sqrt{2}\leq x\leq\sqrt{2}$인 범위에서 $f'(x)=0$인 x의 값은 $x=1$

$f(-\sqrt{2})=f(\sqrt{2})=0$이고 $f(1)=e$이므로

$M=e$, $m=0$

$\therefore M+m=e$ 답 ②

04

$y=e^{-|x|}=\begin{cases} e^{-x} & (x\ge 0) \\ e^{x} & (x<0) \end{cases}$

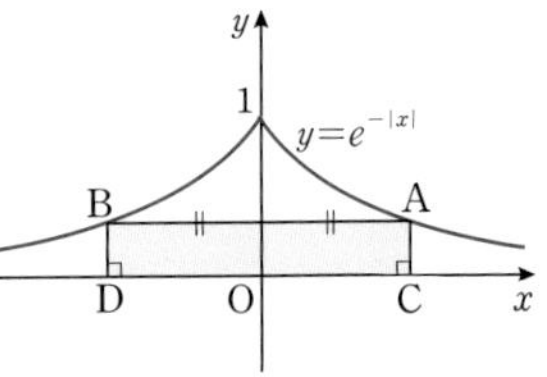

점 A의 x좌표를 t라 하면 점 A는 제1사분면 위의 점이므로 $t>0$이고 $A(t,\ e^{-t})$이다.

또, 점 B의 좌표는 $(-t,\ e^{-t})$이고 두 수선의 발 C, D의 좌표는 각각 $(t,\ 0)$, $(-t,\ 0)$이다.

직사각형 ABDC의 넓이를 $S(t)$라 하면

$S(t)=\overline{CD}\times\overline{AC}=2te^{-t}(t>0)$

$S'(t)=2(1-t)e^{-t}$

$S'(t)=0$에서 $t=1$

t	(0)	$\cdots$	1	$\cdots$
$S'(t)$		+	0	−
$S(t)$		↗	$\frac{2}{e}$	↘

따라서 $S(t)$는 $x=1$에서 최댓값 $\frac{2}{e}$를 갖는다. 답 ④

05

$f(x)=\frac{3}{x^2-6x+12}$이라 하면

$f'(x)=-\frac{6(x-3)}{(x^2-6x+12)^2}$

$f'(x)=0$에서 $x=3$

x	$\cdots$	3	$\cdots$
$f'(x)$	+	0	−
$f(x)$	↗	1	↘

한편, $\lim_{x\to-\infty} f(x)=0$, $\lim_{x\to\infty} f(x)=0$이므로 함수 $y=f(x)$의 그래프는 x축을 점근선으로 가진다.

이때 함수 $y=f(x)$의 그래프와 직선 $y=k$가 서로 다른 두 점에서 만나야 하므로 실수 k의 값의 범위는

$0<k<1$ 답 ③

06

$f(x)=\sin x(\cos x+1)$이라 하면

$f'(x)=\cos x(\cos x+1)-\sin^2 x$

$=\cos x(\cos x+1)-(1-\cos^2 x)$

$=2\cos^2 x+\cos x-1$

$=(2\cos x-1)(\cos x+1)$

$f'(x)=0$에서 $x=\frac{\pi}{3}$ 또는 $x=\pi$

x	0	$\cdots$	$\frac{\pi}{3}$	$\cdots$	π
$f'(x)$		+	0	−	
$f(x)$	0	↗	$\frac{3\sqrt{3}}{4}$	↘	0

닫힌구간 $[0,\ \pi]$에서 함수 $f(x)$의 최댓값은 $\frac{3\sqrt{3}}{4}$

이때 $a\ge\frac{3\sqrt{3}}{4}$이어야 하므로 실수 a의 최솟값은 $\frac{3\sqrt{3}}{4}$ 답 ③

07

$e^{3x}+3e^{-x}\ge k$에서 $f(x)=e^{3x}+3e^{-x}$이라 하면

$f'(x)=3e^{3x}-3e^{-x}=3e^{3x}-\frac{3}{e^x}=\frac{3(e^{4x}-1)}{e^x}$

$=\frac{3(e^{2x}-1)(e^{2x}+1)}{e^x}$

$f'(x)=0$에서 $e^{2x}=1$ ($\because$ $e^{2x}+1>0$)

$\therefore\ x=0$

x	$\cdots$	0	$\cdots$
$f'(x)$	−	0	+
$f(x)$	↘	4	↗

함수 $f(x)$는 $x=0$에서 극소이면서 최소이므로 최솟값은

$f(0)=e^0+3e^0=4$

이때 $k\le 4$이어야 하므로 실수 k의 최댓값은 4이다. 답 4

08

$\frac{dx}{dt}=6$, $\frac{dy}{dt}=-2t+4$이므로

점 P의 속력은

$\sqrt{6^2+(-2t+4)^2}=\sqrt{4(t-2)^2+36}$

점 P의 속력은 $t=2$일 때 최소이고, 이때의 점 P의 위치는 $(14,\ 4)$

따라서 $a=14$, $b=4$이므로 $a+b=18$ 답 18

09

$\frac{dx}{dt}=4\sin 4t$, $\frac{dy}{dt}=\cos 4t$

$\frac{d^2x}{dt^2}=16\cos 4t$, $\frac{d^2y}{dt^2}=-4\sin 4t$

이므로 점 P의 속력은

$\sqrt{16\sin^2 4t+\cos^2 4t}=\sqrt{15\sin^2 4t+1}$

이고 가속도의 크기는

$\sqrt{256\cos^2 4t+16\sin^2 4t}=\sqrt{256-240\sin^2 4t}$

속력은 $\sin^2 4t=1$일 때 최대이므로 이때의 가속도의 크기는

$\sqrt{256-240}=4$ 답 4

10

$(x+2)e^{-x}=m(x-a)$에서 $f(x)=(x+2)e^{-x}$, $g(x)=m(x-a)$라 하면

$f'(x)=(-x-1)e^{-x}$

$f'(x)=0$에서 $x=-1$

x	$\cdots$	−1	$\cdots$
$f'(x)$	+	0	−
$f(x)$	↗	e	↘

$\lim_{x\to\infty} f(x)=0$이므로 함수 $y=f(x)$의 그래프는 x축을 점근선으로 가진다.

한편, $g(x)=m(x-a)$의 그래프는 x절편이 a이고 기울기가 m인 직선이다.

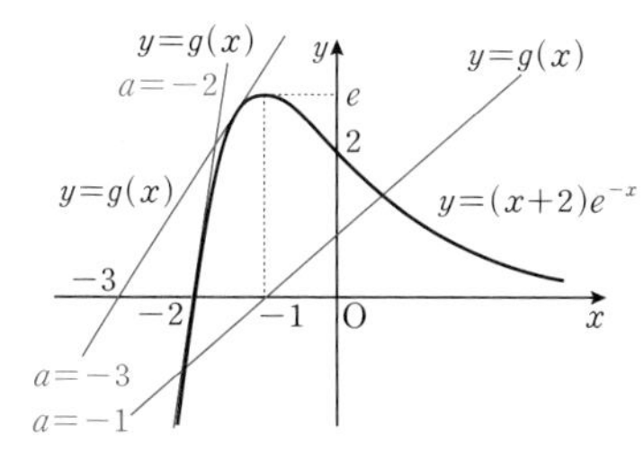

그래프에서 모든 양수 m에 대하여 두 함수 $y=f(x)$, $y=g(x)$의 그래프가 서로 다른 두 점에서 만나기 위한 정수 a의 최솟값은 -1이다. 답 ①

11

$\frac{dx}{dt}=1+3\sin t$, $\frac{dy}{dt}=-2\sqrt{2}\cos t$

이므로 점 P의 속력은

$\sqrt{(1+3\sin t)^2+(-2\sqrt{2}\cos t)^2}$

$=\sqrt{1+6\sin t+9\sin^2 t+8\cos^2 t}$

$=\sqrt{\sin^2 t+6\sin t+9}=\sqrt{(\sin t+3)^2}$

$=\sin t+3\le 4$ ($\because -1\le \sin t\le 1$)

따라서 점 P의 속력은 $\sin t=1$일 때 최대이고,

$\frac{d^2x}{dt^2}=3\cos t$, $\frac{d^2y}{dt^2}=2\sqrt{2}\sin t$이므로 가속도의 크기는

$\sqrt{(3\cos t)^2+(2\sqrt{2}\sin t)^2}=\sqrt{9\cos^2 t+8\sin^2 t}$

$=\sqrt{9-\sin^2 t}$

$=2\sqrt{2}$ ($\because \sin t=1$) 답 ④

08 여러 가지 적분법

p. 81

01. ③	02. ⑤	03. ④	04. ②	05. ⑤
06. ④				

01 $f(x)=\begin{cases} -\frac{1}{x}+C_1 & (x<-1) \\ x^3+x+C_2 & (x>-1) \end{cases}$ (단, C_1, C_2는 적분상수)

$f(-2)=\frac{1}{2}$에서 $\frac{1}{2}+C_1=\frac{1}{2}$ $\quad\therefore C_1=0$

함수 $f(x)$는 $x=-1$에서 연속이므로

$\lim_{x\to -1-}\left(-\frac{1}{x}\right)=\lim_{x\to -1+}(x^3+x+C_2)$

$1=-2+C_2$ $\quad\therefore C_2=3$

$\therefore f(0)=3$ 답 ③

02 $f(x)=\begin{cases} e^{x-1}+C_1 & (x<1) \\ \ln x+C_2 & (x>1) \end{cases}$ (단, C_1, C_2는 적분상수)

$f(-1)=e+\frac{1}{e^2}$에서 $\frac{1}{e^2}+C_1=e+\frac{1}{e^2}$ $\quad\therefore C_1=e$

$x=1$에서 연속이므로

$\lim_{x\to 1-}(e^{x-1}+e)=\lim_{x\to 1+}(\ln x+C_2)$

$1+e=C_2$

$\therefore f(e)=\ln e+(1+e)=e+2$ 답 ⑤

03 $x^2+1=t$로 놓으면 $\frac{dt}{dx}=2x$, $2x\,dx=dt$이므로

$f(x)=\int\frac{2x}{\sqrt{x^2+1}}\,dx=\int\frac{1}{\sqrt{t}}\,dt$

$=2\sqrt{t}+C$

$=2\sqrt{x^2+1}+C$ (단, C는 적분상수)

이때 $f(0)=2$에서 $2+C=2$ $\quad\therefore C=0$

따라서 $f(x)=2\sqrt{x^2+1}$이므로

$f(1)=2\sqrt{2}$ 답 ④

04 $(1+\sin x)'=\cos x$이므로

$f(x)=\int\frac{\cos x}{1+\sin x}\,dx=\int\frac{(1+\sin x)'}{1+\sin x}\,dx$

$=\ln|1+\sin x|+C$ (단, C는 적분상수)

이때 $f(0)=0$에서 $C=0$

따라서 $f(x)=\ln|1+\sin x|$이므로

$f\left(\frac{\pi}{2}\right)=\ln 2$ 답 ②

05 $\frac{2}{x(x+2)}=\frac{1}{x}-\frac{1}{x+2}$이므로

$f(x)=\int\frac{2}{x(x+2)}\,dx=\int\left(\frac{1}{x}-\frac{1}{x+2}\right)dx$

$=\ln|x|-\ln|x+2|+C$

$=\ln\left|\frac{x}{x+2}\right|+C$ (단, C는 적분상수)

이때 $f(1)=\ln 2$에서 $-\ln 3+C=\ln 2$

$\therefore C=\ln 2+\ln 3=\ln 6$

따라서 $f(x)=\ln\left|\frac{x}{x+2}\right|+\ln 6=\ln\left|\frac{6x}{x+2}\right|$이므로

$f(-3)=\ln\left|\frac{-6}{-1}\right|=\ln 6$ 답 ⑤

06 $u(x)=x+1$, $v'(x)=e^x$으로 놓으면

$u'(x)=1$, $v(x)=e^x$이므로

$f(x)=\int(x+1)e^x dx=(x+1)e^x-\int e^x dx$

$=(x+1)e^x-e^x+C=xe^x+C$ (단, C는 적분상수)

이때 $f(0)=0$에서 $C=0$

따라서 $f(x)=xe^x$이므로 $f(-1)=-\frac{1}{e}$ 답 ④

유형따라잡기				pp. 82~88
기출유형 01 ④	**01.** ⑤	**02.** 13	**03.** 15	**04.** 10
기출유형 02 ④	**05.** ①	**06.** ③	**07.** 9	**08.** 4
기출유형 03 ④	**09.** ③	**10.** 2		
기출유형 04 ③	**11.** 17	**12.** ③	**13.** ④	**14.** 1
기출유형 05 ③	**15.** ④	**16.** 0	**17.** ②	
기출유형 06 ⑤	**18.** ⑤	**19.** ③	**20.** ①	**21.** 5
기출유형 07 ④	**22.** ⑤	**23.** ②	**24.** ⑤	**25.** ④

기출유형 01

Act① $n\neq-1$일 때, $\int x^n dx=\frac{1}{n+1}x^{n+1}+C$임을 이용한다.

$\int\frac{x^4+1}{x^2}\,dx=\int\left(x^2+\frac{1}{x^2}\right)dx$

$=\int x^2dx+\int x^{-2}dx$

$=\frac{1}{3}x^3-\frac{1}{x}+C$ (단, C는 적분상수)

이때 $f(1)=-1$에서

$\frac{1}{3}-1+C=-1 \quad \therefore C=-\frac{1}{3}$

따라서 $f(x)=\frac{1}{3}x^3-\frac{1}{x}-\frac{1}{3}$이므로

$f(3)=9-\frac{1}{3}-\frac{1}{3}=\frac{25}{3}$ 답 ④

01 **Act①** $n\neq-1$일 때, $\int x^n dx=\frac{1}{n+1}x^{n+1}+C$임을 이용한다.

$f(x)=\int x^2\sqrt{x}\,dx=\int x^{\frac{5}{2}}\,dx$

$=\frac{1}{\frac{5}{2}+1}x^{\frac{5}{2}+1}+C$

$=\frac{2}{7}x^3\sqrt{x}+C$ (단, C는 적분상수)

이때 $f(0)=1$에서 $C=1$

따라서 $f(x)=\frac{2}{7}x^3\sqrt{x}+1$이므로

$7f(1)=7\left(\frac{2}{7}+1\right)=9$ 답 ⑤

02 **Act①** $n=-1$일 때, $\int x^{-1}dx=\int\frac{1}{x}\,dx=\ln|x|+C$임을 이용한다.

$f(x)=\int f'(x)dx=\int\frac{1}{x}\,dx$

$=\ln|x|+C$ (단, C는 적분상수)

이때 $f(1)=10$에서 $C=10$

따라서 $f(x)=\ln|x|+10$이므로

$f(e^3)=\ln e^3+10=13$ 답 13

03 **Act①** $n=-1$일 때, $\int x^{-1}dx=\int\frac{1}{x}\,dx=\ln|x|+C$임을 이용한다.

$f(x)=\int\frac{(2x-1)^2}{x^2}\,dx$

$=\int\frac{4x^2-4x+1}{x^2}\,dx$

$=\int(4-4x^{-1}+x^{-2})dx$

$=4x-4\ln|x|-\frac{1}{x}+C$ (단, C는 적분상수)

$\therefore f(2)-f(-2)$

$=\left(8-4\ln 2-\frac{1}{2}+C\right)-\left(-8-4\ln 2+\frac{1}{2}+C\right)$

$=15$ 답 15

04 **Act①** $f(x)$는 $x=1$에서 연속임을 이용한다.

$f(x)=\begin{cases}2x^{\frac{3}{2}}+C_1 & (x>1)\\ 3x^2+C_2 & (x<1)\end{cases}$ (단, C_1, C_2는 적분상수)

$f(4)=15$에서 $16+C_1=15 \quad \therefore C_1=-1$

$x=1$에서 연속이므로

$\lim_{x\to1-}(3x^2+C_2)=\lim_{x\to1+}\left(2x^{\frac{3}{2}}-1\right)$

$3+C_2=1 \quad \therefore C_2=-2$

$\therefore f(-2)=12-2=10$ 답 10

기출유형 02

Act① $\int a^x dx=\frac{a^x}{\ln a}+C$임을 이용한다.

$f(x)=\int(4^x-2^x)dx=\int 4^x dx-\int 2^x dx$

$=\frac{4^x}{\ln 4}-\frac{2^x}{\ln 2}+C$ (단, C는 적분상수)

이때 $f(1)=0$에서

$\frac{4}{\ln 4}-\frac{2}{\ln 2}+C=\frac{2}{\ln 2}-\frac{2}{\ln 2}+C=0$

$\therefore C=0$

따라서 $f(x)=\frac{4^x}{\ln 4}-\frac{2^x}{\ln 2}$이므로

$f(2)=\frac{4^2}{\ln 4}-\frac{2^2}{\ln 2}=\frac{8}{\ln 2}-\frac{4}{\ln 2}=\frac{4}{\ln 2}$ 답 ④

05 **Act①** $\int e^x dx=e^x+C$임을 이용한다.

$f(x)=\int(2e^{2x}-3e^x)dx$

$=e^{2x}-3e^x+C$ (단, C는 적분상수)

이때 $f(0)=0$에서

$1-3+C=0$ $\therefore C=2$

따라서 $f(x)=e^{2x}-3e^x+2$이고 방정식 $e^{2x}-3e^x+2=0$의 해는

$(e^x-1)(e^x-2)=0$, $e^x=1$ 또는 $e^x=2$

$\therefore x=0$ 또는 $x=\ln 2$

따라서 모든 해의 합은 $\ln 2$이다. 답 ①

06 **Act①** $\int a^x dx=\frac{a^x}{\ln a}+C$임을 이용한다.

$f'(x)=3^x\ln 3-1$이므로

$f(x)=\int(3^x\ln 3-1)dx$

$=3^x-x+C$ (단, C는 적분상수)

이 곡선이 점 $(0, 4)$를 지나므로

$f(0)=1-0+C=4$ $\therefore C=3$

따라서 $f(x)=3^x-x+3$이므로

$f(1)=3-1+3=5$ 답 ③

07 **Act①** $f'(x)$의 역함수 $g(x)$를 구하고 $\int e^x dx=e^x+C$임을 이용한다.

$f(x)=x\ln x-x$에서

$f'(x)=\ln x+1-1=\ln x$

이므로 $g(x)=e^x$

$G(x)=\int e^x dx=e^x+C$ (단, C는 적분상수)

이때 $G(0)=2$에서

$1+C=2$ $\therefore C=1$

따라서 $G(x)=e^x+1$이므로

$G(\ln 8)=e^{\ln 8}+1=8+1=9$ 답 9

08 **Act①** 조건 (가)에서 양변을 x에 대하여 미분하여 $f'(x)$를 구하고 조건 (가), (나)를 이용하여 $f(1)$의 값을 구한다.

$F(x)=xf(x)-xe^x+e^x$의 양변을 x에 대하여 미분하면

$f(x)=f(x)+xf'(x)-e^x-xe^x+e^x$

$xf'(x)=xe^x$, $f'(x)=e^x$

$f(x)=\int e^x dx=e^x+C$ (단, C는 적분상수) ······ ㉠

$x=1$을 $F(x)=xf(x)-xe^x+e^x$에 대입하면

$F(1)=f(1)-e+e=e$이므로 $f(1)=e$

$x=1$을 ㉠에 대입하면

$f(1)=e+C=e$ $\therefore C=0$

따라서 $f(x)=e^x$이므로

$f(\ln 4)=e^{\ln 4}=4$ 답 4

기출유형 03

Act① $\cos^2 x=1-\sin^2 x$임을 이용하여 주어진 식을 적분하기 쉬운 꼴로 변형한다.

$f(x)=\int\frac{\cos^2 x}{1-\sin x}dx=\int\frac{1-\sin^2 x}{1-\sin x}dx$

$=\int\frac{(1+\sin x)(1-\sin x)}{1-\sin x}dx$

$=\int(1+\sin x)dx$

$=x-\cos x+C$ (단, C는 적분상수)

이때 $f\left(\frac{\pi}{2}\right)=\frac{\pi}{2}$에서

$\frac{\pi}{2}-0+C=\frac{\pi}{2}$ $\therefore C=0$

따라서 $f(x)=x-\cos x$이므로

$f(\pi)=\pi+1$ 답 ④

09 **Act①** $\int\cos x\,dx=\sin x+C$이고 $f\left(\frac{\pi}{2}\right)=f'\left(\frac{\pi}{3}\right)$를 이용하여 적분상수를 구한다.

$f(x)=\int\cos(\pi+x)dx=\int(-\cos x)dx$

$=-\sin x+C$ (단, C는 적분상수)

따라서 $f'(x)=-\cos x$이고 $f\left(\frac{\pi}{2}\right)=f'\left(\frac{\pi}{3}\right)$에서

$-1+C=-\frac{1}{2}$ $\therefore C=\frac{1}{2}$

따라서 $f(x)=-\sin x+\frac{1}{2}$이므로

$f\left(\frac{\pi}{6}\right)=-\frac{1}{2}+\frac{1}{2}=0$ 답 ③

10 **Act①** 미분가능성과 연속성을 이용하여 상수 a의 값과 적분상수의 값을 구한다.

함수 $f(x)$가 $x=0$에서 미분가능하므로

$\lim_{x\to 0-}f'(x)=\lim_{x\to 0+}f'(x)$에서

$\lim_{x\to 0-}(\sin x+a)=\lim_{x\to 0+}\cos x$

$\therefore a=1$

$f(x)=\begin{cases}\sin x+C_1 & (x>0)\\ -\cos x+x+C_2 & (x<0)\end{cases}$ (단, C_1, C_2는 적분상수)

이고 $f(x)$가 $x=0$에서 연속이므로

$\lim_{x\to 0-}f(x)=\lim_{x\to 0+}f(x)$에서

$-1+C_2=C_1$ ······ ㉠

이때 $f(\pi)=\pi$에서

$\sin\pi+C_1=\pi \qquad \therefore C_1=\pi$

$C_1=\pi$를 ㉠에 대입하면 $C_2=\pi+1$

따라서 $f(x)=\begin{cases}\sin x+\pi & (x\geq 0)\\ -\cos x+x+\pi+1 & (x<0)\end{cases}$이므로

$f(-\pi)=-\cos(-\pi)-\pi+\pi+1=2$ 답 2

기출유형 04

Act ① $x^2+1=t$로 놓고 치환적분법을 이용한다.

$x^2+1=t$로 놓으면 $\dfrac{dt}{dx}=2x$, $x\,dx=\dfrac{1}{2}\,dt$이므로

$f(x)=\int x\sqrt{x^2+1}\,dx=\dfrac{1}{2}\int t^{\frac{1}{2}}\,dt$

$=\dfrac{1}{3}(x^2+1)^{\frac{3}{2}}+C$ (단, C는 적분상수)

이때 $f(0)=\dfrac{1}{3}$에서 $\dfrac{1}{3}+C=\dfrac{1}{3} \qquad \therefore C=0$

따라서 $f(x)=\dfrac{1}{3}(x^2+1)^{\frac{3}{2}}$이므로

$f(2\sqrt{2})=\dfrac{1}{3}(8+1)^{\frac{3}{2}}=9$ 답 ③

11 **Act ① $x^2+1=t$로 놓고 치환적분법을 이용한다.**

$x^2+1=t$로 놓으면 $\dfrac{dt}{dx}=2x$, $2x\,dx=dt$이므로

$f(x)=\int 2x\sqrt{x^2+1}\,dx=\int\sqrt{t}\,dt$

$=\dfrac{2}{3}t\sqrt{t}+C$

$=\dfrac{2}{3}(x^2+1)\sqrt{x^2+1}+C$ (단, C는 적분상수)

$f(0)=-\dfrac{1}{3}$이므로 $\dfrac{2}{3}+C=-\dfrac{1}{3}$에서 $C=-1$

따라서 $f(x)=\dfrac{2}{3}(x^2+1)\sqrt{x^2+1}-1$이므로

$f(2\sqrt{2})=\dfrac{2}{3}\times 9\times 3-1=17$ 답 17

12 **Act ① $x+1=t$로 놓고 치환적분법을 이용한다.**

$x+1=t$로 놓으면 $\dfrac{dt}{dx}=1$, $dx=dt$이므로

$f(x)=\int(x+1)\sqrt{x+1}\,dx=\int(x+1)^{\frac{3}{2}}\,dx$

$=\int t^{\frac{3}{2}}\,dt=\dfrac{2}{5}t^{\frac{5}{2}}+C$

$=\dfrac{2}{5}(x+1)^{\frac{5}{2}}+C$ (단, C는 적분상수)

이때 $f(0)=\dfrac{3}{5}$에서 $\dfrac{2}{5}+C=\dfrac{3}{5} \qquad \therefore C=\dfrac{1}{5}$

따라서 $f(x)=\dfrac{2}{5}(x+1)^{\frac{5}{2}}+\dfrac{1}{5}$이므로

$f(3)=\dfrac{2}{5}\times 2^5+\dfrac{1}{5}=13$ 답 ③

13 **Act ① $x^2-1=t$로 놓고 치환적분법을 이용한다.**

$x^2-1=t$로 놓으면 $\dfrac{dt}{dx}=2x$, $2x\,dx=dt$

$f(x)=\int e^t\,dt$

$=e^t+C=e^{x^2-1}+C$ (단, C는 적분상수)

이때 $f(1)=1$에서 $e^0+C=1 \qquad \therefore C=0$

따라서 $f(x)=e^{x^2-1}$이므로

$f(\sqrt{2})=e^{2-1}=e$ 답 ④

14 **Act ① $3x=t$로 놓고 치환적분법을 이용한다.**

$\lim\limits_{h\to 0}\dfrac{f(x+h)-f(x)}{h}=f'(x)$이므로 $f'(x)=3\cos 3x$

$f(x)=\int 3\cos 3x\,dx$

$3x=t$로 놓으면 $\dfrac{dt}{dx}=3$, $3\,dx=dt$이므로

$\int 3\cos 3x\,dx=\int\cos t\,dt$

$=\sin t+C$

$=\sin 3x+C$ (단, C는 적분상수)

이때 $f\left(\dfrac{\pi}{3}\right)=0$에서 $C=0$

따라서 $f(x)=\sin 3x$이므로 $f\left(\dfrac{\pi}{6}\right)=1$ 답 1

기출유형 05

Act ① $\int\dfrac{f'(x)}{f(x)}\,dx=\ln|f(x)|+C$임을 이용한다.

$f'(x)=\dfrac{2x}{x^2+1}$이므로

$f(x)=\int\dfrac{2x}{x^2+1}\,dx=\int\dfrac{(x^2+1)'}{x^2+1}\,dx$

$=\ln(x^2+1)+C$ (단, C는 적분상수)

이때 $f(0)=1$이므로 $C=1$

따라서 $f(x)=\ln(x^2+1)+1$이므로

$f(\sqrt{e^2-1})=3$ 답 ③

15 **Act ① $\int\dfrac{f'(x)}{f(x)}\,dx=\ln|f(x)|+C$임을 이용한다.**

$f(x)=\int\dfrac{2x-4}{x^2-4x+5}\,dx=\int\dfrac{(x^2-4x+5)'}{x^2-4x+5}\,dx$

$=\ln|x^2-4x+5|+C$ (단, C는 적분상수)

함수 $f(x)$의 그래프가 점 $(2, 0)$을 지나므로 $f(2)=0$에서

$\ln 1+C=0 \qquad \therefore C=0$

따라서 $f(x)=\ln|x^2-4x+5|$이므로 $f(4)=\ln 5$ 답 ④

16 **Act ① $\int\dfrac{f'(x)}{f(x)}\,dx=\ln|f(x)|+C$임을 이용한다.**

조건 (가)에서

$\ln|f(x)|+C=kx$ $(k>0)$ (단, C는 적분상수)

조건 (나)에서 $f(x)>0$이므로

$\ln f(x)+C=kx$, $f(x)=e^{kx-C}$

조건 (다)에서 $f(0)=1$이므로

$e^{-C}=1 \quad \therefore C=0$

따라서 $f(x)=e^{kx}\ (k>0)$이므로

$\lim_{x\to-\infty} f(x)=\lim_{x\to-\infty} e^{kx}=0$

답 0

17 **Act ①** 조건 (가)에서 $\int \{f(x)\}^2 f'(x)dx=\int \frac{2x}{x^2+1}\,dx$이고 $f(x)=t$로 놓는다.

조건 (가)에서 $\{f(x)\}^2 f'(x)=\frac{2x}{x^2+1}$의 양변을 각각 x에 대하여 적분하면

$\int \{f(x)\}^2 f'(x)dx=\int \frac{2x}{x^2+1}\,dx$

$f(x)=t$로 놓으면 $f'(x)=\frac{dt}{dx}$, $f'(x)dx=dt$이므로

$\int \{f(x)\}^2 f'(x)dx=\int t^2\,dt=\frac{1}{3}t^3+C_1$

$=\frac{1}{3}\{f(x)\}^3+C_1$ (단, C_1은 적분상수)

$\int \frac{2x}{x^2+1}\,dx=\ln(x^2+1)+C_2$ (C_2는 적분상수)

$\{f(x)\}^3=3\ln(x^2+1)+C$ (C는 적분상수)

조건 (나)에서 $f(0)=0$이므로 $C=0$

따라서 $\{f(x)\}^3=3\ln(x^2+1)$이므로

$\{f(1)\}^3=3\ln 2$

답 ②

기출유형 06

Act ① $\frac{1}{(x+a)(x+b)}=\frac{1}{b-a}\left(\frac{1}{x+a}-\frac{1}{x+b}\right)$임을 이용하여 피적분함수를 유리함수의 차로 나타내어 적분한다.

$\frac{6}{x^2-9}=\frac{6}{(x-3)(x+3)}=\frac{1}{x-3}-\frac{1}{x+3}$이므로

$f(x)=\int \frac{6}{x^2-9}\,dx=\int\left(\frac{1}{x-3}-\frac{1}{x+3}\right)dx$

$=\ln|x-3|-\ln|x+3|+C$

$=\ln\left|\frac{x-3}{x+3}\right|+C$ (단, C는 적분상수)

이때 $f(0)=0$에서 $C=0$

따라서 $f(x)=\ln\left|\frac{x-3}{x+3}\right|$이므로

$f(1)=\ln\frac{1}{2}=-\ln 2$

답 ⑤

18 **Act ①** 피적분함수의 분자를 분모로 나누어 유리함수의 차로 나타내어 적분한다.

$f(x)=\int \frac{x^2-2x-3}{x^2}\,dx$

$=\int\left(1-\frac{2}{x}-\frac{3}{x^2}\right)dx$

$=x-2\ln|x|+\frac{3}{x}+C$ (단, C는 적분상수)

이때 $f(1)=4$에서 $C=0$

따라서 $f(x)=x-2\ln|x|+\frac{3}{x}$이므로

$f(3)=3-2\ln 3+1=4-2\ln 3$

답 ⑤

19 **Act ①** $\frac{1}{(x+a)(x+b)}=\frac{1}{b-a}\left(\frac{1}{x+a}-\frac{1}{x+b}\right)$임을 이용하여 피적분함수를 유리함수의 차로 나타내어 적분한다.

$f(x)=\int \frac{1}{x^2-x-2}\,dx$

$=\int \frac{1}{(x-2)(x+1)}\,dx$

$=\int \frac{1}{3}\left(\frac{1}{x-2}-\frac{1}{x+1}\right)dx$

$=\frac{1}{3}(\ln|x-2|-\ln|x+1|)+C$

$=\frac{1}{3}\ln\left|\frac{x-2}{x+1}\right|+C$ (단, C는 적분상수)

이때 $f\left(\frac{1}{2}\right)=0$에서 $C=0$

따라서 $f(x)=\frac{1}{3}\ln\left|\frac{x-2}{x+1}\right|$이므로

$f(0)=\frac{1}{3}\ln 2$

답 ③

20 **Act ①** $\frac{1}{(x+a)(x+b)}=\frac{1}{b-a}\left(\frac{1}{x+a}-\frac{1}{x+b}\right)$임을 이용하여 피적분함수를 유리함수의 차로 나타내어 적분한다.

$f(x)=\int \frac{2}{(3x-1)(3x+1)}\,dx=\int\left(\frac{1}{3x-1}-\frac{1}{3x+1}\right)dx$

$=\ln|3x-1|-\ln|3x+1|+C$

$=\ln\left|\frac{3x-1}{3x+1}\right|+C$ (단, C는 적분상수)

이때 $f(0)=0$에서 $C=0$

따라서 $f(x)=\ln\left|\frac{3x-1}{3x+1}\right|$이므로

$f(-1)=\ln\left|\frac{-4}{-2}\right|=\ln 2$

답 ①

21 **Act ①** $\frac{px+q}{(x+a)(x+b)}=\frac{A}{x+a}+\frac{B}{x+b}$ 꼴로 변형한 후 적분한다.

$\frac{3x-4}{x^2-x-6}=\frac{3x-4}{(x-3)(x+2)}=\frac{A}{x-3}+\frac{B}{x+2}$로 놓으면

$\frac{A}{x-3}+\frac{B}{x+2}=\frac{A(x+2)+B(x-3)}{(x-3)(x+2)}$

$=\frac{(A+B)x+2A-3B}{(x-3)(x+2)}$

이므로 $3x-4=(A+B)x+2A-3B$

$A+B=3$, $2A-3B=-4$

두 식을 연립하여 풀면 $A=1$, $B=2$

$\int \frac{3x-4}{x^2-x-6}\,dx=\int\left(\frac{1}{x-3}+\frac{2}{x+2}\right)dx$

$=\ln|x-3|+2\ln|x+2|+C$

따라서 $a=-3$, $b=2$이므로

$b-a=5$

답 5

기출유형 07

Act ① $u(x)=\ln x$, $v'(x)=x$**로 놓고 부분적분법을 이용한다.**

$f(x)=\int(4x\ln x+2x)dx=4\int x\ln x\,dx+2\int x\,dx$

$u(x)=\ln x$, $v'(x)=x$로 놓으면

$u'(x)=\frac{1}{x}$, $v(x)=\frac{1}{2}x^2$이므로

$\int x\ln x\,dx=\frac{1}{2}x^2\ln x-\int\left(\frac{1}{x}\times\frac{1}{2}x^2\right)dx$

$=\frac{1}{2}x^2\ln x-\int\frac{1}{2}x\,dx$

즉 $f(x)=4\left(\frac{1}{2}x^2\ln x-\frac{1}{2}\int x\,dx\right)+2\int x\,dx$

$=2x^2\ln x-2\int x\,dx+2\int x\,dx$

$=2x^2\ln x+C$ (단, C는 적분상수)

이때 $f(1)=0$에서 $C=0$

따라서 $f(x)=2x^2\ln x$이므로

$f(\sqrt{e})=2e\times\frac{1}{2}=e$ 답 ④

22 **Act ①** $u(x)=x-1$, $v'(x)=e^x$**으로 놓고 부분적분법을 이용한다.**

$f(x)=\int(x-1)e^x dx$에서

$u(x)=x-1$, $v'(x)=e^x$으로 놓으면

$u'(x)=1$, $v(x)=e^x$이므로

$f(x)=\int(x-1)e^x dx$

$=(x-1)e^x-\int(1\times e^x)dx$

$=(x-2)e^x+C$ (단, C는 적분상수)

이때 $f(0)=3$이므로 $-2+C=3$ $\therefore C=5$

따라서 $f(x)=(x-2)e^x+5$이므로

$k=f(1)=-e+5$ 답 ⑤

23 **Act ① 함수 $f(x)$는 $x=1$에서 극솟값 0을 가지므로 $f(1)=0$임을 이용한다.**

$f(x)=\int(x-1)e^x dx$

$=(x-1)e^x-\int e^x dx$

$=(x-1)e^x-e^x+C$

$=(x-2)e^x+C$ (단, C는 적분상수)

이때 함수 $f(x)$는 $x=1$에서 극솟값 0을 가지므로 $f(1)=0$이다.

즉 $f(1)=-e+C=0$에서 $C=e$

따라서 $f(x)=(x-2)e^x+e$이므로

$f(2)=0\times e^2+e=e$ 답 ②

24 **Act ①** $f(x)+xf'(x)=\{xf(x)\}'$**이므로** $xf(x)=\int\{f(x)+xf'(x)\}dx$**임을 이용한다.**

$f(x)+xf'(x)=(3x+2)e^x$에서

$xf(x)=\int\{xf(x)\}'dx=\int(3x+2)e^x dx$

$=(3x+2)e^x-\int 3e^x dx$

$=(3x-1)e^x+C$ (단, C는 적분상수)

이때 $f(1)=2e$에서

$2e+C=2e$ $\therefore C=0$

따라서 $xf(x)=(3x-1)e^x$이므로

$2f(2)=5e^2$, $f(2)=\frac{5}{2}e^2$ 답 ⑤

25 **Act ①** $F(x)+xf(x)=F(x)+xF'(x)=\{xF(x)\}'$**이므로** $xF(x)=\int\{F(x)+xf(x)\}dx$**임을 이용한다.**

$F(x)+xf(x)=(2x+2)e^x$에서

$xF(x)=\int(2x+2)e^x dx$

$=(2x+2)e^x-\int 2e^x dx$

$=(2x+2)e^x-2e^x+C$

$=2xe^x+C$ (단, C는 적분상수)

이때 $F(1)=2e$에서

$2e+C=2e$ $\therefore C=0$

따라서 $F(x)=2e^x$이므로

$F(3)=2e^3$ 답 ④

VIT Very Important Test pp. 89~91

01. ⑤	02. ④	03. ③	04. ①	05. ③
06. ①	07. 3	08. 2	09. ①	10. 2
11. 1	12. ①	13. ②	14. ①	15. ④
16. 16	17. 0			

01

$\int x\sqrt{x}\,dx=\int x^{\frac{3}{2}}dx=\frac{1}{\frac{3}{2}+1}x^{\frac{3}{2}+1}+C$

$=\frac{2}{5}x^2\sqrt{x}+C$ (단, C는 적분상수)

이때 $f(0)=2$에서 $C=2$

따라서 $f(x)=\frac{2}{5}x^2\sqrt{x}+2$이므로

$5f(1)=5\left(\frac{2}{5}+2\right)=12$ 답 ⑤

02

$f(x)=\int\frac{x}{\sqrt{x}+1}dx-\int\frac{1}{\sqrt{x}+1}dx$

$=\int\frac{x-1}{\sqrt{x}+1}dx=\int\frac{(\sqrt{x}+1)(\sqrt{x}-1)}{\sqrt{x}+1}dx$

$$=\int(\sqrt{x}-1)dx=\int\left(x^{\frac{1}{2}}-1\right)dx$$
$$=\frac{1}{\frac{1}{2}+1}x^{\frac{1}{2}+1}-x+C$$
$$=\frac{2}{3}x\sqrt{x}-x+C \text{ (단, } C\text{는 적분상수)}$$

이때 $f(1)=1$에서 $\frac{2}{3}-1+C=1$ $\therefore C=\frac{4}{3}$

따라서 $f(x)=\frac{2}{3}x\sqrt{x}-x+\frac{4}{3}$이므로

$f(4)=\frac{16}{3}-4+\frac{4}{3}=\frac{8}{3}$

답 ④

03

$$f(x)=\int(e^x-x)dx$$
$$=e^x-\frac{1}{2}x^2+C \text{ (단, } C\text{는 적분상수)}$$

이때 $f(1)=e$에서 $e-\frac{1}{2}+C=e$ $\therefore C=\frac{1}{2}$

따라서 $f(x)=e^x-\frac{1}{2}x^2+\frac{1}{2}$이므로

$f(0)=\frac{3}{2}$

답 ③

04

$$\int 5^{2x}dx=\int 25^x dx=\frac{25^x}{\ln 25}+C$$
$$=\frac{1}{\ln 25}\times 5^{2x}+C$$

$\therefore a=\frac{1}{\ln 25}=\frac{1}{2\ln 5}$

답 ①

05

$2f(x)+3=(x^2\ln x+C)'=2x\ln x+x$이므로

$f(x)=x\ln x+\frac{1}{2}x-\frac{3}{2}$

$\therefore f(3)=3\ln 3$

답 ③

06

$f'(x)=k\ln x$이므로

$$f(x)=\int k\ln x\,dx$$
$$=kx\ln x-k\int\left(\frac{1}{x}\times x\right)dx$$
$$=kx\ln x-kx+C \text{ (단, } C\text{는 적분상수)}$$

이때 $f(e)=e$이므로 $C=e$

또, $f(1)=1$이므로 $k=e-1$

답 ①

07

$$f(x)=\int(\cos x-3\sin x)dx$$
$$=\int\cos x\,dx-3\int\sin x\,dx$$
$$=\sin x+3\cos x+C \text{ (단, } C\text{는 적분상수)}$$

이때 $f(0)=5$에서 $3+C=5$ $\therefore C=2$

따라서 $f(x)=\sin x+3\cos x+2$이므로

$f\left(\frac{\pi}{2}\right)=1+0+2=3$

답 3

08

$\frac{1}{1-\sin^2 x}=\frac{1}{\cos^2 x}=\sec^2 x$이므로

$$f(x)=\int\frac{1}{1-\sin^2 x}dx$$
$$=\int\sec^2 x\,dx=\tan x+C \text{ (단, } C\text{는 적분상수)}$$

이때 $f(0)=1$에서 $\tan 0+C=1$, $C=1$

따라서 $f(x)=\tan x+1$이므로 $f\left(\frac{\pi}{4}\right)=2$

답 2

09

$F(x)=xf(x)+x\cos x-\sin x$의 양변을 x에 대하여 미분하면

$F'(x)=f(x)+xf'(x)-x\sin x$

이때 $F'(x)=f(x)$이므로

$f(x)=f(x)+xf'(x)-x\sin x$

즉 $f'(x)=\sin x$이므로

$$f(x)=\int\sin x\,dx=-\cos x+C \text{ (단, } C\text{는 적분상수)}$$

이때 $f(\pi)=1$에서 $C=0$

따라서 $f(x)=-\cos x$이므로

$f(0)=-1$

답 ①

10

$F(x)=\int(ax-3)^7dx$에서

$ax-3=t$로 놓으면 $\frac{dt}{dx}=a$, $dx=\frac{1}{a}dt$

$$\int(ax-3)^7dx=\int t^7\frac{1}{a}dt$$
$$=\frac{1}{8a}t^8+C$$
$$=\frac{1}{8a}(ax-3)^8+C \text{ (단, } C\text{는 적분상수)}$$

이때 최고차항의 계수는 $\frac{1}{8a}\times a^8=\frac{a^7}{8}$이므로 $\frac{a^7}{8}=16$에서 $a=2$

답 2

11

$f'(x)=\frac{1}{x\ln x}$이므로

$$f(x)=\int\frac{1}{x\ln x}dx$$

$\ln x=t$로 놓으면 $\frac{dt}{dx}=\frac{1}{x}$, $\frac{1}{x}dx=dt$이므로

$$\int\frac{1}{x\ln x}dx=\int\frac{1}{t}dt$$
$$=\ln|t|+C=\ln|\ln x|+C \text{ (단, } C\text{는 적분상수)}$$

$f(e)=1$이므로 $\ln|\ln e|+C=1$에서 $C=1$

$\therefore f\left(\frac{1}{e}\right)=\ln\left|\ln\frac{1}{e}\right|+1=1$ 답 1

12

$f(x)=\int\frac{2x+2}{x^2+2x-1}dx$

$=\int\frac{(x^2+2x-1)'}{x^2+2x-1}dx$

$=\ln|x^2+2x-1|+C$ (단, C는 적분상수)

이때 $f(0)=0$에서 $\ln|-1|+C=0$ $\therefore C=0$

따라서 $f(x)=\ln|x^2+2x-1|$이므로

$f(1)=\ln|1+2-1|=\ln 2$ 답 ①

13

$f(x)=\int\ln x\,dx$에서 $u(x)=\ln x$, $v'(x)=1$이라 하면

$u'(x)=\frac{1}{x}$, $v(x)=x$이므로

$\int\ln x\,dx=x\ln x-\int\left(\frac{1}{x}\times x\right)dx$

$=x\ln x-\int 1\,dx$

$=x\ln x-x+C$ (단, C는 적분상수)

이때 $f(e)=2$이므로 $e-e+C=2$에서 $C=2$

따라서 $f(x)=x\ln x-x+2$이므로

$f(3)=3\ln 3-3+2$

$=3\ln 3-1$ 답 ②

14

$f'(x)=\ln x$에서 $f(x)=\int\ln x\,dx$

$u(x)=\ln x$, $v'(x)=1$이라 하면

$u'(x)=\frac{1}{x}$, $v(x)=x$

$f(x)=\int\ln x\,dx$

$=\ln x\times x-\int\left(\frac{1}{x}\times x\right)dx$

$=x\ln x-x+C$ (단, C는 적분상수)

이때 $f(e)=0$이므로

$e\ln e-e+C=0$에서 $C=0$

따라서 $f(x)=x\ln x-x$이므로

$f(1)=1\times\ln 1-1=-1$ 답 ①

15

$f'(x)=\frac{x}{e^x}$이므로 $f(x)=\int\frac{x}{e^x}dx$

$u(x)=x$, $v'(x)=\frac{1}{e^x}=e^{-x}$이라 하면

$u'(x)=1$, $v(x)=-e^{-x}$이므로

$f(x)=\int\frac{x}{e^x}dx=-xe^{-x}+\int e^{-x}dx$

$=-(x+1)e^{-x}+C$ (단, C는 적분상수)

곡선 $y=f(x)$가 원점을 지나므로

$f(0)=-1+C=0$에서 $C=1$

따라서 $f(x)=-(x+1)e^{-x}+1$이므로

$f(1)=-\frac{2}{e}+1$ 답 ④

16

(가)에서 $x\to0$일 때 (분모)$\to0$이므로 (분자)$\to0$이다.

즉 $\lim_{x\to0}f(x)=f(0)=0$

$\lim_{x\to0}\frac{f(x)}{x}=\lim_{x\to0}\frac{f(x)-0}{x}=f'(0)=2$

이고, (나)에서 $f'(0)=\sqrt{a}=2$이므로 $a=4$

따라서 $f(x)=\int(x+1)\sqrt{x^2+2x+4}\,dx$이고

$x^2+2x+4=t$라 하면 $\frac{dt}{dx}=2x+2$이므로

$\int(x+1)\sqrt{x^2+2x+4}\,dx$

$=\frac{1}{2}\int\sqrt{t}\,dt$

$=\frac{1}{3}t\sqrt{t}\,dt+C$

$=\frac{1}{3}(x^2+2x+4)\sqrt{x^2+2x+4}+C$ (단, C는 적분상수)

$f(0)=\frac{1}{3}\times4\times2+C=0$에서 $C=-\frac{8}{3}$

따라서 $f(x)=\frac{1}{3}(x^2+2x+4)\sqrt{x^2+2x+4}-\frac{8}{3}$이므로

$f(a)=f(4)=\frac{1}{3}(16+8+4)\sqrt{16+8+4}-\frac{8}{3}$

$=-\frac{8}{3}+\frac{56}{3}\sqrt{7}$

$\therefore p+q=-\frac{8}{3}+\frac{56}{3}=16$ 답 16

17

$\{f(x)g(x)\}'=h(x)$이므로

$f(x)g(x)=\int h(x)dx$에서

$xg(x)=\int\ln x\,dx$

$=x\ln x-x+C$ (단, C는 적분상수)

위 식의 양변에 $x=1$을 대입하면

$1\times g(1)=-1+C$이고 $g(1)=-1$이므로 $C=0$

따라서 $g(x)=\ln x-1$이므로

$g(e)=0$ 답 0

09 정적분

p. 93

01. ⑤ **02.** ② **03.** ① **04.** 3 **05.** 2
06. ②

01 $\int_0^e \frac{5}{x+e}dx=\left[5\ln(x+e)\right]_0^e$

$=5\ln 2e-5\ln e$

$=5\ln 2$

답 ⑤

02 $x^2-1=t$로 놓으면 $\frac{dt}{dx}=2x$, $x\,dx=\frac{1}{2}dt$

$x=1$일 때 $t=0$이고 $x=\sqrt{2}$일 때 $t=1$이므로

$\int_1^{\sqrt{2}} x^3\sqrt{x^2-1}\,dx=\int_1^{\sqrt{2}} x^2\sqrt{x^2-1}x\,dx$

$=\int_0^1 \frac{1}{2}(1+t)\sqrt{t}\,dt$

$=\left[\frac{1}{3}t^{\frac{3}{2}}+\frac{1}{5}t^{\frac{5}{2}}\right]_0^1$

$=\frac{1}{3}+\frac{1}{5}=\frac{8}{15}$

답 ②

03 $\ln x=t$로 놓으면 $\frac{dt}{dx}=\frac{1}{x}$

$x=1$일 때 $t=0$, $x=e$일 때 $t=1$이므로

$\int_1^e \frac{3(\ln x)^2}{x}dx=\int_0^1 3t^2dt=\left[t^3\right]_0^1=1$

답 ①

04

$\int_0^{\frac{\pi}{2}}\cos x\,dx+3\int_0^{\frac{\pi}{2}}\cos^3 x\,dx$

$=\left[\sin x\right]_0^{\frac{\pi}{2}}+3\int_0^{\frac{\pi}{2}}(1-\sin^2 x)\cos x\,dx$

이때 $\sin x=t$로 놓으면 $\frac{dt}{dx}=\cos x$

$x=0$일 때 $t=0$, $x=\frac{\pi}{2}$일 때 $t=1$이므로

$\left[\sin x\right]_0^{\frac{\pi}{2}}+3\int_0^{\frac{\pi}{2}}(1-\sin^2 x)\cos x\,dx$

$=1+3\int_0^1(1-t^2)dt$

$=1+3\left[t-\frac{t^3}{3}\right]_0^1$

$=1+2=3$

답 3

05

$\int_0^{\pi} x\cos(\pi-x)dx=-\int_0^{\pi} x\cos x\,dx=\int_{\pi}^0 x\cos x\,dx$

$u(x)=x$, $v'(x)=\cos x$로 놓으면

$u'(x)=1$, $v(x)=\sin x$이므로

$\int_{\pi}^0 x\cos x\,dx=\left[x\sin x\right]_{\pi}^0-\int_{\pi}^0 \sin x\,dx$

$=(0-0)+\left[\cos x\right]_{\pi}^0$

$=1-(-1)=2$

답 2

06 양변에 $x=1$을 대입하면

$0=1-a$ $\quad\therefore a=1$

$\int_1^x f(t)dt=x^2-\sqrt{x}$의 양변을 x에 대하여 미분하면

$f(x)=2x-\frac{1}{2\sqrt{x}}$ $\quad\therefore f(1)=2-\frac{1}{2}=\frac{3}{2}$

답 ②

유형따라잡기 pp. 94~99

기출유형 01 6	01. ④	02. ②	03. 15	04. ①
기출유형 02 ①	05. ③	06. 9	07. ②	
기출유형 03 ④	08. ②	09. ②	10. 16	
기출유형 04 ②	11. ①	12. ②	13. ②	
기출유형 05 ②	14. ⑤	15. ①	16. ②	
기출유형 06 ②	17. ④	18. 64	19. ④	20. 12

기출유형 01

Act① $\sqrt[q]{x}=x^{\frac{1}{q}}$으로 변형한 후 $\int_a^b x^n dx=\left[\frac{1}{n+1}x^{n+1}\right]_a^b$ (단, $n\neq-1$)임을 이용한다.

$\int_1^{16}\frac{1}{\sqrt{x}}dx=\int_1^{16}x^{-\frac{1}{2}}dx$

$=\left[2\sqrt{x}\right]_1^{16}$

$=8-2=6$

답 6

01 **Act①** $\int_{\alpha}^{\beta} e^x dx=\left[e^x\right]_{\alpha}^{\beta}$임을 이용한다.

$\int_0^{\ln 3} e^{x+3}dx=\left[e^{x+3}\right]_0^{\ln 3}$

$=e^{\ln 3+3}-e^3$

$=3e^3-e^3$

$=2e^3$

답 ④

02 **Act①** $\sqrt[q]{x}=x^{\frac{1}{q}}$으로 변형한 후 $\int_a^b x^n dx=\left[\frac{1}{n+1}x^{n+1}\right]_a^b$ (단, $n\neq-1$)임을 이용한다.

$\int_0^1 3\sqrt{x}\,dx=\int_0^1 3x^{\frac{1}{2}}dx=\left[2x^{\frac{3}{2}}\right]_0^1=2$

답 ②

03 **Act①** $\int_a^b \frac{1}{x}dx=\left[\ln|x|\right]_a^b$임을 이용한다.

$\int_1^5\left(\frac{1}{x+1}+\frac{1}{x}\right)dx=\left[\ln|x+1|+\ln|x|\right]_1^5$

$=\ln 6+\ln 5-\ln 2$

$=\ln 15=\ln a$

$\therefore a=15$

답 15

04 **Act①** $\int_{\alpha}^{\beta}\sin ax\,dx=\left[-\frac{1}{a}\cos x\right]_{\alpha}^{\beta}$임을 이용한다.

$\int_0^{\frac{\pi}{4}}\sin 2x\,dx=\left[-\frac{1}{2}\cos 2x\right]_0^{\frac{\pi}{4}}=\frac{1}{2}$

답 ①

기출유형 02

Act① $x^2+4x+5=t$로 놓고 치환적분법을 이용한다.

$x^2+4x+5=t$로 놓으면 $\frac{dt}{dx}=2x+4$

$x=0$일 때 $t=5$, $x=1$일 때 $t=10$이므로

$$\int_0^1 \frac{2x+4}{x^2+4x+5}dx=\int_5^{10}\frac{1}{t}dt$$
$$=\Big[\ln|t|\Big]_5^{10}$$
$$=\ln 10-\ln 5$$
$$=\ln\frac{10}{5}=\ln 2$$

답 ①

[다른 풀이]

$$\int_0^1 \frac{2x+4}{x^2+4x+5}dx=\int_0^1\frac{(x^2+4x+5)'}{x^2+4x+5}dx$$
$$=\Big[\ln|x^2+4x+5|\Big]_0^1$$
$$=\ln 10-\ln 5=\ln 2$$

05 **Act①** $x^2+1=t$**로 놓고 치환적분법을 이용한다.**

$x^2+1=t$로 놓으면 $\frac{dt}{dx}=2x$, $2x\,dx=dt$

$x=0$일 때 $t=1$, $x=\sqrt{3}$일 때 $t=4$이므로

$$\int_0^{\sqrt{3}}2x\sqrt{x^2+1}\,dx=\int_1^4\sqrt{t}\,dt$$
$$=\Big[\frac{2}{3}t^{\frac{3}{2}}\Big]_1^4$$
$$=\frac{16}{3}-\frac{2}{3}=\frac{14}{3}$$

답 ③

06 **Act①** $x-t=s$**로 놓고 치환적분법을 이용한다.**

$x-t=s$로 놓으면 $\frac{ds}{dt}=-1$, $dt=-ds$

$t=0$일 때 $s=x$, $t=x$일 때 $s=0$이므로

$$F(x)=\int_0^x tf(x-t)dt$$
$$=\int_x^0 (x-s)f(s)(-ds)$$
$$=\int_0^x (x-s)f(s)ds$$

$$F'(x)=\frac{d}{dx}\left\{x\int_0^x f(s)ds-\int_0^x sf(s)ds\right\}$$
$$=\int_0^x f(s)ds=\int_0^x\frac{1}{1+s}ds$$
$$=\Big[\ln|1+s|\Big]_0^x$$
$$=\ln|1+x|$$

이때 $F'(a)=\ln 10$에서

$\ln|1+x|=\ln 10$ $\quad\therefore x=9$

답 9

07 **Act①** $2\int_{\frac{1}{2}}^2 f(x)dx+\int_{\frac{1}{2}}^2\frac{1}{x^2}f\left(\frac{1}{x}\right)dx$**에서 치환적분법을 이용하여** $\int_{\frac{1}{2}}^2\frac{1}{x^2}f\left(\frac{1}{x}\right)dx$**를** $\int_{\frac{1}{2}}^2 f(x)dx$**의 꼴로 나타낸다.**

$$2\int_{\frac{1}{2}}^2 f(x)dx+\int_{\frac{1}{2}}^2\frac{1}{x^2}f\left(\frac{1}{x}\right)dx$$
$$=\int_{\frac{1}{2}}^2\left(\frac{1}{x}+\frac{1}{x^2}\right)dx \quad \cdots\cdots ㉠$$

$\int_{\frac{1}{2}}^2\frac{1}{x^2}f\left(\frac{1}{x}\right)dx$에서 $\frac{1}{x}=t$로 놓으면

$\frac{dt}{dx}=-\frac{1}{x^2}$, $-\frac{1}{x^2}dx=dt$

$x=\frac{1}{2}$일 때 $t=2$, $x=2$일 때 $t=\frac{1}{2}$이므로

$$\int_{\frac{1}{2}}^2\frac{1}{x^2}f\left(\frac{1}{x}\right)dx=-\int_2^{\frac{1}{2}}f(t)dt=\int_{\frac{1}{2}}^2 f(x)dx$$

㉠에 대입하면 $3\int_{\frac{1}{2}}^2 f(x)dx=\int_{\frac{1}{2}}^2\left(\frac{1}{x}+\frac{1}{x^2}\right)dx$이므로

$$\int_{\frac{1}{2}}^2 f(x)dx=\frac{1}{3}\Big[\ln x-\frac{1}{x}\Big]_{\frac{1}{2}}^2$$
$$=\frac{1}{3}\left\{\left(\ln 2-\frac{1}{2}\right)-(-\ln 2-2)\right\}$$
$$=\frac{1}{3}\left(2\ln 2+\frac{3}{2}\right)=\frac{2\ln 2}{3}+\frac{1}{2}$$

답 ②

기출유형 03

Act① $\ln x=t$**로 놓고 치환적분법을 이용한다.**

$\ln x=t$로 놓으면 $\frac{dt}{dx}=\frac{1}{x}$, $\frac{1}{x}dx=dt$

$x=e$일 때 $t=1$, $x=e^3$일 때 $t=3$이므로

$$\int_e^{e^3}\frac{\ln x}{x}dx=\int_1^3 t\,dt$$
$$=\Big[\frac{1}{2}t^2\Big]_1^3=4$$

답 ④

08 **Act①** $1+\ln x=t$**로 놓고 치환적분법을 이용한다.**

$1+\ln x=t$로 놓으면 $\frac{dt}{dx}=\frac{1}{x}$, $\frac{1}{x}dx=dt$

$x=1$일 때 $t=1$, $x=e^2$일 때 $t=3$이므로

$$\int_1^{e^2}\frac{3}{x(1+\ln x)^2}dx=\int_1^3\frac{3}{t^2}dt$$
$$=\Big[-\frac{3}{t}\Big]_1^3=2$$

답 ②

09 **Act①** $\ln x=t$**로 놓고 치환적분법을 이용한다.**

$\ln x=t$로 놓으면 $\frac{dt}{dx}=\frac{1}{x}$, $\frac{1}{x}dx=dt$

$x=1$일 때 $t=0$, $x=a$일 때 $t=\ln a$이므로

$$f(a)=\int_1^a\frac{\sqrt{\ln x}}{x}dx$$
$$=\int_0^{\ln a}\sqrt{t}\,dt$$
$$=\Big[\frac{2}{3}t^{\frac{3}{2}}\Big]_0^{\ln a}=\frac{2}{3}(\ln a)^{\frac{3}{2}}$$

$$\therefore f(a^4)=\frac{2}{3}(\ln a^4)^{\frac{3}{2}}=\frac{2}{3}\times 4^{\frac{3}{2}}(\ln a)^{\frac{3}{2}}$$
$$=2^3\times\frac{2}{3}(\ln a)^{\frac{3}{2}}=8f(a)$$

답 ②

10 **Act①** $\ln x=t$**로 놓고 치환적분법을 이용한다.**

$\ln x=t$로 놓으면 $\frac{dt}{dx}=\frac{1}{x}$, $\frac{1}{x}dx=dt$

$x=1$일 때 $t=0$, $x=a$일 때 $t=\ln a$이므로

$f(a)=\int_1^a \frac{\ln x}{x}dx=\int_0^{\ln a} t\,dt$

$=\left[\frac{1}{2}t^2\right]_0^{\ln a}=\frac{1}{2}(\ln a)^2$

$f(a^4)=\frac{1}{2}(\ln a^4)^2=\frac{1}{2}(4\ln a)^2$

$=16\times\frac{1}{2}(\ln a)^2=16f(a)$

$\therefore k=16$ 답 16

기출유형 04

Act① 피적분함수가 $f(\sin x)\cos x$ 꼴인 경우 $\sin x=t$로 치환한다.

$\sin x=t$로 놓으면 $\frac{dt}{dx}=\cos x$, $\cos x\,dx=dt$

$x=0$일 때 $t=0$, $x=\frac{\pi}{2}$일 때 $t=1$이므로

$\int_0^{\frac{\pi}{2}}\sin^3 x\cos x\,dx=\int_0^1 t^3 dt$

$=\left[\frac{1}{4}t^4\right]_0^1$

$=\frac{1}{4}$ 답 ②

11 **Act① 피적분함수가 $f(\cos x)\sin x$ 꼴인 경우 $\cos x=t$로 치환한다.**

$\cos x=t$로 놓으면 $\frac{dt}{dx}=-\sin x$, $-\sin x\,dx=dt$

$x=0$일 때 $t=1$, $x=\pi$일 때 $t=-1$이므로

$\int_0^{\pi}(1-\cos^3 x)\cos x\sin x\,dx$

$=-\int_1^{-1}(1-t^3)t\,dt$

$=\int_{-1}^1(t-t^4)dt$

$=2\int_0^1(-t^4)dt\left(\because \int_{-1}^1 t\,dt=0\right)$

$=2\left[-\frac{t^5}{5}\right]_0^1=-\frac{2}{5}$ 답 ①

12 **Act① $\sin 2x$를 $\sin x$와 $\cos x$를 이용하여 나타낸 후 피적분함수가 $f(\sin x)\cos x$ 꼴인 경우 $\sin x=t$로 치환한다.**

$\int_0^{\frac{\pi}{2}}(\sin x-1)\sin 2x\,dx=\int_0^{\frac{\pi}{2}}2(\sin x-1)\sin x\cos x\,dx$

$\sin x=t$로 놓으면 $\frac{dt}{dx}=\cos x$, $\cos x\,dx=dt$

$x=0$일 때 $t=0$, $x=\frac{\pi}{2}$일 때 $t=1$이므로

$\int_0^{\frac{\pi}{2}}2(\sin x-1)\sin x\cos x\,dx$

$=\int_0^1 2(t-1)t\,dt$

$=\int_0^1(2t^2-2t)dt$

$=\left[\frac{2}{3}t^3-t^2\right]_0^1=-\frac{1}{3}$ 답 ②

13 **Act① 피적분함수가 $f(\ln x)$와 $\frac{1}{x}$의 곱의 꼴로 되어 있으면 $\ln x=s$로, $f(\sin x)\cos x$ 꼴인 경우 $\sin x=t$로 치환한다.**

주어진 등식의 좌변에서 $\ln x=s$로 놓으면

$\frac{ds}{dx}=\frac{1}{x}$, $\frac{1}{x}dx=ds$이고 $x=e^2$일 때 $s=2$, $x=e^3$일 때 $s=3$이므로

$\int_{e^2}^{e^3}\frac{a+\ln x}{x}dx=\int_2^3(a+s)ds$

$=\left[as+\frac{1}{2}s^2\right]_2^3=a+\frac{5}{2}$

주어진 등식의 우변에서 $\sin x=t$로 놓으면

$\frac{dt}{dx}=\cos x$, $\cos x\,dx=dt$이고 $x=0$일 때 $t=0$, $x=\frac{\pi}{2}$일 때 $t=1$이므로

$\int_0^{\frac{\pi}{2}}(1+\sin x)\cos x\,dx=\int_0^1(1+t)dt$

$=\left[t+\frac{1}{2}t^2\right]_0^1=\frac{3}{2}$

$a+\frac{5}{2}=\frac{3}{2}$ $\therefore a=-1$ 답 ②

기출유형 05

Act① $u(x)=\ln x$, $v'(x)=x^3$으로 놓고 부분적분법을 이용한다.

$u(x)=\ln x$, $v'(x)=x^3$으로 놓으면

$u'(x)=\frac{1}{x}$, $v(x)=\frac{x^4}{4}$이므로

$\int_1^e x^3\ln x\,dx=\left[\frac{x^4}{4}\ln x\right]_1^e-\int_1^e\left(\frac{x^4}{4}\times\frac{1}{x}\right)dx$

$=\left(\frac{e^4}{4}\ln e-\frac{1}{4}\ln 1\right)-\left[\frac{x^4}{16}\right]_1^e$

$=\frac{e^4}{4}-0-\left(\frac{e^4}{16}-\frac{1}{16}\right)$

$=\frac{3e^4+1}{16}$ 답 ②

14 **Act① $u(x)=\ln x-1$, $v'(x)=\frac{1}{x^2}$로 놓고 부분적분법을 이용한다.**

$u(x)=\ln x-1$, $v'(x)=\frac{1}{x^2}$로 놓으면

$u'(x)=\frac{1}{x}$, $v(x)=-\frac{1}{x}$이므로

$\int_e^{e^2}\frac{\ln x-1}{x^2}dx$

$=\left[-\frac{\ln x-1}{x}\right]_e^{e^2}+\int_e^{e^2}\frac{1}{x^2}dx$

$=\left[-\frac{\ln x-1}{x}\right]_e^{e^2}+\left[-\frac{1}{x}\right]_e^{e^2}$

$=-\frac{1}{e^2}+\left(-\frac{1}{e^2}+\frac{1}{e}\right)$

$=\frac{e-2}{e^2}$ 답 ⑤

15 **Act①** **$u(x)=x$, $v'(x)=e^x$으로 놓고 부분적분법을 이용한다.**

$u(x)=x$, $v'(x)=e^x$으로 놓으면

$u'(x)=1$, $v(x)=e^x$이므로

$\int_0^1 xe^x dx=\left[xe^x\right]_0^1-\int_0^1 e^x dx$

$=(e-0)-\left[e^x\right]_0^1$

$=e-(e-1)=1$ 답 ①

16 **Act①** **부분적분법을 한 번 적용하여 값이 구해지지 않는 경우 한 번 더 부분적분법을 적용한다.**

(나)에서 부분적분법에 의하여

$\int_{-1}^1 \{f(x)\}^2 g'(x)dx$

$=\left[\{f(x)\}^2 g(x)\right]_{-1}^1-\int_{-1}^1 2f(x)f'(x)g(x)dx$

$=0-\int_{-1}^1 2\{f(x)g(x)\}f'(x)dx$

이고 (가)에서 $f(x)g(x)=x^4-1$이므로

$-2\int_{-1}^1 (x^4-1)f'(x)dx=120$

$\therefore \int_{-1}^1 (x^4-1)f'(x)dx=-60$

한 번 더 부분적분법을 적용하면

$\int_{-1}^1 (x^4-1)f'(x)dx=\left[(x^4-1)f(x)\right]_{-1}^1-\int_{-1}^1 4x^3 f(x)dx$

$=0-4\int_{-1}^1 x^3 f(x)dx=-60$

$\therefore \int_{-1}^1 x^3 f(x)dx=15$ 답 ②

기출유형 06

Act① **적분 구간에 변수가 있으면 $\int_a^a f(t)dt=0$임을 이용하여 $F(x)$를 결정한 후 양변을 미분하여 $f(x)$를 구한다.**

$\int_a^x f(t)\,dt=(x+a-4)e^x$의 양변에 $x=a$를 대입하면

$0=(2a-4)e^a$ $\quad\therefore a=2$

$\int_a^x f(t)\,dt=(x-2)e^x$의 양변을 x에 대하여 미분하면

$f(x)=(x-1)e^x$

$\therefore f(a)=f(2)=e^2$ 답 ②

17 **Act①** **적분 구간에 변수가 있으면 $\int_a^a f(t)dt=0$임을 이용하여 $F(x)$를 결정한 후 양변을 미분하여 $f(x)$를 구한다.**

양변에 $x=0$을 대입하면

$0=1+a$ $\quad\therefore a=-1$

$xf(x)=3^x-1+\int_0^x tf'(t)dt$의 양변을 x에 대하여 미분하면

$f(x)+xf'(x)=3^x\ln 3+xf'(x)$

$f(x)=3^x\ln 3$

$\therefore f(-1)=\frac{\ln 3}{3}$ 답 ④

18 **Act①** **적분 구간에 변수가 있으면 $\int_a^a f(t)dt=0$임을 이용하여 $F(x)$를 결정한 후 양변을 미분하여 $f(x)$를 구한다.**

양변에 $x=0$을 대입하면

$0=a+b$ $\quad\cdots\cdots$ ㉠

양변을 x에 대하여 미분하면

$\int_0^x f(t)dt+xf(x)-xf(x)=2ae^{2x}-4$

즉 $\int_0^x f(t)dt=2ae^{2x}-4$

양변에 $x=0$을 대입하면

$0=2a-4$ $\quad\therefore a=2$

이 값을 ㉠에 대입하면 $b=-2$

$\int_0^x f(t)dt=4e^{2x}-4$의 양변을 x에 대하여 미분하면

$f(x)=8e^{2x}$

$\therefore f(a)f(b)=f(2)f(-2)$

$=(8e^4)\times(8e^{-4})=64e^{4-4}=64$ 답 64

19 **Act①** **적분 구간이 상수인 정적분은 적분 결과가 상수이므로 $\int_0^\pi f(t)dt=k$ (k는 상수)로 놓고 k의 값을 구한다.**

$\int_0^\pi f(t)dt=k$라 하면

$f(t)=1+2\sin 2t+k$이므로

$k=\int_0^\pi (1+2\sin 2t+k)dt$

$=\left[t-\cos 2t+kt\right]_0^\pi$

$=(\pi-1+k\pi)-(0-1+0)$

$=\pi+k\pi$

$\therefore k=\frac{\pi}{1-\pi}$

따라서 $f(t)=1+2\sin 2t+\frac{\pi}{1-\pi}$이므로

$f\left(\frac{\pi}{2}\right)=1+0+\frac{\pi}{1-\pi}=\frac{1}{1-\pi}$ 답 ④

20 **Act①** **적분 구간이 상수인 정적분은 적분 결과가 상수이므로 $\int_0^1 tf(t)dt=k$ (k는 상수)로 놓고 k의 값을 구한다.**

$\int_0^1 tf(t)dt=k$라 하면 $f(x)=e^x+k$

$k=\int_0^1 t(e^t+k)dt$에서

$u'(t)=e^t+k$, $v(t)=t$라 하면

$u(t)=e^t+kt$, $v'(t)=1$이므로

$$k=\int_0^1 t(e^t+k)dt$$
$$=\Big[t(e^t+kt)\Big]_0^1-\int_0^1(e^t+kt)dt$$
$$=e+k-\Big[e^t+\frac{1}{2}kt^2\Big]_0^1$$
$$=\frac{1}{2}k+1$$

$\therefore\ k=2$

따라서 $f(x)=e^x+2$이므로

$f(\ln 10)=12$ 답 12

VIT Very Important Test pp. 100~101

01. ⑤	02. ①	03. ①	04. ⑤	05. 12
06. ②	07. ④	08. ④	09. ①	10. 4
11. 12				

01

$$\int_0^1(\sqrt{x}+1)^2dx=\int_0^1(x+2\sqrt{x}+1)dx$$
$$=\Big[\frac{1}{2}x^2+\frac{4}{3}x^{\frac{3}{2}}+x\Big]_0^1$$
$$=\frac{1}{2}+\frac{4}{3}+1=\frac{17}{6}$$

답 ⑤

02

$$\int_0^1\frac{e^{2x}}{e^x+1}\,dx-\int_0^1\frac{1}{e^x+1}\,dx$$
$$=\int_0^1\frac{e^{2x}-1}{e^x+1}\,dx=\int_0^1(e^x-1)dx$$
$$=\Big[e^x-x\Big]_0^1=e-2$$

답 ①

03

$f(x)=|\cos 2x|$라 하면

$$f(x)=\begin{cases}\cos 2x & \left(0\le x\le\frac{\pi}{4}\right)\\ -\cos 2x & \left(\frac{\pi}{4}\le x\le\frac{\pi}{2}\right)\end{cases}$$ 이므로

$$\int_0^{\frac{\pi}{2}}|\cos 2x|dx$$
$$=\int_0^{\frac{\pi}{4}}\cos 2x\,dx+\int_{\frac{\pi}{4}}^{\frac{\pi}{2}}(-\cos 2x)dx$$
$$=\Big[\frac{1}{2}\sin 2x\Big]_0^{\frac{\pi}{4}}+\Big[-\frac{1}{2}\sin 2x\Big]_{\frac{\pi}{4}}^{\frac{\pi}{2}}$$
$$=\frac{1}{2}+\frac{1}{2}=1$$

답 ①

04

$x^2-1=t$로 놓으면 $\frac{dt}{dx}=2x$이고

$x=0$일 때 $t=-1$, $x=2$일 때 $t=3$이므로

$$\int_0^2 x|x^2-1|^3dx=\int_{-1}^3\frac{1}{2}|t|^3dt$$
$$=\int_{-1}^0\left(-\frac{1}{2}t^3\right)dt+\int_0^3\frac{1}{2}t^3dt$$
$$=\Big[-\frac{1}{8}t^4\Big]_{-1}^0+\Big[\frac{1}{8}t^4\Big]_0^3$$
$$=\left(0+\frac{1}{8}\right)+\left(\frac{81}{8}-0\right)=\frac{41}{4}$$

답 ⑤

05

$a-x=t$로 놓으면 $\frac{dt}{dx}=-1$이고

$x=a-1$일 때 $t=1$, $x=a+1$일 때 $t=-1$이므로

$$\int_{a-1}^{a+1}f(a-x)dx=\int_{-1}^1 f(t)dt$$
$$=2\int_0^1 f(t)dt=24$$

$$\therefore\ \int_0^1 f(x)dx=12$$

답 12

06

$$\int_{-\frac{\pi}{2}}^{\frac{\pi}{2}}f(x)dx=\int_{-\frac{\pi}{2}}^0 f(x)dx+\int_0^{\frac{\pi}{2}}f(x)dx$$

$\int_{-\frac{\pi}{2}}^0 f(x)dx$에서 $x=-t$로 놓으면 $dx=-dt$

$x=-\frac{\pi}{2}$일 때 $t=\frac{\pi}{2}$, $x=0$일 때 $t=0$이므로

$$\int_{-\frac{\pi}{2}}^0 f(x)dx=\int_{\frac{\pi}{2}}^0 f(-t)(-dt)$$
$$=\int_0^{\frac{\pi}{2}}f(-t)dt=\int_0^{\frac{\pi}{2}}f(-x)dx$$

$$\therefore\ \int_{-\frac{\pi}{2}}^{\frac{\pi}{2}}f(x)dx=\int_{-\frac{\pi}{2}}^0 f(x)dx+\int_0^{\frac{\pi}{2}}f(x)dx$$
$$=\int_0^{\frac{\pi}{2}}f(-x)dx+\int_0^{\frac{\pi}{2}}f(x)dx$$
$$=\int_0^{\frac{\pi}{2}}\{f(-x)+f(x)\}dx$$
$$=\int_0^{\frac{\pi}{2}}(x^2+\cos x)dx$$
$$=\Big[\frac{1}{3}x^3+\sin x\Big]_0^{\frac{\pi}{2}}=\frac{\pi^3}{24}+1$$

답 ②

07

$u(x)=x+2$, $v'(x)=\sin 2x$로 놓으면

$u'(x)=1$, $v(x)=-\frac{1}{2}\cos 2x$이므로

$$\int_0^{\frac{\pi}{4}}(x+2)\sin 2x\,dx$$
$$=\Big[-\frac{1}{2}(x+2)\cos 2x\Big]_0^{\frac{\pi}{4}}+\frac{1}{2}\int_0^{\frac{\pi}{4}}\cos 2x\,dx$$
$$=1+\Big[\frac{1}{2}\sin 2x\Big]_0^{\frac{\pi}{4}}$$
$$=1+\frac{1}{2}=\frac{3}{2}$$

답 ④

08

$x^2=t$로 놓으면 $\frac{dt}{dx}=2x$이고

$x=1$일 때 $t=1$, $x=2$일 때 $t=4$이므로

$\int_1^2 2x^3e^{x^2}dx=\int_1^4 te^t dt$

$\int_1^4 te^t dt$에서 $f(t)=t$, $g'(t)=e^t$으로 놓으면

$f'(t)=1$, $g(t)=e^t$이므로

$\int_1^4 te^t dt=\left[te^t\right]_1^4-\int_1^4 e^t dt$

$=\left[te^t\right]_1^4-\left[e^t\right]_1^4$

$=3e^4$

답 ④

09

주어진 등식의 양변에 $x=0$을 대입하면

$0=a+1$에서 $a=-1$

즉 $\int_0^x f(t)dt=e^x-x-1$

양변을 x에 대하여 미분하면

$f(x)=e^x-1$

$\therefore f(\ln 2)=2-1=1$

답 ①

10

$f(2017)=f(4\times 504+1)=f(1)$이고

$f(2018)=f(4\times 504+2)=f(2)$이므로

$\int_{2017}^{2018} f(x)dx=\int_1^2 f(x)dx$

$1+\ln x=t$로 놓으면 $\frac{dt}{dx}=\frac{1}{x}$이고

$x=1$일 때 $t=1$, $x=2$일 때 $t=1+\ln 2$이므로

$\int_1^2 f(x)dx=\int_1^2 \frac{1}{x(1+\ln x)^2}dx$

$=\int_1^{1+\ln 2}\frac{1}{t^2}dt$

$=\left[-\frac{1}{t}\right]_1^{1+\ln 2}$

$=1-\frac{1}{1+\ln 2}$

$=\frac{\ln 2}{1+\ln 2}$

따라서 $p=2$, $q=2$이므로

$p+q=4$

답 4

11

$x-t=z$로 놓으면 $\frac{dz}{dt}=-1$이고

$t=0$일 때 $z=x$, $t=x$일 때 $z=0$이므로

$\int_0^x tf(x-t)dt=-\int_x^0 (x-z)f(z)dz$

$=\int_0^x (x-z)f(z)dz$

$=x\int_0^x f(z)dz-\int_0^x zf(z)dz$

즉 $x\int_0^x f(z)dz-\int_0^x zf(z)dz=-4\sin 3x+ax$

양변을 x에 대하여 미분하면

$\int_0^x f(z)dz+xf(x)-xf(x)=-12\cos 3x+a$

$\int_0^x f(z)dz=-12\cos 3x+a$

양변에 $x=0$을 대입하면

$0=-12+a \qquad \therefore a=12$

답 12

10 정적분의 활용

p. 103

01. ② **02.** ② **03.** ④ **04.** ④ **05.** ⑤

01 $\lim_{n\to\infty}\sum_{k=1}^{n} f\left(1+\frac{2k}{n}\right)\frac{2}{n}=\int_1^3 f(x)dx=\int_1^3 \frac{1}{x}dx$

$=\left[\ln|x|\right]_1^3=\ln 3$

답 ②

[다른 풀이]

$\lim_{n\to\infty}\sum_{k=1}^{n} f\left(1+\frac{2k}{n}\right)\frac{2}{n}=\int_0^2 f(1+x)dx=\int_0^2 \frac{1}{1+x}dx$

$=\left[\ln|1+x|\right]_0^2=\ln 3$

02 $\int_0^1 \left\{\left(\sin\frac{\pi}{2}x\right)-(2^x-1)\right\}dx$

$=\left[-\frac{2}{\pi}\cos\frac{\pi}{2}x\right]_0^1-\left[\frac{2^x}{\ln 2}\right]_0^1+\left[x\right]_0^1$

$=\frac{2}{\pi}-\frac{1}{\ln 2}+1$

답 ②

03 x축에 수직인 평면으로 자른 단면의 넓이를 $S(x)$라 하면

$S(x)=(\sqrt{x}+1)^2=x+2\sqrt{x}+1$

따라서 구하는 부피는

$\int_0^1 S(x)dx=\int_0^1 (x+2\sqrt{x}+1)dx$

$=\left[\frac{1}{2}x^2+\frac{4}{3}x\sqrt{x}+x\right]_0^1$

$=\frac{1}{2}+\frac{4}{3}+1=\frac{17}{6}$

답 ④

04 $\frac{dx}{dt}=\cos t-\sqrt{3}\sin t$, $\frac{dy}{dt}=-\sin t-\sqrt{3}\cos t$이므로

$t=0$에서 $t=\pi$까지 점 P가 움직인 거리는

$\int_0^\pi \sqrt{\left(\frac{dx}{dt}\right)^2+\left(\frac{dy}{dt}\right)^2}dt$

$=\int_0^\pi \sqrt{(\cos t-\sqrt{3}\sin t)^2+(-\sin t-\sqrt{3}\cos t)^2}dt$

$=\int_0^\pi \sqrt{4(\sin^2 t+\cos^2 t)}dt=\int_0^\pi 2\,dt$

$=\left[2t\right]_0^\pi=2\pi$

답 ④

05 $y'=\frac{1}{4}e^{2x}-e^{-2x}$이므로 구하는 곡선의 길이는

$$\int_0^{\ln 2}\sqrt{1+\{f'(x)\}^2}dx$$
$$=\int_0^{\ln 2}\sqrt{1+\left(\frac{1}{4}e^{2x}-e^{-2x}\right)^2}dx$$
$$=\int_0^{\ln 2}\sqrt{\left(\frac{1}{4}e^{2x}+e^{-2x}\right)^2}dx$$
$$=\int_0^{\ln 2}\left(\frac{1}{4}e^{2x}+e^{-2x}\right)dx$$
$$=\left[\frac{1}{8}e^{2x}-\frac{1}{2}e^{-2x}\right]_0^{\ln 2}$$
$$=\frac{1}{8}e^{2\ln 2}-\frac{1}{2}e^{-2\ln 2}-\left(\frac{1}{8}-\frac{1}{2}\right)$$
$$=\frac{1}{8}\times 4-\frac{1}{2}\times\frac{1}{4}-\frac{1}{8}+\frac{1}{2}=\frac{3}{4}$$

답 ⑤

유형따라잡기 pp. 104~109

기출유형 01 12	01. ①	02. 19	03. ①	04. 5	
기출유형 02 ⑤	05. ②	06. ②	07. ④		
기출유형 03 ①	08. ④	09. ①			
기출유형 04 340	10. ②	11. ③			
기출유형 05 ①	12. 64	13. ②			
기출유형 06 ④	14. 6	15. ④	16. ①	17. ③	

기출유형 01

Act① $\lim_{n\to\infty}\sum_{k=1}^{n}f\left(a+\frac{p}{n}k\right)\times\frac{p}{n}=\int_a^{a+p}f(x)dx$임을 이용하여 주어진 식을 정적분으로 나타낸다.

$$\lim_{n\to\infty}\frac{1}{n}\sum_{k=1}^{n}f\left(1+\frac{2k}{n}\right)=\frac{1}{2}\lim_{n\to\infty}\sum_{k=1}^{n}f\left(1+\frac{2k}{n}\right)\times\frac{2}{n}$$
$$=\frac{1}{2}\int_1^3 f(x)dx$$
$$=\frac{1}{2}\int_1^3(x^3+x)dx$$
$$=\frac{1}{2}\left[\frac{1}{4}x^4+\frac{1}{2}x^2\right]_1^3$$
$$=\frac{1}{2}\left(\frac{81}{4}+\frac{9}{2}-\frac{1}{4}-\frac{1}{2}\right)$$
$$=\frac{1}{2}(20+4)=12$$

답 12

01 **Act①** $\lim_{n\to\infty}\sum_{k=1}^{n}f\left(a+\frac{p}{n}k\right)\times\frac{p}{n}=\int_a^{a+p}f(x)dx$임을 이용하여 주어진 식을 정적분으로 나타낸다.

$$\lim_{n\to\infty}\sum_{k=1}^{n}\frac{1}{n+k}f\left(\frac{k}{n}\right)=\lim_{n\to\infty}\sum_{k=1}^{n}\frac{f\left(\frac{k}{n}\right)}{1+\frac{k}{n}}\times\frac{1}{n}$$
$$=\int_0^1\frac{f(x)}{1+x}dx$$
$$=\int_0^1 4x^3dx$$
$$=\left[x^4\right]_0^1$$
$$=1$$

답 ①

02 **Act①** $\lim_{n\to\infty}\sum_{k=1}^{n}f\left(a+\frac{p}{n}k\right)\times\frac{p}{n}=\int_a^{a+p}f(x)dx$임을 이용하여 주어진 식을 정적분으로 나타낸다.

$$\lim_{n\to\infty}\sum_{k=1}^{n}\frac{k}{n^2}f\left(\frac{k}{n}\right)=\lim_{n\to\infty}\sum_{k=1}^{n}\frac{k}{n}f\left(\frac{k}{n}\right)\times\frac{1}{n}$$
$$=\int_0^1 xf(x)dx$$
$$=\int_0^1 x(4x^2+6x+32)dx$$
$$=\int_0^1(4x^3+6x^2+32x)dx$$
$$=\left[x^4+2x^3+16x^2\right]_0^1$$
$$=1+2+16=19$$

답 19

03 **Act①** $\lim_{n\to\infty}\sum_{k=1}^{n}f\left(a+\frac{p}{n}k\right)\times\frac{p}{n}=\int_a^{a+p}f(x)dx$임을 이용하여 주어진 식을 정적분으로 나타낸다.

$$\lim_{n\to\infty}\sum_{k=1}^{n}\frac{\pi}{n}f\left(\frac{k\pi}{n}\right)=\lim_{n\to\infty}\sum_{k=1}^{n}f\left(\frac{k\pi}{n}\right)\times\frac{\pi}{n}$$
$$=\int_0^\pi f(x)dx$$
$$=\int_0^\pi\sin(3x)dx$$

이때 $3x=t$로 놓으면 $\frac{dt}{dx}=3$, $3dx=dt$

$x=0$일 때 $t=0$, $x=\pi$일 때 $t=3\pi$이므로

$$\int_0^\pi\sin(3x)dx=\int_0^{3\pi}\frac{1}{3}\sin t\,dt$$
$$=\left[-\frac{1}{3}\cos t\right]_0^{3\pi}$$
$$=\left(-\frac{1}{3}\cos 3\pi\right)-\left(-\frac{1}{3}\cos 0\right)$$
$$=\frac{1}{3}+\frac{1}{3}=\frac{2}{3}$$

답 ①

04 **Act①** $\lim_{n\to\infty}\sum_{k=1}^{n}f\left(a+\frac{p}{n}k\right)\times\frac{p}{n}=\int_a^{a+p}f(x)dx$임을 이용하여 주어진 식을 정적분으로 나타낸다.

$$\lim_{n\to\infty}\sum_{k=1}^{n}\frac{k}{n^2}f\left(1+\frac{k}{n}\right)=\lim_{n\to\infty}\sum_{k=1}^{n}\frac{k}{n}f\left(1+\frac{k}{n}\right)\times\frac{1}{n}$$
$$=\int_1^2(x-1)f(x)dx$$
$$=\int_1^2(x-1)\ln x\,dx$$

이때 $u(x)=\ln x$, $v'(x)=x-1$로 놓으면

$u'(x)=\frac{1}{x}$, $v(x)=\frac{1}{2}x^2-x$

$$\int_1^2(x-1)\ln x\,dx$$
$$=\left[\left(\frac{1}{2}x^2-x\right)\ln x\right]_1^2-\int_1^2\frac{1}{x}\left(\frac{1}{2}x^2-x\right)dx$$

$=(0-0)-\int_1^2\left(\frac{1}{2}x-1\right)dx$

$=-\left[\frac{1}{4}x^2-x\right]_1^2$

$=-(1-2)+\left(\frac{1}{4}-1\right)$

$=\frac{1}{4}$

따라서 $p=4$, $q=1$이므로

$p+q=5$ 답 5

기출유형 02

Act① 넓이는 양수이므로 닫힌구간 $[a, b]$에서 $f(x)\ge 0$이면 $S=\int_a^b f(x)dx$, $f(x)\le 0$이면 $S=-\int_a^b f(x)dx$임을 이용한다.

두 곡선의 교점의 x좌표는

$e^x=e^{-x}$에서 $x=-x$

$\therefore x=0$

닫힌구간 $[0, 1]$에서 $e^{-x}\le e^x$이므로

구하는 도형의 넓이는

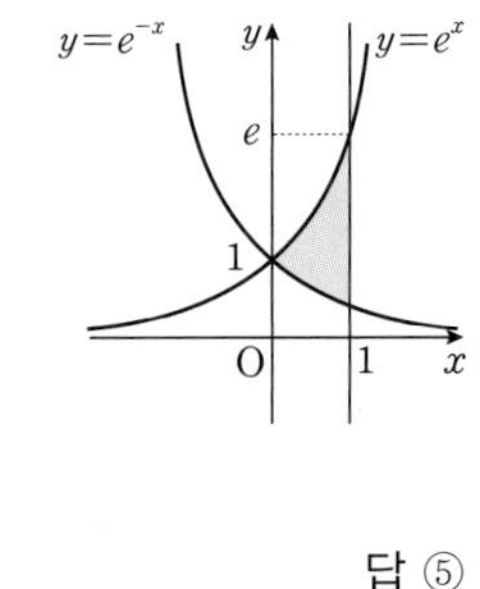

$\int_0^1(e^x-e^{-x})dx=\left[e^x+e^{-x}\right]_0^1$

$=e+\frac{1}{e}-2$ 답 ⑤

05 **Act① $f(x)>0$이므로 $f(2x+1)>0$이고 치환적분법을 이용하여 넓이를 구한다.**

모든 실수 x에 대하여 $f(x)>0$이므로 $f(2x+1)>0$이고

구하는 넓이는 $\int_1^2 f(2x+1)dx$이다.

이때 $2x+1=t$로 놓으면 $\frac{dt}{dx}=2$, $dx=\frac{dt}{2}$

$x=1$일 때 $t=3$, $x=2$일 때 $t=5$이므로

$\int_1^2 f(2x+1)dx=\int_3^5\frac{f(t)}{2}dt$

$=\frac{1}{2}\int_3^5 f(t)dt$

$=\frac{1}{2}\times 36=18$ 답 ②

06 **Act① $S=\int_1^2\frac{1}{x}dx$를 구하고 $2S$가 되는 a의 값을 $a>1$일 때와 $0<a<1$일 때로 나누어 생각한다.**

$S=\int_1^2\frac{1}{x}dx=\left[\ln x\right]_1^2=\ln 2$

이므로 $2S=2\ln 2$

(i) $a>1$일 때

$\int_1^a\frac{1}{x}dx=\left[\ln x\right]_1^a=\ln a=2\ln 2 \qquad \therefore a=4$

(ii) $0<a<1$일 때

$\int_a^1\frac{1}{x}dx=\left[\ln x\right]_a^1=-\ln a=2\ln 2 \qquad \therefore a=\frac{1}{4}$

따라서 모든 a의 값의 합은 $4+\frac{1}{4}=\frac{17}{4}$ 답 ②

07 **Act① 넓이는 양수이므로 닫힌구간 $[a, b]$에서 $f(x)\ge 0$이면 $S=\int_a^b f(x)dx$, $f(x)\le 0$이면 $S=-\int_a^b f(x)dx$임을 이용한다.**

곡선과 x축의 교점의 x좌표는 $2x-2=0$에서 $x=1$

$x\ge 1$일 때 $f(x)\ge 0$, $x<1$일 때 $f(x)<0$이므로

영역 A의 넓이와 영역 B의 넓이의 합은

$-\int_0^1 f(x)dx+\int_1^3 f(x)dx$

$=-\int_0^1\frac{2x-2}{x^2-2x+2}dx+\int_1^3\frac{2x-2}{x^2-2x+2}dx$

$=-\left[\ln(x^2-2x+2)\right]_0^1+\left[\ln(x^2-2x+2)\right]_1^3$

$=\ln 2+\ln 5=\ln 10$ 답 ④

기출유형 03

Act① 곡선과 직선의 교점의 좌표를 구한 후 {(위쪽 그래프의 식)−(아래쪽 그래프의 식)}의 정적분의 값을 구한다.

직선 $y=g(x)$는 x축에 평행하고 $(1, 2)$를 지나므로 $y=2$이다. 또한 곡선 $y=f(x)$는 $x=2$에 대칭이므로 $y=g(x)$와 점 $(3, 2)$에서 만난다.

$\int_1^3\left(2\sqrt{2}\sin\frac{\pi}{4}x-2\right)dx$

$=\left[-2\sqrt{2}\frac{4}{\pi}\cos\frac{\pi}{4}x-2x\right]_1^3$

$=\left[2\sqrt{2}\frac{4}{\pi}\cos\frac{\pi}{4}x+2x\right]_3^1$

$=\left(\frac{8}{\pi}+2\right)-\left(-\frac{8}{\pi}+6\right)$

$=\frac{16}{\pi}-4$ 답 ①

08 **Act① {(위쪽 그래프의 식)−(아래쪽 그래프의 식)}의 정적분의 값을 부분적분법을 이용하여 구한다.**

$\int_{\frac{\pi}{2}}^{\pi}\left\{(\sin x)\ln x-\frac{\cos x}{x}\right\}dx$

$=\int_{\frac{\pi}{2}}^{\pi}(\sin x)\ln x\,dx-\int_{\frac{\pi}{2}}^{\pi}\frac{\cos x}{x}dx$

$=\left\{\left[(-\cos x)\ln x\right]_{\frac{\pi}{2}}^{\pi}-\int_{\frac{\pi}{2}}^{\pi}\left(-\frac{\cos x}{x}\right)dx\right\}-\int_{\frac{\pi}{2}}^{\pi}\frac{\cos x}{x}dx$

$=\left[(-\cos x)\ln x\right]_{\frac{\pi}{2}}^{\pi}$

$=\ln\pi$ 답 ④

09 **Act① 접선에 수직인 직선의 방정식이 $y=-\frac{1}{f'(t)}(x-t)+f(t)$임을 이용하여 x절편을 $f(t)$, $f'(t)$로 나타낸다.**

점 $A(t, f(t))$에서 x축에 내린 수선의 발은 $B(t, 0)$

점 A에서의 접선과 수직인 직선의 방정식은

$y=-\frac{1}{f'(t)}(x-t)+f(t)$

이 직선이 x축과 만나는 점은

$C(f'(t)f(t)+t, 0)$

$\triangle ABC=\frac{1}{2}\overline{BC}\times\overline{AB}$

$=\frac{1}{2}|f'(t)f(t)\times f(t)|$

$=\frac{1}{2}f(t)^2 f'(t)$ ($\because f'(x)>0$)

$=\frac{1}{2}(e^{3t}-2e^{2t}+e^t)$

$\therefore f'(t)(f(t))^2=e^t(e^t-1)^2$

양변을 적분하면

$\frac{1}{3}\{f(t)\}^3=\frac{1}{3}(e^t-1)^3+C$

이때 $f(0)=0$에서 $C=0$

$\{f(t)\}^3=(e^t-1)^3$

$\therefore f(t)=e^t-1$

$y=f(x)$와 x축 및 직선 $x=1$로 둘러싸인 부분의 넓이는

$\int_0^1(e^x-1)dx=\left[e^x-x\right]_0^1=e-1-1=e-2$ 답 ①

기출유형 04

Act① 닫힌구간 $[a, b]$에서 x좌표가 x인 점을 지나고 x축에 수직인 평면으로 잘랐을 때의 단면의 넓이가 $S(x)$인 입체도형의 부피는 $\int_a^b S(x)dx$임을 이용한다.

x축에 수직인 평면으로 자른 단면의 넓이를 $S(x)$라 하면

$S(x)=(\sqrt{2x}+1)^2=2x+2\sqrt{2x}+1$

따라서 입체도형의 부피는

$\int_0^2(2x+2\sqrt{2x}+1)dx=\left[x^2+\frac{4\sqrt{2}}{3}x\sqrt{x}+x\right]_0^2$

$=4+\frac{16}{3}+2=\frac{34}{3}$

$\therefore 30V=30\times\frac{34}{3}=340$ 답 340

10 **Act① 닫힌구간 $[a, b]$에서 x좌표가 x인 점을 지나고 x축에 수직인 평면으로 잘랐을 때의 단면의 넓이가 $S(x)$인 입체도형의 부피는 $\int_a^b S(x)dx$임을 이용한다.**

x축에 수직인 평면으로 자른 단면의 넓이를 $S(x)$라 하면

$S(x)=\left(\sqrt{\frac{e^x}{e^x+1}}\right)^2=\frac{e^x}{e^x+1}$

따라서 입체도형의 부피는

$\int_0^k S(x)dx=\int_0^k\frac{e^x}{e^x+1}dx$

$e^x+1=t$로 놓으면 $\frac{dt}{dx}=e^x$, $e^x dx=dt$

$x=0$일 때 $t=2$, $x=k$일 때 $t=e^k+1$이므로

$\int_0^k\frac{e^x}{e^x+1}dx=\int_2^{e^k+1}\frac{1}{t}dt$

$=\left[\ln t\right]_2^{e^k+1}$

$=\ln(e^k+1)-\ln 2$

$=\ln\frac{e^k+1}{2}$

이때 주어진 입체도형의 부피가 $\ln 7$이므로

$\ln\frac{e^k+1}{2}=\ln 7$

$\frac{e^k+1}{2}=7$, $e^k=13$

$\therefore k=\ln 13$ 답 ②

11 **Act① 닫힌구간 $[a, b]$에서 x좌표가 x인 점을 지나고 x축에 수직인 평면으로 잘랐을 때의 단면의 넓이가 $S(x)$인 입체도형의 부피는 $\int_a^b S(x)dx$임을 이용한다.**

x축에 수직인 평면으로 자른 단면의 넓이를 $S(x)$라 하면

$S(x)=\frac{\sqrt{3}}{4}(2\sqrt{x}e^{kx^2})^2=\sqrt{3}xe^{2kx^2}$

따라서 입체도형의 부피는

$\int_0^k S(x)dx=\int_{\frac{1}{\sqrt{2k}}}^{\frac{1}{\sqrt{k}}}\sqrt{3}xe^{2kx^2}dx$

$e^{2kx^2}=t$로 놓으면 $\frac{dt}{dx}=4kxe^{2kx^2}$, $xe^{2kx^2}dx=\frac{dt}{4k}$

$x=\frac{1}{\sqrt{2k}}$일 때 $t=e$, $x=\frac{1}{\sqrt{k}}$일 때 $t=e^2$이므로

$\int_{\frac{1}{\sqrt{2k}}}^{\frac{1}{\sqrt{k}}}\sqrt{3}xe^{2kx^2}dx=\int_e^{e^2}\frac{\sqrt{3}}{4k}dt$

$=\left[\frac{\sqrt{3}}{4k}t\right]_e^{e^2}$

$=\frac{\sqrt{3}}{4k}(e^2-e)$

이때 주어진 입체도형의 부피가 $\sqrt{3}(e^2-e)$이므로

$\frac{\sqrt{3}}{4k}(e^2-e)=\sqrt{3}(e^2-e)$

$4k=1$ $\therefore k=\frac{1}{4}$ 답 ③

기출유형 05

Act① 좌표평면 위를 움직이는 점 P의 시각 t에서의 위치 (x, y)가 $x=f(t)$, $y=g(t)$일 때, 시각 $t=a$에서 $t=b$까지 점 P가 움직인 거리는 $\int_a^b\sqrt{\{f'(t)\}^2+\{g'(t)\}^2}dt$임을 이용한다.

$\frac{dx}{dt}=e^t(\cos t-\sin t)$, $\frac{dy}{dt}=e^t(\sin t+\cos t)$이므로

$t=0$에서 $t=\ln 3$까지 점 P가 움직인 거리는

$\int_0^{\ln 3}\sqrt{e^{2t}(\cos t-\sin t)^2+e^{2t}(\sin t+\cos t)^2}dt$

$=\int_0^{\ln 3}\sqrt{2e^{2t}}dt=\int_0^{\ln 3}\sqrt{2}e^t dt$

$=\sqrt{2}\left[e^t\right]_0^{\ln 3}=\sqrt{2}(e^{\ln 3}-1)$

$=\sqrt{2}(3-1)=2\sqrt{2}$ 답 ①

12 **Act① 좌표평면 위를 움직이는 점 P의 시각 t에서의 위치 (x, y)가 $x=f(t)$, $y=g(t)$일 때, 시각 $t=a$에서 $t=b$까지 점 P가 움직인 거리는 $\int_a^b\sqrt{\{f'(t)\}^2+\{g'(t)\}^2}dt$임을 이용한다.**

$\frac{dx}{dt}=4(-\sin t+\cos t)$, $\frac{dy}{dt}=-2\sin 2t$이므로

$t=0$에서 $t=2\pi$까지 점 P가 움직인 거리는

$\int_0^{2\pi}\sqrt{16(-\sin t+\cos t)^2+4\sin^2 2t}\,dt$

$=\int_0^{2\pi}\sqrt{16(1-\sin 2t)+4\sin^2 2t}\,dt$

$=2\int_0^{2\pi}\sqrt{4-4\sin 2t+\sin^2 2t}\,dt$

$=2\int_0^{2\pi}\sqrt{(2-\sin 2t)^2}dt$

$=2\int_0^{2\pi}(2-\sin 2t)dt$

$=2\left[2t+\frac{1}{2}\cos 2t\right]_0^{2\pi}$

$=2\times\left\{\left(4\pi+\frac{1}{2}\right)-\frac{1}{2}\right\}=8\pi$

따라서 $a=8$이므로 $a^2=64$ 답 64

13 **Act①** **두 점 P, Q가 만나기 위해서는 각각의 x좌표와 y좌표가 같아야 함을 이용한다.**

시각 t에서의 점 P의 위치를 (x, y)라 하면

$x=0+\int_0^t 2s\,ds=\left[s^2\right]_0^t=t^2$

$y=-1+\int_0^t 2\pi\sin 2\pi s\,ds$ ($2\pi s=u$로 놓으면 $2\pi\,ds=du$)

$=-1+\int_0^{2\pi t}\sin u\,du$

$=-1+\left[-\cos u\right]_0^{2\pi t}$

$=-\cos 2\pi t$

(i) (P의 x좌표)$=$(Q의 x좌표)에서

$t^2=4\sin 2\pi t$ …… ㉠

(ii) (P의 y좌표)$=$(Q의 y좌표)에서

$-\cos 2\pi t=|\cos 2\pi t|$, 즉 $\cos 2\pi t\le 0$ …… ㉡

㉠, ㉡에서 $y=4\sin 2\pi t$, $y=\cos 2\pi t$의 주기는 $\frac{2\pi}{2\pi}=1$이고 $y=t^2$, $y=4\sin 2\pi t$의 그래프는 아래 그림과 같다. (단, 그래프에서 색칠한 부분은 $\cos 2\pi t\le 0$을 만족시키는 t의 범위를 나타낸 것이다.)

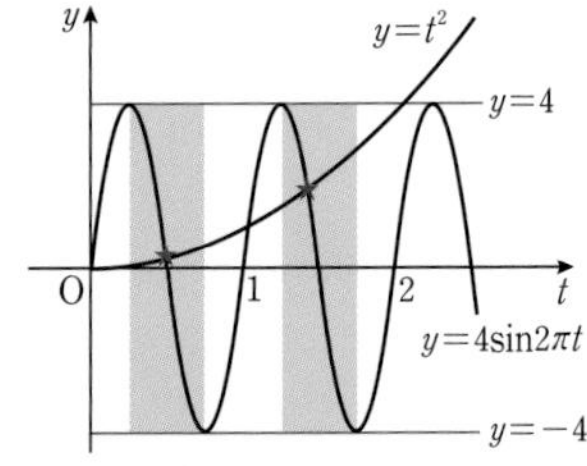

㉠, ㉡을 만족시키는 교점의 개수가 2개이므로 출발 후 P와 Q는 2번 만난다. 답 ②

기출유형 06

Act① **곡선 $x=f(t)$, $y=g(t)$ $(a\le t\le b)$의 길이는 $\int_a^b\sqrt{\{f'(t)\}^2+\{g'(t)\}^2}dt$임을 이용한다.**

$\frac{dx}{dt}=-2t$, $\frac{dy}{dt}=4t$이므로 구하는 곡선의 길이는

$\int_0^2\sqrt{(-2t)^2+(4t)^2}dt=\int_0^2 2\sqrt{5}t\,dt$

$=\left[\sqrt{5}t^2\right]_0^2$

$=4\sqrt{5}$ 답 ④

14 **Act①** **곡선 $x=f(t)$, $y=g(t)$ $(a\le t\le b)$의 길이는 $\int_a^b\sqrt{\{f'(t)\}^2+\{g'(t)\}^2}dt$임을 이용한다.**

$\frac{dx}{dt}=-3\sin t$, $\frac{dy}{dt}=3\cos t$이므로 구하는 곡선의 길이는

$\int_0^{2\pi}\sqrt{(-3\sin t)^2+(3\cos t)^2}dt$

$=\int_0^{2\pi}\sqrt{9(\sin^2 t+\cos^2 t)}dt$

$=\int_0^{2\pi}3\,dt$

$=\left[3t\right]_0^{2\pi}=6\pi$

$\therefore a=6$ 답 6

15 **Act①** **곡선 $x=f(t)$, $y=g(t)$ $(a\le t\le b)$의 길이는 $\int_a^b\sqrt{\{f'(t)\}^2+\{g'(t)\}^2}dt$임을 이용한다.**

$\frac{dx}{dt}=e^t\sin t+e^t\cos t=e^t(\sin t+\cos t)$,

$\frac{dy}{dt}=e^t\cos t-e^t\sin t=e^t(\cos t-\sin t)$

이므로 구하는 곡선의 길이는

$\int_0^{2\pi}\sqrt{\{e^t(\sin t+\cos t)\}^2+\{e^t(\cos t-\sin t)\}^2}dt$

$=\int_0^{2\pi}\sqrt{2}e^t dt$

$=\left[\sqrt{2}e^t\right]_0^{2\pi}$

$=\sqrt{2}(e^{2\pi}-1)$ 답 ④

16 **Act①** **곡선 $y=f(x)$ $(a\le x\le b)$의 길이는 $\int_a^b\sqrt{1+\{f'(x)\}^2}\,dx$임을 이용한다.**

$\frac{dy}{dx}=\frac{1}{2}\left(x-\frac{1}{x}\right)$이므로 구하는 곡선의 길이는

$\int_1^e\sqrt{1+\frac{1}{4}\left(x-\frac{1}{x}\right)^2}\,dx$

$=\int_1^e\sqrt{\frac{1}{4}\left(x+\frac{1}{x}\right)^2}\,dx$

$=\frac{1}{2}\int_1^e\left(x+\frac{1}{x}\right)dx$

$=\frac{1}{2}\left[\frac{1}{2}x^2+\ln x\right]_1^e$

$=\frac{1}{2}\left\{\left(\frac{1}{2}e^2+1\right)-\left(\frac{1}{2}+0\right)\right\}$

$=\frac{1}{4}(e^2+1)$ 답 ①

17 **Act①** **곡선 $y=f(x)$ $(a\le x\le b)$의 길이는 $\int_a^b \sqrt{1+\{f'(x)\}^2}\,dx$임을 이용한다.**

$\frac{dy}{dx}=\sqrt{x}$이므로

$\int_0^a \sqrt{1+x}\,dx=\left[\frac{2}{3}(1+x)^{\frac{3}{2}}\right]_0^a$

$=\frac{2}{3}\left\{(1+a)^{\frac{3}{2}}-1\right\}$

이때 곡선의 길이가 $\frac{14}{3}$이므로

$\frac{2}{3}\left\{(1+a)^{\frac{3}{2}}-1\right\}=\frac{14}{3}$

$(1+a)^{\frac{3}{2}}=8$, $(1+a)^3=64$

$\therefore a=3$ 답 ③

VIT Very Important Test pp. 110~111

01. ②	02. ③	03. ②	04. ①	05. ③
06. 12	07. ④	08. ②	09. 1	10. 4

01

$\lim_{n\to\infty}\sum_{k=1}^{n}\frac{1}{n}f\left(\frac{2k}{n}\right)=\frac{1}{2}\lim_{n\to\infty}\sum_{k=1}^{n}f\left(\frac{2k}{n}\right)\times\frac{2}{n}$

$=\frac{1}{2}\int_0^2 f(x)dx$

$=\frac{1}{2}\int_0^2 (3x^2+1)dx$

$=\frac{1}{2}\left[x^3+x\right]_0^2$

$=\frac{1}{2}(8+2)=5$ 답 ②

02

닫힌구간 $[e, e^2]$에서 $\frac{\ln x}{x}>0$이므로 구하는 넓이 S는

$S=\int_e^{e^2}\frac{\ln x}{x}\,dx$

이때 $\ln x=t$라 하면 $\frac{dt}{dx}=\frac{1}{x}$이고

$x=e$일 때 $t=1$, $x=e^2$일 때 $t=2$이므로

$S=\int_1^2 t\,dt=\left[\frac{1}{2}t^2\right]_1^2=\frac{3}{2}$ 답 ③

03

곡선 $y=e^x$과 x축, y축 및 직선 $x=\ln 5$로 둘러싸인 도형의 넓이를 S라 하면

$S=\int_0^{\ln 5}e^x dx=\left[e^x\right]_0^{\ln 5}$

$=e^{\ln 5}-1=5-1=4$

직선 $x=k$가 위 도형의 넓이를 이등분하므로 곡선 $y=e^x$과 x축, y축 및 직선 $x=k$로 둘러싸인 도형의 넓이는 $\frac{1}{2}S=2$이다. 즉

$S=\int_0^k e^x dx=\left[e^x\right]_0^k=e^k-1=2$

$e^k-1=2$에서 $e^k=3$

$\therefore k=\ln 3$ 답 ②

04

$y=\ln x$의 도함수가 $y'=\frac{1}{x}$이므로 곡선 $y=\ln x$ 위의 점 $(e, 1)$에서의 접선의 방정식은

$y-1=\frac{1}{e}(x-e)$ $\therefore y=\frac{1}{e}x$

따라서 구하는 넓이는

$\int_0^e \frac{1}{e}x\,dx-\int_1^e \ln x\,dx$

$=\left[\frac{1}{2e}x^2\right]_0^e-\left[x\ln x-x\right]_1^e$

$=\frac{e}{2}-(e-e+1)=\frac{e}{2}-1$ 답 ①

05

입체도형의 부피 V는 $V=\int_0^9\sqrt{9-x}\,dx$

$9-x=t$로 놓으면 $\frac{dt}{dx}=-1$이고

$x=0$일 때 $t=9$, $x=9$일 때 $t=0$이므로

$V=-\int_9^0\sqrt{t}\,dt=-\left[\frac{2}{3}t^{\frac{3}{2}}\right]_9^0=18$ 답 ③

06

x축에 수직인 평면으로 자른 단면의 넓이를 $S(x)$라 하면

$S(x)=\left(\frac{x}{\sqrt{x^3+1}}\right)^2=\frac{x^2}{x^3+1}$

따라서 입체도형의 부피 V는

$V=\int_1^2 S(x)dx=\int_1^2\frac{x^2}{x^3+1}\,dx$

$x^3+1=t$로 놓으면 $\frac{dt}{dx}=3x^2$이고

$x=1$일 때 $t=2$, $x=2$일 때 $t=9$이므로

$V=\frac{1}{3}\int_2^9\frac{1}{t}\,dt$

$=\frac{1}{3}\left[\ln|t|\right]_2^9$

$=\frac{1}{3}(\ln 9-\ln 2)$

$=\frac{1}{3}\ln\frac{9}{2}$

따라서 $p=3$, $q=9$이므로

$p+q=12$ 답 12

07

$$\frac{dx}{dt}=e^t(\sin 2t+\cos 2t)+e^t(2\cos 2t-2\sin 2t)$$
$$=e^t(3\cos 2t-\sin 2t)$$
$$\frac{dy}{dt}=e^t(\sin 2t-\cos 2t)+e^t(2\cos 2t+2\sin 2t)$$
$$=e^t(3\sin 2t+\cos 2t)$$

$t=1$에서 $t=2$까지 점 P가 움직인 거리는

$$\int_1^2 \sqrt{e^{2t}(3\cos 2t-\sin 2t)^2+e^{2t}(3\sin 2t+\cos 2t)^2}dt$$
$$=\sqrt{10}\int_1^2 e^t dt$$
$$=\sqrt{10}\Big[e^t\Big]_1^2$$
$$=\sqrt{10}(e^2-e)$$

답 ④

08

$$\frac{dx}{dt}=-6\cos^2 t\sin t,\ \frac{dy}{dt}=6\sin^2 t\cos t$$

이므로 구하는 곡선의 길이는

$$\int_0^{2\pi}\sqrt{36\sin^2 t\cos^4 t+36\sin^4 t\cos^2 t}\,dt$$
$$=\int_0^{2\pi}\sqrt{36\sin^2 t\cos^2 t(\sin^2 t+\cos^2 t)}dt$$
$$=6\int_0^{2\pi}\sin t\cos t\,dt$$

이때 $\sin t=u$로 놓으면 $\frac{du}{dt}=\cos t$이고

$t=0$일 때 $u=0$, $t=\frac{\pi}{2}$일 때 $u=1$이므로

$$6\int_0^{\frac{\pi}{2}}\sin t\cos t\,dt=6\int_0^1 u\,du=6\Big[\frac{1}{2}u^2\Big]_0^1$$
$$=6\times\frac{1}{2}=3$$

답 ②

09

$$\lim_{n\to\infty}\sum_{k=1}^{n}\frac{\pi}{n}f\Big(\frac{k}{2n}\Big)f\Big(1+\frac{k}{2n}\Big)$$
$$=\lim_{n\to\infty}\sum_{k=1}^{n}\frac{\pi}{n}\sin\frac{\pi k}{4n}\sin\Big(\frac{\pi}{2}+\frac{\pi k}{4n}\Big)$$
$$=\lim_{n\to\infty}\sum_{k=1}^{n}\frac{\pi}{n}\sin\frac{\pi k}{4n}\cos\frac{\pi k}{4n}$$
$$=4\lim_{n\to\infty}\sum_{k=1}^{n}\frac{\pi}{4n}\sin\frac{\pi k}{4n}\cos\frac{\pi k}{4n}$$
$$=4\int_0^{\frac{\pi}{4}}\sin x\cos x\,dx$$
$$=4\Big[\frac{1}{2}\sin^2 x\Big]_0^{\frac{\pi}{4}}$$
$$=4\times\frac{1}{2}\times\Big(\frac{\sqrt{2}}{2}\Big)^2$$
$$=1$$

답 1

10

$$\frac{dx}{dt}=4(-\sin t+\cos t)$$
$$\frac{dy}{dt}=-2\sin 2t=-2\sin(t+t)$$
$$=-2(\sin t\cos t+\cos t\sin t)$$
$$=-4\sin t\cos t$$

$\cos 2t=1$에서 $t=\pi$, 2π, 3π, $\cdots$이므로 $a=\pi$

따라서 점 P가 움직인 거리 s는

$$s=\int_0^{\pi}\sqrt{16(-\sin t+\cos t)^2+16(\sin t\cos t)^2}dt$$
$$=4\int_0^{\pi}(1-\sin t\cos t)dt$$
$$=4\Big[t\Big]_0^{\pi}-4\int_0^{\pi}\sin t\cos t\,dt$$

$\cos t=u$라 하면 $-\sin t=\frac{du}{dt}$이고

$t=0$일 때 $u=1$, $t=\pi$일 때 $u=-1$이므로

$$s=4\pi+4\int_1^{-1}u\,du$$
$$=4\pi+4\Big[\frac{1}{2}u^2\Big]_1^{-1}=4\pi$$

$\therefore\ a=4$

답 4

탄탄한 기본기 체계적 연마

참 중요한 3·4점 수학